W9-AYU-750

EL LIBRO ESENCIAL DE LA COCINA

vegetariana

KÖNEMANN

Título original: The essential vegetarian cookbook

Könemann Verlagsgesellschaft mbH
Bonner Str. 126, 50968 Colonia
Traducción del inglés: Glòria Carrera, Ester Galindo para Locteam, S.L., Barcelona
Redacción y maquetación: Locteam, S.L., Barcelona
Director de producción: Detlev Schaper
Impresión: Leefung Asco Printers Ltd.

Impreso en China

ISBN 3-89508-550-2

PRÓLOGO

La opción vegetariana ha dejado de ser el pariente pobre de los menús y de ser vista como el dominio del arroz integral con lentejas. Nuestros hábitos culinarios han evolucionado hasta tal punto que, en realidad, muchos de nosotros seguimos una dieta totalmente exenta de carne sin considerarnos por ello vegetarianos estrictos -y no por una filosofía concreta, ni por razones de salud o económicas. El actual interés general por la comida y la cocina, el descubrimiento de un sinfín de platos sin carne procedentes de otros países y el incremento aparentemente diario de la variedad de hortalizas, cereales, frutos secos y legumbres disponibles, han contribuido a que la cocina vegetariana resulte más atractiva e innovadora, a la vez que nosotros aprendemos a apreciar la buena comida.

CONTENIDO

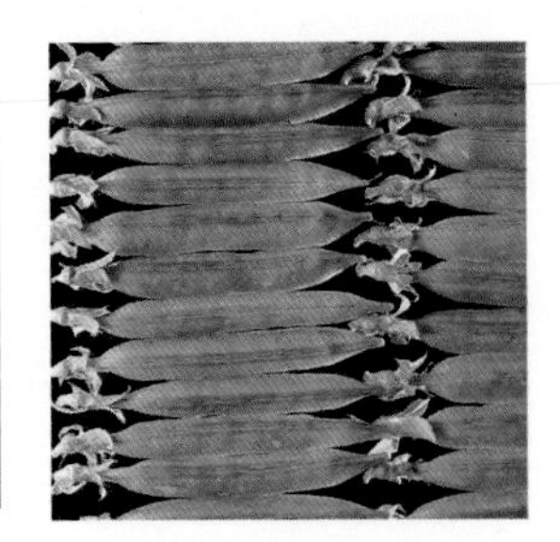

LA AVENTURA VEGETARIANA

Una buena dieta vegetariana cumple con todos los requisitos actuales: es nutricionalmente completa, rápida de preparar, fácil de seguir y gastronómicamente sensacional. Superados los tiempos de las verduras hervidas y las mil y una formas de cocer las judías, cada día un mayor número de personas de todas las edades y estilos de vida eligen el menú vegetariano como primera opción.

LA ALTERNATIVA VEGETARIANA

Existen múltiples motivos por los cuales se empieza a seguir una dieta vegetariana, ya sea por razones éticas, de salud o creencias religiosas. Pero también hay quien gusta de comer así por el mero placer estético o gastronómico. Y es que la gran variedad de ingredientes y la abundancia de posibilidades que la cocina vegetariana ofrece a la creación culinaria es algo que los defensores de la carne descartan o no desean reconocer.

En general, la carne—y en menor proporción las aves y el pescado—supone la opción más fácil en los países desarrollados, hasta el punto de que se ha impuesto en las comidas como el plato principal. A menudo esta tradición ha conducido a una dieta poco variada y, por tanto, nutricionalmente desequilibrada que, además, repercute en la salud por su alto contenido en grasas saturadas. Una dieta que sitúa a la carne por encima de todo es resultado de la opulencia y no necesariamente saludable.

Muchas personas admiten cierto desequilibrio en su alimentación y deciden reducir la ingestión de carne; ésta es una de las formas más habituales de descubrir la alternativa vegetariana. A medida que estas personas ganan confianza, prueban más platos y descubren el placer de la cocina vegetariana: la riqueza de colores, sabores, texturas y aromas. El resultado suele ser una mayor vitalidad, menos problemas de peso, piel más clara o menos estreñimiento; es por ello que muchos acaban por abandonar la carne y el pescado.

El término "vegetariano" se usa con bastante imprecisión, pues hay personas que se autodenominan vegetarianas (o semivegetarianas) porque no comen carne, pero sí pollo y pescado, mientras que otras no ingieren ni carne ni pescado. Si bien los vegetarianos estrictos excluyen de su dieta cualquier producto de origen animal, incluidos el queso, la leche y los huevos, la mayoría de los vegetarianos comen huevos y lácteos.

Las comidas sin carne no tienen porqué ser insulsas y aburridas, pues su gran variedad estimula la imaginación e incluso ofrece la oportunidad de aprender nuevas técnicas culinarias. La comida vegetariana permite ser mucho más creativo.

ACERCA DE ESTE LIBRO

Las recetas de este libro no contienen carne, pero algunas incluyen el uso de salsas de pescado para potenciar el sabor. No es éste un libro para vegetarianos estrictos, pues los huevos, la mantequilla, la leche y la nata se emplean con frecuencia. Aun así, muchas de las recetas, sobretodo las de cereales, resultan igual de adecuadas para ellos. Tampoco se trata de un libro con alternativas vegetarianas y hamburguesas "de imitación" para una dieta básicamente carnívora. Son recetas para los amantes de la buena comida.

Todas las delicias de los alimentos más ricos se hallan al alcance de los vegetarianos, hasta los postres más deliciosos. No se trata pues de un libro para adelgazar, ni de comida natural, sino de una obra que amplía el menú de posibilidades y demuestra que se puede ser gourmet y buen cocinero *además de* vegetariano.

DERECHA: Estas crêpes crujientes de setas (página 94) y las tortitas de pimiento y aceitunas negras (página 95) son una buena muestra de lo creativa y tentadora que puede llegar a ser la comida vegetariana.

ALGUNOS PRINCIPIOS

Una vez descubiertos los placeres de la comida vegetariana, existen ciertos peligros dietéticos que pueden evitarse con un poco de información. A pesar de la popularidad alcanzada por este régimen alimentario y del buen conocimiento general sobre nutrición, existen todavía algunos interrogantes sobre cómo aprovechar al máximo los alimentos. Resolviendo estos interrogantes, la experiencia vegetariana resultará tan beneficiosa como satisfactoria.

Si siempre ha sido vegetariano, seguramente ya sabe cómo satisfacer todas sus necesidades nutricionales, pero todos aquellos que desean cambiar a una dieta sin carne, o simplemente reducir la ingestión de la misma, deberán tener en cuenta unos cuantos puntos importantes.

- Es perfectamente posible, y en absoluto difícil, llevar una vida sana siguiendo un dieta vegetariana. La clave del éxito radica en la variedad: consuma la máxima variedad posible de alimentos y su organismo recibirá todos los nutrientes básicos necesarios.
- Es un error habitual pensar en "sustituir" los nutrientes que suelen aportar la carne, las aves o el pescado. Si posee información, conocimiento y ganas de probar cosas nuevas, así como voluntad para ampliar el repertorio culinario e incluir en él deliciosos platos vegetarianos del mundo entero, le resultará mucho más práctico que cualquier estudio científico sobre el tema.
- Incluya en su dieta cereales, legumbres, hortalizas, fruta y, si no es estricto, huevos y productos lácteos; ya verá como no tendrá problemas.
- Numerosos estudios demuestran que en aquellas sociedades con una dieta alta en fibra y alimentos sin refinar, y bajos en sal y azúcar, se dan menos casos de hipertensión arterial, menos enfermedades cardíacas e intestinales (incluido el cáncer) y menos diabetes y cálculos biliares. Los alimentos completos y sin refinar son mucho mejores. (El término "sin procesar" resulta inexacto, pues la mayoría de alimentos básicos deben someterse a algún que otro proceso antes de su consumo: entre ellos la pasta, el arroz, numerosos cereales y el pan.)
- Es de vital importancia comprar productos que sean lo más frescos posible, de modo que los nutrientes no hayan podido deteriorarse todavía. Por esta razón, y por motivos económicos, es una buena idea acostumbrarse a comprar y comer las verduras y frutas del tiempo, cuando están en su punto y son más económicas.
- También resulta práctico congelar las frutas y verduras estivales, elaborar salsas de tomate y pimientos y purés de bayas y frutas, para disfrutar del verano en cualquier momento del año.

¿ES RECOMENDABLE PARA LOS NIÑOS?

Los niños crecen bien con una dieta vegetariana e incluso muchos de ellos deciden por sí mismos seguir este tipo de dieta. Cuando se trata de programarles las comidas, el principio de máxima variedad en la dieta resulta todavía más importante. Y aunque así se cubren la mayoría de las necesidades nutricionales de los niños, existen aspectos importantes que no deben olvidarse.

Las legumbres, tomadas en una misma comida junto con cereales, frutos secos o semillas, suponen una fuente completa de proteínas, esenciales para los niños. Y ello no resulta tan desalentador como parece: judías guisadas con tostadas; arroz con lentejas; bocadillos de falafel; chile de fríjoles con tortillas o tacos.

Los niños en edad de crecimiento precisan comidas concentradas y ricas en aquellos nutrientes que su organismo necesita, así como más grasas que los adultos. Existen muchas maneras saludables de que los niños tomen grasas: manteca de cacahuete, aguacate, queso, yogur, frutos secos. A la mayoría les gusta este tipo de comida, así que no hay porqué recurrir a otras fuentes más pobres en nutrientes, como los pasteles, las galletas, el chocolate o la comida rápida.

Los niños deben desayunar bien. Evite los cereales con azúcar añadido y acostúmbrelos al muesli y a las tostadas integrales hechos en casa; se lo agradecerán toda la vida.

ARRIBA: Una dieta vegetariana no tiene porqué ser estricta ni puritana. Las magdalenas de fresa y fruta de la pasión (página 278) constituyen una merienda exquisita o un desayuno especialmente caprichoso.

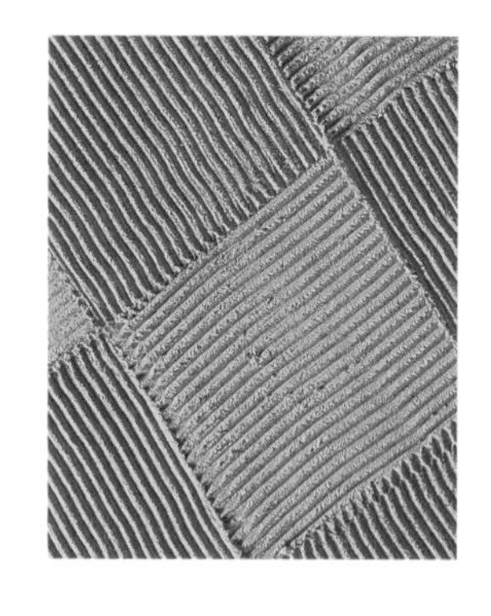

LA PIRÁMIDE VEGETARIANA

Existe la posibilidad de caer en una dieta pobre tanto cuando se sigue un régimen estrictamente vegetariano, como cuando se abusa de productos de origen animal. La pirámide de la comida vegetariana supone un buen punto de referencia para poder comprobar si su dieta es adecuada. Los principios que la rigen son muy simples:

• COMER MÁS

CEREALES: *trigo, arroz, cebada, maíz, avena, centeno, mijo, alforfón*
DERIVADOS DE CEREALES: *pasta, pan, cereales integrales para el desayuno*
FRUTAS Y VERDURAS

• COMER MODERADAMENTE

LÁCTEOS: *leche, yogur, queso*
LEGUMBRES: *guisantes, garbanzos, judías, lentejas*
FRUTOS SECOS
HUEVOS

• COMER MENOS

AZÚCAR, MIEL
MANTEQUILLA, NATA
MARGARINA, ACEITES
ALCOHOL, TÉ, CAFÉ

Programarse las comidas resulta más sencillo si uno se acostumbra a tomar esta pirámide como referencia. Cada día deberían predominar los alimentos del grupo "Comer más": fruta, cereales y tostadas para desayunar, pan o panecillos, ensaladas o platos de verduras y fruta para la comida; platos de pasta o arroz para la cena, con pan o panecillos frescos, y más fruta como postre o tentempié.

Las comidas del día pueden incluir pequeñas cantidades de lácteos del grupo "Comer moderadamente" (si no es vegetariano estricto): yogur con el desayuno o la comida, algo de queso con la comida o la cena. La comida principal puede incluir platos saciantes y sopas sustanciosas a base de legumbres secas, así como sabrosos platos con huevos. Los frutos secos son ideales para picar.

La categoría "Comer menos" significa exactamente eso—un poco de mantequilla o margarina para la tostada del desayuno, un chorrito de aceite de oliva virgen con la ensalada o para saltear las cebollas de la cena, una copa de vino de vez en cuando. Un dulce como capricho está bien siempre que no sea una costumbre y el té y el café pueden saborearse con moderación.

Es posible equilibrar nutricionalmente las comidas diarias, de tal modo que el conjunto final se avenga con los principios de la pirámide. Compense una copiosa comida de compromiso, por ejemplo, con una cena a base de verduras, cereales y fruta. Comer fuera no resulta tan peligroso, si se tiene en mente la pirámide en el momento de pedir los platos (ensaladas, entrantes, sopas, pan y fruta o queso como postre), o en el momento de compensar el extra una vez en casa.

Cambiar los hábitos alimentarios de toda una vida no se consigue de la noche a la mañana. Si su dieta habitual no se parece demasiado a esta pirámide, adáptese a ella gradualmente. No se preocupe si no todas las comidas son del todo equilibradas. Puede corregir las proporciones a medida que avanzan las semanas y se habitúa a comprar y comer alimentos cada vez más sanos, así como a probar nuevos platos. Sustituya los alimentos refinados por los integrales y los productos lácteos por sus variantes desnatadas. Consulte las etiquetas para saber los porcentajes de sal, azúcar, grasas y aditivos. Disfrute elaborando sus propias sopas, salsas y hasta cereales para el desayuno—en lugar de comprarlos preparados; así controlará todo lo que ingiere su organismo.

Los niños suelen apreciar la comida sana. La pasta, la fruta, el yogur, la manteca de cacahuete, el queso, la leche y los frutos secos gozan de bastante popularidad entre ellos. La dificultad radica en querer cambiar los malos hábitos: hágalo gradualmente y saldrá ganando.

PROGRAMACIÓN DEL MENÚ

Fíjese en la pirámide y póngase la salud como objetivo a la hora de comprar y comer. Compre diversos tipos de arroz, cuscús, pasta variada, panes distintos (congele barras y panes planos), cereales para el desayuno y harinas varias.

Acostúmbrese a llenar la despensa de productos frescos de manera regular y sistemática. Programe lo que va a cocinar durante la semana a fin de no desperdiciar la comida. No tiene sentido aprovechar las atractivas frutas y verduras del tiempo, comprando grandes cantidades, si van a terminar marchitándose en el fondo del frigorífico mientras piensa cómo cocinarlas. Varíe su compra a fin de que la dieta sea más amena y el cuerpo aproveche mejor los nutrientes.

Planifique la compra regular de lácteos y huevos para evitar una ingestión excesiva de grasas.

Las conservas son parte esencial de la despensa: las legumbres en conserva ahorran el tiempo de remojo y cocción en casa. El tomate, concentrado o en lata, resulta imprescindible. Tenga siempre a mano aceites de oliva—virgen extra para aliñar y de grado inferior para cocinar—así como otros tipos de aceites vegetales. Y no olvide tampoco las inestimables y sabrosas salsas embotelladas tipo pesto, para pasta y de guindilla.

PIRÁMIDE VEGETARIANA

Esta pirámide muestra gráficamente la increíble variedad de alimentos vegetarianos disponibles. Siga sus principios y disfrutará tanto de la comida como de buena salud.

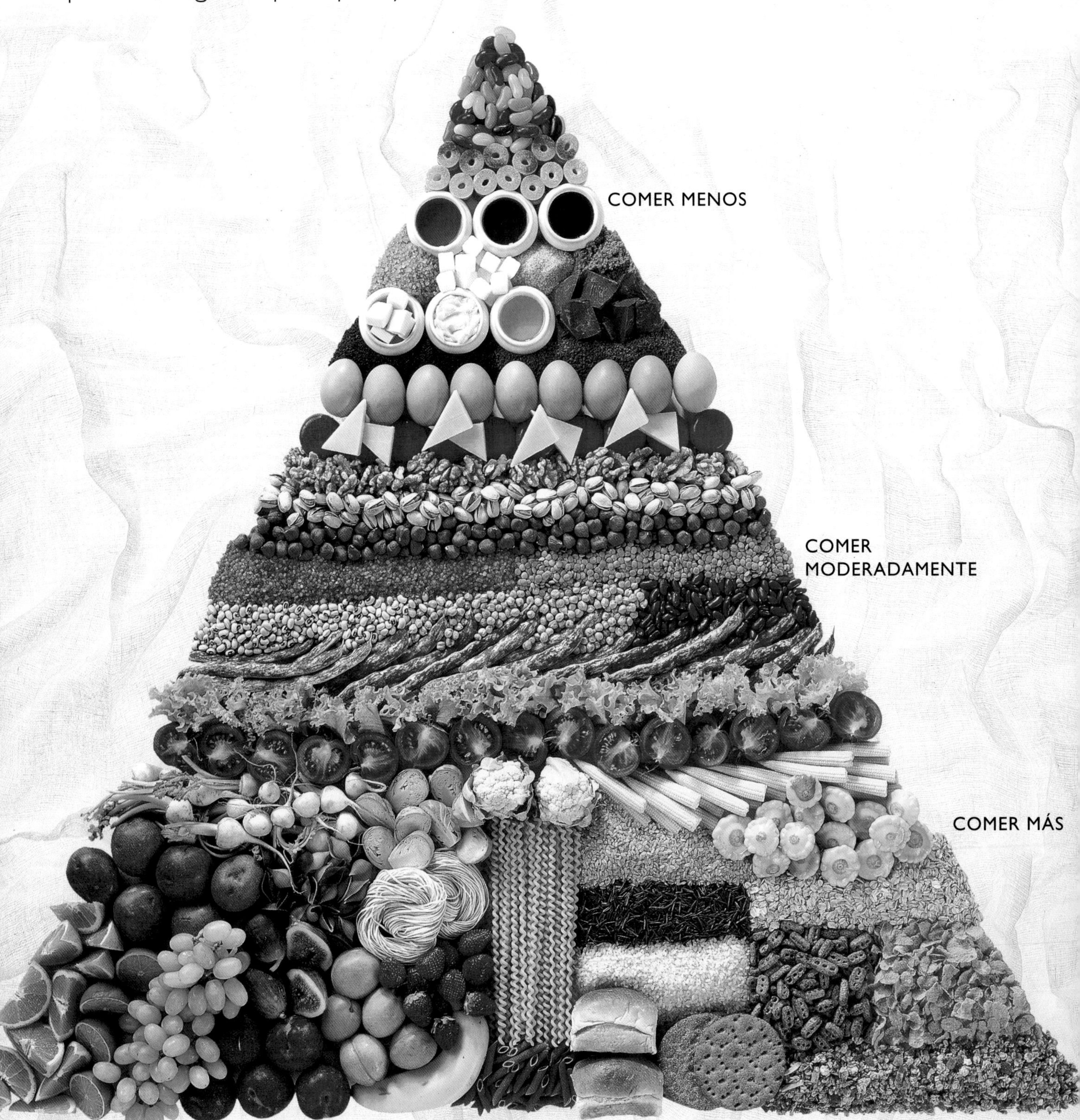

HIDRATOS DE CARBONO

Que los hidratos de carbono juegan un papel vital en la dieta no es ninguna exageración, pues son imprescindibles para producir energía. Se trata de los almidones y azúcares de los cereales y sus derivados—harina, pan y pasta; de las patatas, las legumbres y, en menor proporción, de los frutos secos; también de las frutas y verduras.

Es probable que alguien piense todavía que las patatas engordan pero, por fortuna, hoy en día se sabe cuán beneficioso resulta llenar nuestra dieta de pasta, arroz, panes, cereales y también patatas. No es fácil comer demasiados hidratos de carbono—así es que la flaccidez se forma más por un exceso de grasas que de hidratos.

Existe todo un mundo de derivados de cereales que han sido adoptados recientemente en la dieta occidental: cuscús, alforfón y otros cereales híbridos, tales como el triticale (un cruce entre trigo y centeno, de sabor parecido a la nuez—para añadir al muesli casero en lugar, o además, de los copos de avena). Aproveche estos cereales para dar variedad a sus menús.

También existe ya una amplia selección de arroces: el fragante basmati y el arroz tailandés; el arborio de color perla, único para el risotto; y el arroz salvaje (una planta acuática) de precio elevado, pero que puede adquirirse en mezclas más económicas para dar un toque especial.

Y por si fuera poco, cuanto menos se procesan los alimentos ricos en hidratos de carbono, más cantidad de fibra contienen. La presencia de la fibra en dichos alimentos ayuda al cuerpo a usar la energía que aportan de manera paulatina, mientras que los azúcares refinados llegan rápidamente a la sangre y se queman enseguida, dejando los niveles de energía agotados. Por ello, uno se siente primero pletórico y seguidamente letárgico tras comer dulces. Con los hidratos de carbono se tiene mucho más vigor, porque el desgaste de energía es progresivo.

ABAJO: La pasta constituye una de las mejores fuentes de hidratos de carbono. En combinación con hortalizas frescas o congeladas, como en este plato de espaguetis con salsa primavera (página 116), supone una rápida y sabrosa inyección de energía.

ALIMENTOS RICOS EN HIDRATOS DE CARBONO

- PANES
- PATATAS
- ARROCES
- TRIGO
- CEBADA
- MAÍZ
- ALFORFÓN O TRIGO SARRACENO
- CENTENO
- JUDÍAS SECAS
- LENTEJAS
- PLÁTANOS
- PASTA

SUSTITUTOS DEL TÉ Y EL CAFÉ

Si desea reducir su ingestión de cafeína, hay numerosas alternativas al café y al té que se venden en supermercados y establecimientos de productos naturales. El café descafeinado, tratado mediante la extracción de agua en lugar de con productos químicos, es más saludable. Los sustitutos del café a base de cereales tostados poseen un sabor peculiar pero muchos resultan apetecibles. Asimismo existen varias marcas de té bajo en tanino, y no hay que olvidar que el té chino es bajo en cafeína y muy refrescante. También las infusiones de hierbas resultan tan deliciosas por sí solas como con algo de miel o zumo de limón. Con la algarroba en polvo se obtiene una bebida caliente que sustituye al cacao, más alto en cafeína. Prepárela con leche desnatada y una ramita de canela. En lugar de los refrescos de cola, mezcle zumo de frutas sin azúcar con agua mineral, o bien agua mineral con un chorrito de zumo de lima natural—perfecto en un día de calor. Numerosas bebidas de yogur o zumo de frutas pueden pasarse por la batidora junto con hielo triturado. Prepare un delicioso y saciante batido con leche desnatada, yogur, dos plátanos muy maduros y una pizca de nuez moscada. O pruebe un frappé—hielo y fruta fresca pasados por la batidora. El mango frappé constituye uno de los pequeños placeres de la vida.

FIBRA

La fibra de las frutas y verduras incluye la celulosa y las gomas. Los productos animales—los lácteos, el pescado, las aves y la carne—no contienen ningún tipo de fibra, a pesar de su textura en ocasiones fibrosa. Sin embargo, una dieta vegetariana equilibrada resulta siempre rica en fibra.

Entre otras cosas, la fibra actúa como si barriera el intestino, retirando la comida a una velocidad que disminuye la posibilidad de trastornos. Previene el estreñimiento y reduce el riesgo de cáncer de colon y otras disfunciones intestinales.

Puesto que los diferentes tipos de fibra dietética cumplen funciones distintas, otra vez resulta vital variar al máximo la dieta. Ciertos tipos de fibra (sobretodo la de frutas y verduras) ayudan a rebajar el nivel de colesterol en la sangre. Pero no basta, como se dijo en cierto momento, con añadir cucharadas de salvado integral a los cereales del desayuno. Aparte de provocar cierto malestar mientras el organismo se adapta a tan inesperada invasión de fibra, el salvado integral contiene una gran cantidad de ácido fítico que dificulta la asimilación de hierro. Esta práctica debería evitarse puesto que, al no comer carne, aumenta la necesidad de aprovechar al máximo la ingestión de hierro. Lo más aconsejable es incluir alimentos ricos en fibra en cada comida.

ALIMENTOS RICOS EN FIBRA

- LEGUMBRES SECAS
- GUISANTES Y JUDÍAS VERDES FRESCAS
- COLES
- ZANAHORIAS
- PATATAS *(sobre todo con piel)*
- ESPINACAS
- MAÍZ
- CEREALES COMO AVENA Y TRIGO *(los integrales: germen y cáscara incluidos)*
- PRODUCTOS DERIVADOS DE CEREALES *(p. ej., pan integral de trigo)*
- FRUTOS SECOS *(los albaricoques, sobre todo)*
- FRUTA FRESCA *(especialmente manzanas, plátanos y naranjas. Es necesario comer la fruta entera y no sólo beberse el zumo.)*

ACERCA DEL AZÚCAR

Una cantidad excesiva de azúcar en la dieta dificulta la metabolización de las grasas. Si come mucho azúcar, la grasa que ingiera se instalará más fácilmente en el organismo en lugar de quemarse mediante el ejercicio físico.

Muy poca gente llega a eliminar el azúcar de su dieta, por gustarle demasiado. Como todas las cosas buenas, el azúcar debe consumirse con moderación. Una pasta o un dulce tomados en ocasiones especiales no hacen ningún daño. Los problemas surgen cuando los dulces sustituyen otros alimentos de mayor valor nutricional.

El azúcar de caña, por otra parte, no tiene ningún valor vitamínico o mineral. Cámbiese a la fruta del tiempo, pues además de azúcar contiene fibra y otros nutrientes y, como resulta más saciante que otros alimentos dulces, impide excederse en la ingestión de azúcar.

ARRIBA: Si bien el pan integral contiene más fibra que el pan blanco, también éste contiene un poco (y existe harina blanca con fibra añadida). El pan de pimienta al limón (pág. 228) es un ejemplo de cómo hacer pan ázimo con rapidez. Posee una corteza más bien fibrosa, un rico sabor a queso y muchísima fibra.

SABER COMPRAR

- NUNCA haga la compra con el estómago vacío. Los alimentos dulces e hipercalóricos apetecen mucho más cuando se tiene la imperiosa necesidad de tomar algo.
- RESÍSTASE a los dulces y a los alimentos grasos en el supermercado. Así no tendrá que volver a resistirse, cuando mire la televisión y le apetezca comer chocolate.
- MANTENGA dichos alimentos lejos de su cocina y sus hijos crecerán mucho más sanos. Si no encuentran bolsas de patatas fritas por ninguna parte, comerán fruta.
- LEA las etiquetas. Cuando se encuentre en el supermercado, tómese el tiempo necesario para leer las etiquetas de los congelados, las botellas y las conservas. Se sorprenderá de la cantidad de sal, azúcar, aceite y aditivos que contienen. Seguramente piensa, por ejemplo, que todas las marcas de salsa de tomate son iguales, pero algunas contienen azúcar y otras no.

HIDRATOS DE CARBONO

Son alimentos saciantes, ricos en vitaminas y minerales esenciales, pero con poca grasa. Resultan económicos y sabrosos y deberían suponer el 50 por ciento del total de energía ingerida al día.

FRÍJOLES COCIDOS
Hidratos de carbono por 100 g: 9 g
Grasas por 100 g: 0,5 g

CEBADA PERLADA COCIDA
Hidratos de carbono por 100 g: 21 g
Grasas por 100 g: 0,9 g

POLENTA COCIDA
Hidratos de carbono por 100 g: 40 g
Grasas por 100 g: 1 g

JUDÍAS LIMA COCIDAS
Hidratos de carbono por 100 g: 10,2 g
Grasas por 100 g: 0,3 g

BULGUR REMOJADO
Hidratos de carbono por 100 g: 30 g
Grasas por 100 g: 0,9 g

AVENA CRUDA
Hidratos de carbono por 100 g: 61 g
Grasas por 100 g: 8,5 g

GARBANZOS COCIDOS
Hidratos de carbono por 100 g: 13 g
Grasas por 100 g: 2 g

MIJO INFLADO
Hidratos de carbono por 100 g: 77 g
Grasas por 100 g: 2,9 g

LENTEJAS COCIDAS
Hidratos de carbono por 100 g: 9,5 g
Grasas por 100 g: 0,4 g

PATATA COCIDA
Hidratos de carbono
por 100 g: 10 g
Grasas por 100 g: 0,1 g

BONIATO COCIDO
Hidratos de carbono por 100 g: 16,7 g
Grasas por 100 g: 0,1 g

PASTA COCIDA
Hidratos de carbono por 100 g: 24,6 g
Grasas por 100 g: 0,3 g

JUDÍAS GUISADAS
Hidratos de carbono por 100 g: 11,2 g
Grasas por 100 g: 0,5 g

ARROZ COCIDO
Hidratos de carbono por 100 g: 28 g
Grasas por 100 g: 0,2 g

MAÍZ COCIDO
Hidratos de carbono por 100 g: 20 g
Grasas por 100 g: 1 g

QUINOA SECA
Hidratos de carbono por 100 g: 70 g
Grasas por 100 g: 3 g

PAN
Hidratos de carbono por 100 g: 47,3 g
Grasas por 100 g: 2,5 g

TODO FIBRA

La fibra ha recibido últimamente su debido reconocimiento, por facilitar la digestión y proteger el organismo de enfermedades. La cantidad recomendada es de 25–30 gramos al día.

COPOS DE AVENA COCIDOS
Fibra por 100 g: 1,0 g
Grasas por 100 g: 2,2 g

SALVADO
Fibra por 100 g: 28 g
Grasas por 100 g: 4 g

AVELLANAS
Fibra por 100 g: 10 g
Grasas por 100 g: 61 g

CACAHUETES
Fibra por 100 g: 8 g
Grasas por 100 g: 52 g

GUISANTES SECOS COCIDOS
Fibra por 100 g: 4 g
Grasas por 100 g: 0,3 g

LENTEJAS COCIDAS
Fibra por 100 g: 3,5 g
Grasas por 100 g: 0,7 g

NUECES
Fibra por 100 g: 6 g
Grasas por 100 g: 70 g

PISTACHOS
Fibra por 100 g: 10 g
Grasas por 100 g: 50 g

SOJA COCIDA
Fibra por 100 g: 7 g
Grasas por 100 g: 7 g

JUDÍAS BLANCAS COCIDAS
Fibra por 100 g: 8,0 g
Grasas por 100 g: 2,2 g

PIÑONES
Fibra por 100 g: 15 g
Grasas por 100 g: 70 g

PIPAS DE CALABAZA
Fibra por 100 g: 25 g
Grasas por 100 g: 15 g

FRÍJOLES COCIDOS
Fibra por 100 g: 11 g
Grasas por 100 g: 0,3 g

ARROZ SALVAJE/INTEGRAL COCIDO
Fibra por 100 g: 2 g
Grasas por 100 g: 0,9 g

PIPAS DE GIRASOL
Fibra por 100 g: 3,3 g
Grasas por 100 g: 47 g

SÉSAMO
Fibra por 100 g: 10 g
Grasas por 100 g: 55 g

Albaricoques secos
Fibra por 100 g: 10 g
Grasas por 100 g: 0 g

Dátiles secos
Fibra por 100 g: 10 g
Grasas por 100 g: 0 g

Guisantes frescos
Fibra por 100 g: 7 g
Grasas por 100 g: 0,6 g

Maíz en lata
Fibra por 100 g: 3,2 g
Grasas por 100 g: 1,2 g

Higos secos
Fibra por 100 g: 14 g
Grasas por 100 g: 1,0 g

Ciruelas pasas
Fibra por 100 g: 8,0 g
Grasas por 100 g: 0 g

Habas
Fibra por 100 g: 4,2 g
Grasas por 100 g: 0 g

Coles de bruselas cocidas
Fibra por 100 g: 3,5 g
Grasas por 100 g: 0 g

Uvas pasas
Fibra por 100 g: 5 g
Grasas por 100 g: 1,0 g

Tamarillo
Fibra por 100 g: 4,6 g
Grasas por 100 g: 0 g

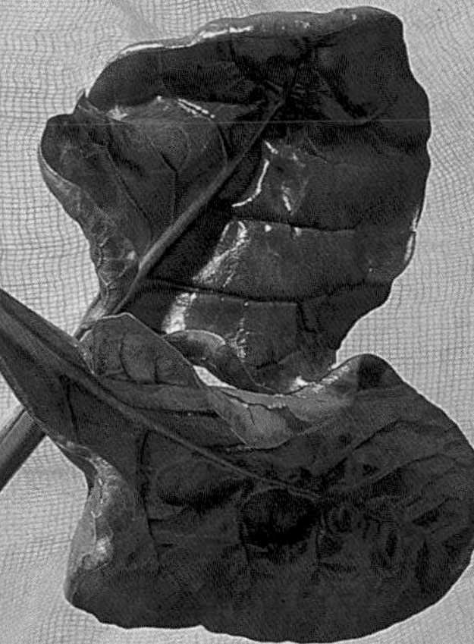

Acelgas cocidas
Fibra por 100 g: 3,3 g
Grasas por 100 g: 0 g

Tomates
Fibra por 100 g: 1 g
Grasas por 100 g: 0 g

Sultanas
Fibra por 100 g: 5 g
Grasas por 100 g: 0 g

Coco fresco
Fibra por 100 g: 8 g
Grasas por 100 g: 29 g

Fresas
Fibra por 100 g: 2,4 g
Grasas por 100 g: 0 g

Calabaza cocida
Fibra por 100 g: 1,8 g
Grasas por 100 g: 0,5 g

Perejil
Fibra por 100 g: 5 g
Grasas por 100 g: 0 g

PROTEÍNAS

Nadie necesita grandes cantidades de proteínas, pero todo el mundo precisa algunas. Los niños en edad de crecimiento y las mujeres embarazadas requieren más que el resto de la gente.

Las proteínas resultan vitales para el crecimiento de las células, la regeneración y reproducción de los tejidos, así como para crear las sustancias que nos protegen de las infecciones. Nuestras necesidades diarias son, no obstante, reducidas.

Es fácil obsesionarse con las proteínas—seguramente por el legado que nos dejaron las dietas ricas en carne. Lo cierto es que en la mayoría de países occidentales se ingieren muchas más proteínas de las necesarias, con lo cual éstas se convierten en grasas. En estos países no suelen darse casos de deficiencia proteica, incluso cuando no hay una preocupación por la nutrición y se abusa de la comida rápida. El verdadero problema reside en el exceso de azúcar, sal y grasas.

El hecho de tomar las proteínas de fuentes vegetales presenta una notable ventaja: el alto contenido en fibra de los cereales y las legumbres impide comer demasiado.

ABAJO: Los productos lácteos constituyen una buena fuente de proteínas y, si los combina con cereales y hortalizas, como en esta tarta de arroz integral con tomate natural (pág. 148), obtendrá al mismo tiempo hidratos de carbono en un único y delicioso plato.

COMBINACIÓN DE ALIMENTOS Y PROTEÍNAS "COMPLETAS"

Las proteínas se componen de 23 aminoácidos distintos que se combinan entre sí para formar lo que se denomina una proteína "completa". Durante la digestión las proteínas se dividen en estas pequeñas unidades, que son usadas por el organismo para crear sus propias proteínas. La proteína completa es lo que el cuerpo humano precisa.

Los aminoácidos se encuentran en varios alimentos y en combinaciones y proporciones diferentes. Si la dieta es correcta, el mismo organismo puede crearlos. Sin embargo, existen ocho aminoácidos esenciales que el organismo sólo puede obtener de la comida; algunos alimentos contienen dichos aminoácidos casi en la cantidad justa para el organismo, con lo cual éste puede utilizarlos de inmediato.

Las proteínas de los productos animales—carne, huevos, pescado, pollo, leche, queso y yogur—aportan todos los aminoácidos esenciales y por ello se las denomina "completas".

Aunque el queso y los huevos son proteínas completas, abusar de estos productos supone un exceso de grasas en la dieta, y los vegetarianos estrictos no pueden optar a ellos. Es preciso ir más allá del queso y combinar los alimentos.

Las legumbres y los cereales poseen algunos, pero no todos, los aminoácidos esenciales. De todos modos, si se combinan con otros alimentos que contienen los aminoácidos que a ellos les faltan—por ejemplo, un cereal y una legumbre (arroz con judías), el organismo los une para crear una proteína completa. Ambos alimentos no tienen porqué comerse simultáneamente—incluso con unas horas de diferencia funciona.

La mayoría de los vegetarianos son conscientes de la importancia de obtener proteínas de fuentes diversas. La combinación de alimentos no debería resultar nada complicada; siguiendo unos principios muy simples, puede inventarse una deliciosa forma de comer. Las proteínas presentes en lácteos, frutos secos y semillas, legumbres y cereales son complementarias, por lo que comer alimentos de dos o más de estos grupos combinados aporta al organismo proteínas suficientes.

En muchos países ha sido la cultura indígena la que ha desarrollado las diversas combinaciones de alimentos. Dhal con arroz, judías con maíz, hummus con pan pita—todas ellas son combinaciones de legumbres y cereales. Otras incluyen:

- BOCADILLOS DE PAN INTEGRAL CON MANTECA DE CACAHUETE
- TOSTADAS INTEGRALES CON JUDÍAS
- SOPA DE GUISANTES SECOS Y PANECILLO
- ARROZ INTEGRAL CON GARBANZOS
- ARROZ CON TOFU
- TACOS DE MAÍZ CON FRÍJOLES
- HAMBURGUESA DE LENTEJAS Y BOLLO
- PASTA Y QUESO
- MUESLI CON LECHE
- JUDÍAS CON HORTALIZAS
- TABBOULEH
- PASTELES VEGETALES: PATATA, ESPINACAS
- MUESLI CON FRUTOS SECOS Y SEMILLAS
- CUSCÚS CON GARBANZOS

El tofu y otros derivados de la soja, así como el germen de trigo y la harina de avena casi constituyen por sí solos proteínas completas, siendo los únicos productos no-animales con estas características. Esa es la razón por la cual los vegetarianos los tienen en tan alta estima y los más estrictos pueden obtener todas las proteínas necesarias de alimentos puramente vegetales.

FUENTES DE PROTEÍNAS

- LÁCTEOS: *queso, leche, yogur*
- SEMILLAS Y FRUTOS SECOS: *girasol, sésamo, calabaza, pacanas, nueces del Brasil, avellanas, almendras, nueces, anacardos, piñones*
- LEGUMBRES: *cacahuetes, guisantes, judías, lentejas, soja y derivados: tempeh y tofu*
- CEREALES: *arroz, avena, maíz, trigo y derivados, pasta, cuscús, centeno, cebada*

Combinar alimentos de al menos dos de los grupos anteriores en una misma comida aportará más proteínas al organismo. No es necesario entrar en cálculos matemáticos—lleve una dieta variada y obtendrá todas las proteínas necesarias.

VEGETARIANOS ESTRICTOS

Aquellas personas que se alimentan tan sólo de productos de origen vegetal (sin lácteos ni huevos)—pueden cubrir todas sus necesidades nutricionales con un poco de programación. Los niños requieren especial atención, pues sus necesidades difieren ligeramente.
De nuevo, la variedad es la clave. Es preciso comer a diario alimentos pertenecientes a los cuatro grupos vegetales siguientes:

- CEREALES *en forma de pan, cereales, pasta y arroz*
- LEGUMBRES, FRUTOS SECOS Y SEMILLAS *incluida la manteca de cacahuete y la tahini, judías de toda clase, garbanzos, derivados de la soja (tofu, tempeh, leche de soja—reforzada con calcio y vitamina B12), especialmente para los niños*
- VERDURAS Y HORTALIZAS
- FRUTA FRESCA *y zumos*

Los vegetarianos estrictos deben asegurarse la ingestión suficiente de vitamina B12, ya que las fuentes habituales de ésta en una dieta lacto-ovo-vegetariana son los huevos y los productos lácteos. Es posible que precisen complementos, si bien la leche de soja, las setas y el tofu poseen mucha vitamina B12.

También el calcio se encuentra en la leche de soja, en verduras, semillas de sésamo, almendras, panes y cereales enriquecidos con calcio.

El hierro presente en la carne y que los lacto-ovo-vegetarianos obtienen de los huevos, se obtiene también de legumbres, derivados de la soja, verduras, cereales del desayuno, frutos secos y semillas— siempre que se tome una gran variedad de dichos alimentos. La cantidad de hierro presente en dichos alimentos se maximiza al ingerirse en combinación con alimentos ricos en vitamina C, como naranjas o grosellas negras.

No hay que olvidar que la dieta de los niños debe contener más grasas para que crezcan bien. En este caso pueden absorberlas de alimentos tan saludables como la manteca de cacahuete, los frutos secos, aceites vegetales, tahini y aguacates.

Los frutos secos, las semillas y los zumos de fruta naturales son ideales para picar.

EJEMPLO DE MENÚ PARA LOS MÁS ESTRICTOS

- DESAYUNO: Gachas de avena o muesli con fruta y leche de soja
  Tostada integral con mermelada o manteca de cacahuete
- COMIDA: Sandwich vegetal integral o ensalada de garbanzos o arroz
- CENA: Plato de cereales y legumbres con hortalizas, plato de verduras con pan integral, o bien pasta o arroz con ensalada
- POSTRE: Fruta
- TENTEMPIÉS: Fruta fresca o seca, pan tostado, frutos secos y crudités

ARRIBA: El curry de garbanzos (página 134) es un buen ejemplo de comida para vegetarianos estrictos. Servido con pan chapati o naan, se equilibra a la perfección, pues la combinación de una legumbre con un cereal lo convierte en una comida rica en proteínas completas.

MEZCLA PROTEICA

La mezcla de legumbres, cereales, frutos secos y semillas proporciona al organismo los aminoácidos necesarios para producir proteínas completas.

Judías pintas con arroz

Hummus con pan lavash

Sopa de guisantes y pan

Cuscús con guisantes

Ensalada de judías con tabbouleh

Dhal con pan pita

Hamburguesa de lentejas con pan

Tostadas con manteca de cacahuete

Falafel con pan pita

Judías con fritos de maíz

Tostadas con judías guisadas

ARRIBA: Las mezclas de hortalizas y judías, como esta minestrone (página 40), aportan una gran cantidad de vitaminas y minerales y, cubiertas con virutas de queso parmesano, incluyen proteínas adicionales.

VITAMINAS Y MINERALES

Es posible que los vegetarianos que mezclan varios alimentos para obtener las proteínas suficientes, aún carezcan de algunos nutrientes esenciales presentes en la carne, entre ellos los minerales hierro, zinc y calcio, y la vitamina B12.

Una dieta rica en lácteos y huevos aporta la cantidad necesaria de proteínas, riboflavina, calcio, hierro, vitaminas y minerales; sin embargo, los vegetarianos deben prestar especial atención.

Es importante adquirir frutas y verduras frescas, pues, aunque la mayoría de los nutrientes se conservan bastante bien en los productos congelados, su sabor puede ser muy inferior.

La ingestión de complementos vitamínicos y minerales resulta una pérdida de tiempo en una dieta inadecuada, ya que el cuerpo no puede utilizarlos con eficacia ante la ausencia de los alimentos necesarios.

VITAMINAS

El cuerpo necesita vitaminas del grupo B para metabolizar los alimentos y garantizar el correcto funcionamiento del sistema nervioso. Estas vitaminas proceden de cereales completos, pan y pasta, frutos secos y semillas, guisantes, verduras, patatas, frutas, aguacates y extracto de levadura.

Vitamina B12: Presente en lácteos, huevos, alfalfa, extracto de levadura, algas y leche de soja enriquecida, es esencial para los glóbulos rojos y las células nerviosas. Ésta es la vitamina de la cual los vegetarianos pueden carecer más fácilmente.

Vitamina B1 (tiamina): Presente en soja, germen de trigo, semillas de girasol, nueces del Brasil, guisantes y judías.

Vitamina B2 (riboflavina): Presente en lácteos, setas, soja, hortalizas de hoja, almendras, ciruelas y dátiles.

Vitamina B3 (ácido nicotínico): Se localiza en setas y semillas de sésamo y girasol.

Vitamina B6 (piridoxina): Se localiza en pasas, sultanas, plátanos, pipas de girasol y soja.

Acido fólico: Presente en la lechuga, la endibia, naranjas, nueces, almendras y aguacates.

Vitamina C: Es básica para protegerse de las infecciones y curarlas, así como para facilitar la absorción del hierro de los alimentos. Se localiza en las hortalizas de hoja, tomates, pimientos, grosellas negras, naranjas, fresas, kiwis y papaya.

Vitaminas A, D, E y K: Son vitaminas solubles en grasa presentes en productos como la leche, la mantequilla, el queso, la margarina, aceites vegetales, nueces y semillas. Prácticamente no existen deficiencias de estas vitaminas.

Con la luz solar, el cuerpo genera vitamina D, necesaria para la absorción del calcio en los huesos. La vitamina A es básica para una buena vista, piel, uñas, cabello y mucosas sanas, así como para combatir las infecciones. Se localiza en lácteos, hortalizas amarillas y verdes, en especial zanahorias, y en albaricoques, espinacas, pimientos rojos y perejil. Es fácil, pues, mantener una dieta

CÓMO PREPARAR Y COCER LAS VERDURAS PARA LA NUTRICIÓN

PARA conservar las vitaminas y los minerales de las verduras frescas, lávelas deprisa (sin remojarlas), escúrralas, déjelas secar y resérvelas en el lugar más fresco del frigorífico. Siempre que sea posible, utilícelas con piel; en el caso de los tubérculos, frotélos en lugar de rasparlos. Rocíe las partes cortadas con zumo de limón para que no ennegrezcan. Reserve las pieles y partes como los extremos de la zanahoria para el caldo. Cueza las verduras en ollas de acero inoxidable.

Para minimizar la pérdida de vitaminas durante la cocción, prepare las verduras al vapor en lugar de hervirlas o, aún mejor, al microondas, que las cuece deprisa, con muy poca agua y retiene su color y valor nutritivo. Éstas saben mejor poco cocidas que cuando lo están demasiado. Reserve el agua de la cocción para sopas y salsas.

ALTERNATIVAS A LA SAL

LA MAYORÍA de las personas consume más sal de la que el cuerpo necesita. El exceso de sal se ha relacionado con la hipertensión y con una mayor propensión a la apoplejía. Debe utilizarse con moderación y es posible reducir su dependencia. Condimentada con hierbas aporta más sabor y ayuda a reducir su consumo. En lugar de sal, espolvoree las verduras cocidas o las ensaladas con finas hierbas picadas, especias o zumo de lima o limón. También puede sustituirla por *gomasio*, una mezcla a partes iguales de sal y semillas de sésamo tostadas y picadas.

vegetariana sin carencias. La vitamina E es un antioxidante importante para combatir lesiones celulares, mientras que la vitamina K facilita la coagulación de la sangre.

Salvo indicaciones médicas, los vegetarianos no deberían tomar complementos vitamínicos. La clave es la variedad, pues una dieta vegetariana equilibrada aporta las vitaminas necesarias.

MINERALES

Hierro: Es necesario para formar glóbulos rojos. Uno de los mayores problemas de los que no consumen carne es el posible indicio de anemia que provoca la falta de hierro, posibilidad que aumenta con las mujeres. Una dieta vegetariana variada aporta hierro suficiente, si incluye legumbres, sobre todo lentejas y soja, cereales y productos derivados, nueces y semillas (pistachos y semillas de sésamo y de calabaza). También son una buena fuente de hierro las hortalizas de hoja oscura, la levadura de cerveza, el germen de trigo, las yemas de huevo, los frutos secos (sobre todo albaricoques y ciruelas) y las algas marinas. Los indicios de falta de hierro son el cansancio, la somnolencia, la palidez y la falta de aliento.
Calcio: Es necesario para los huesos y la dentadura sanos y para el buen funcionamiento de los músculos (incluido el corazón) y los nervios. El queso, la leche, el yogur y la nata son ricos en calcio. Si le preocupa la cantidad de grasa de su dieta, cabe recordar que los productos lácteos desnatados o con bajo contenido en grasas contienen la misma cantidad de calcio que la variedad entera. Los huevos también tienen calcio.

Existen muchas fuentes de calcio que no son de origen animal. Entre las más ricas están las semillas de sésamo, bien para condimentar cereales o ensaladas, o para molerlas y elaborar tahini, un ingrediente esencial del hummus. Contienen calcio la harina, la soja, los higos y otros frutos secos, las almendras, las semillas de girasol, las hortalizas de hoja oscura, el brécol, las algarrobas, la melaza, la levadura de cerveza y las algas marinas. Los vegetarianos estrictos deben ingerir estos alimentos para no carecer de calcio.

La mujeres necesitan más calcio, lo que debería tenerse en cuenta desde el inicio de la edad adulta. La ingestión regular de calcio refuerza los huesos para después de la menopausia. En esta etapa, es muy posible desarrollar osteoporosis, una enfermedad dolorosa que deteriora los huesos y que puede conducir a la parálisis si ha faltado calcio en la dieta de los años anteriores. Esta enfermedad puede prevenirse, pero no curarse.
Zinc: Es básico para crecer, cicatrizar bien las heridas y metabolizar hidratos de carbono y proteínas. Su deficiencia se detecta a través de manchas blancas en las uñas y de problemas cutáneos.

Entre las fuentes de zinc se encuentran la leche desnatada, el germen de trigo, la levadura de cerveza, la avena, los higos secos, cacahuetes, nueces, maíz, guisantes, semillas de sésamo y de calabaza y también mangos, espinacas y espárragos.
Magnesio: Es también necesario para metabolizar hidratos de carbono. Casi no existen carencias de magnesio, pues se encuentra en frutas y verduras frescas, frutos secos y semillas, levadura de cerveza, cereales, legumbres y soja. Como no se deteriora con el calor, puede usarse el agua de la cocción para caldos y salsas y así obtenerlo disuelto.
Yodo: Es necesario para el funcionamiento de la tiroides, sólo se necesita en pequeñas cantidades y se localiza en la sal yodada y las algas marinas.

ALGAS MARINAS
Existen muchas variedades de algas marinas comestibles que merece la pena analizar, puesto que son una fuente excelente de proteínas, vitaminas (incluida la vitamina B12) y los minerales calcio, sodio, potasio, hierro y yodo. Puede cocer y servir con ensaladas la variedad nori, utilizada para preparar sushi, servir la wakame como una verdura, o endulzar caldos y sopas con kombu. Se venden desecadas en tiendas de productos naturales.

ABAJO: Casi con absoluta seguridad, una dieta equilibrada a base de una amplia variedad de productos le proporcionará las vitaminas y los minerales diarios suficientes. La ensalada de lentejas mediterránea (página 146) constituye una forma deliciosa y diferente de servir las lentejas.

ABAJO: Para reducir la cantidad de grasas de su dieta, no las elimine sencillamente, sino más bien aumente el consumo de legumbres, cereales y verduras, alimentos consistentes que le sustentarán. La moussaka de judías (página 152) contiene yogur, huevos y queso, y cada ración es tan nutritiva que es poco probable que consuma más grasas en esta comida.

EL CONTROL DE LA GRASA

Las personas que otorgan a la carne un papel predominante en su dieta corren un riesgo que la cocina vegetariana evita en gran parte: consumir muchos productos animales, incluidos el queso y los huevos, comporta una ingestión masiva de grasas del tipo con el que se han relacionado serios problemas de salud, si se llega al exceso.

Los vegetarianos no suelen tener problemas de peso y evitan con más facilidad los riesgos que comporta una dieta rica en grasas saturadas. Pero también existen muchas fuentes de grasas saturadas de origen no animal que es preferible consumir con moderación. Es el caso, por ejemplo, del aceite de coco, que se utiliza en el horneado de muchos productos, o la crema y la leche envasada de coco, utilizadas en muchos curries.

Debido al crecimiento, los niños necesitan más grasas que los adultos, pero pueden obtenerlas a partir de una amplia gama de productos vegetarianos muy nutritivos, como leche, aguacates, manteca de cacahuete, yogur y queso.

Todos necesitamos una cierta cantidad de grasas, ya que los ácidos grasos son básicos para la formación de células corporales, en especial las del sistema nervioso. Es peligroso intentar eliminar todas las grasas de nuestra dieta, pero pueden sustituirse algunas sin demasiado esfuerzo consumiendo una amplia gama de productos.

GRASAS SANAS

La grasa dietética puede ser de origen animal y vegetal. Las fuentes de grasas animales que pueden utilizar los vegetarianos (sin incluir los estrictos) son la mantequilla, el queso, la crema de leche, el yogur y las yemas de huevo. Las plantas proporcionan aceites, margarina y grasas vegetales derivadas. Las grasas con ácidos grasos esenciales que se encuentran en alimentos que aportan otros nutrientes (aceite de oliva u otros vegetales, frutos secos, semillas, aguacates y cereales) constituyen una fuente de grasas más sana para la dieta que la comida rápida frita, los pasteles, las galletas, los bombones o los helados.

TIPOS DE GRASAS

- Las grasas saturadas se solidifican a temperatura ambiente. La mayoría son de origen animal, como la manteca de cerdo, la mantequilla y la grasa para freír. Se cree que las grasas saturadas aumentan el nivel de colesterol nocivo en la sangre y reducen la cantidad del beneficioso. Se asocian asimismo con la aparición de ciertos cánceres.
- Las grasas poliinsaturadas son los aceites vegetales, como los de alazor, girasol, maíz y soja. Estas grasas reducen la cantidad media de colesterol sanguíneo y, a pesar de su estado líquido a temperatura ambiente, pueden transformarse en margarinas mediante procedimientos químicos.

Aún se están estudiando los efectos que provoca el consumo de muchas grasas poliinsaturadas. Anteriormente se consideraba que tenían un efecto beneficioso sobre la cantidad de colesterol sanguíneo, pero en hoy en día se ha descubierto que este efecto reduce tanto el colesterol "bueno" como el "malo".

Se cree que el consumo de margarina en grandes cantidades contribuye a la formación de un ácido graso asociado con el ataque cardíaco. Se pueden oxidar muchas grasas poliinsaturadas para formar radicales libres en la sangre, que causan la destrucción de los tejidos y contribuyen a la formación de placas en las paredes arteriales. Este efecto se atenúa con el consumo de muchas frutas y verduras, pues contienen antioxidantes.

- Las grasas monoinsaturadas han ido ganando terreno en los últimos tiempos, por varios motivos. Cuando se advirtió que las personas de países como España e Italia tenían una menor incidencia de ataques cardíacos que otras culturas, se constató que la llamada dieta mediterránea era rica en aceite de oliva y pobre en grasas lácteas.

Los aceites vegetal y de oliva contienen una alta cantidad de grasas monoinsaturadas, que combaten el ataque cardíaco con la reducción del nivel de colesterol "malo" y el aumento del colesterol "bueno". También se ha constatado que las poblaciones que utilizan el aceite de oliva como grasa principal tienen un índice menor de cáncer de pecho y colon, aunque todavía se desconoce la causa exacta de este fenómeno.

CÓMO CONTROLAR EL PESO

En general, los diferentes tipos de grasas se obtienen mediante una combinación de alimentos. Es más importante conocer la cantidad que el tipo de grasas de su dieta, lo que significa que debe ser consciente de las grasas ocultas en alimentos como patatas fritas, tartas, pasteles, chocolate (y algarroba), galletas y otros productos preparados. Muchas personas se preocupan por el azúcar de estos alimentos y se olvidan de las grasas.

Salir a comer a menudo, la comida para llevar y los refrigerios pueden conducir con facilidad a un exceso de grasa en su dieta. Un buen método es procurar ingerir una cuarta parte del total de kilojulios diarios de grasa, unos 30–40 g en mujeres y niños, y 40–60 g en hombres. Los adultos y los adolescentes muy activos necesitan unos 70 g al día, y los deportistas y los que desarrollan una gran actividad física, unos 70–80 g.

También contienen grasas escondidas muchos productos aparentemente saludables llamados "productos naturales", como el muesli tostado, que tiene mucho aceite vegetal, o los aguacates y los frutos secos, que deberían comerse con moderación, pues son muy ricos en grasas. Recuerde que los alimentos con la etiqueta "bajo en colesterol" no necesariamente son pobres en grasas.

El cuerpo sólo necesita pequeñas cantidades de grasas y ninguna persona que siga una dieta occidental corre el peligro de carecer de ellas. Es muy importante controlar la cantidad de grasa ingerida, tanto si se consume carne como si no, pero los vegetarianos corren otro tipo de riesgos.

Algunos vegetarianos pueden creer que siguen una dieta sana por el simple hecho de eliminar la carne, con sus grasas ocultas o no tan ocultas. No obstante, el aumento desmesurado en el consumo de queso, crema de leche o agria, o aceites vegetales es igual de perjudicial para la salud.

Un exceso de platos fritos conducirá a un aumento de peso, tanto si se utilizan grasas animales como vegetales. En una dieta rica en grasas, la única diferencia entre los consumidores de carne y los vegetarianos que coman muchos alimentos fritos en aceite de oliva, por ejemplo, —sin quemar kilojulios con el aumento de la actividad física—es que éstos ganarán peso sin aumentar los niveles de colesterol.

Si está preocupado por su peso, es más importante controlar la cantidad de grasas que ingiere a diario, que intentar contar los kilojulios de todos los alimentos, tal y como se hacía hasta ahora. El exceso de kilojulios provenientes de grasas se almacena en el cuerpo directamente como grasas, mientras que los provenientes de los hidratos de carbono, por ejemplo, se transforman en energía.

ALIMENTOS CLAVE

Algunos alimentos son clave para la dieta vegetariana porque son fuentes ricas en ciertos nutrientes esenciales que los consumidores de carne obtienen en abundancia. Al incluirlos en su dieta, se asegurará de que no sufre carencias de ningún tipo.

- LENTEJAS: Ricas en proteínas, fibra, hidratos de carbono, vitaminas B, potasio, magnesio y zinc.
- SOJA: Contienen la proteína de mejor calidad de todas las legumbres, algunas vitaminas B, grasas poliinsaturadas y fibra.
- COPOS DE AVENA: Poseen proteínas, tiamina, ácido nicotínico, hierro, fibra e hidratos de carbono.
- SALVADO DE TRIGO: Es una gran fuente de fibra soluble, hierro, tiamina y ácido nicotínico.
- HUEVOS: Proporcionan hierro, fósforo, vitamina B12, vitaminas A y D y proteínas.
- ALBARICOQUES SECOS: Aportan betacaroteno (vitamina A en forma vegetal), vitamina C y fibra. Las almendras son una fuente importante de aceite monoinsaturado, fibra y vitamina E.
- LECHE, YOGUR Y QUESO: Proporcionan calcio, fósforo, proteínas y vitamina A. La leche y el yogur retienen las vitaminas B que se eliminan en la elaboración del queso.
- ESPINACAS: Contienen fibra y la mayoría de vitaminas y minerales que suele aportar la carne.
- SEMILLAS DE SÉSAMO SIN CÁSCARA: Son ricas en calcio y contienen vitamina E, magnesio, fósforo y zinc.
- TOFU Y TEMPEH: Aportan magnesio, calcio, fósforo, hierro y proteínas.
- EXTRACTO DE LEVADURA: Es una fuente concentrada de vitaminas B.

ARRIBA: Uno de los mejores métodos por los que una persona vegetariana puede asegurarse una buena alimentación es comer un desayuno adecuado. Un desayuno a base de muesli crujiente (página 151), sin duda un alimento clave, es una manera perfecta de empezar el día.

GRASAS

Todos necesitamos una cierta cantidad de grasas en nuestra dieta, pero la mayoría ingerimos demasiadas. Se recomienda que los hombres limiten su consumo a unos 70 g diarios y las mujeres, a unos 50 g.

CROISSANT
Grasas por 100 g: 23,6 g

HUEVO
Grasas por 100 g: 10 g

ALMENDRAS
Grasas por 100 g: 54,7 g

PATATAS FRITAS GRUESAS
Grasas por 100 g: 10 g

PAN
Grasas por 100 g: 2,5 g

PACANAS
Grasas por 100 g: 72 g

MACADAMIAS
Grasas por 100 g: 7,6 g

GALLETAS SALADAS
Grasas por 100 g: 7,2 g

AGUACATE
Grasas por 100 g: 22,6 g

MUESLI
Grasas por 100 g: 9 g

PATATAS FRITAS FINAS
Grasas por 100 g: 20 g

PATATA ASADA AL HORNO
Grasas por 100 g: 0,1 g

FRITOS DE MAÍZ
Grasas por 100 g: 26,7 g

MUESLI TOSTADO
Grasas por 100 g: 16,6 g

Leche entera
Grasas por 100 g: 3,8 g

Leche desnatada
Grasas por 100 g: 0,1 g

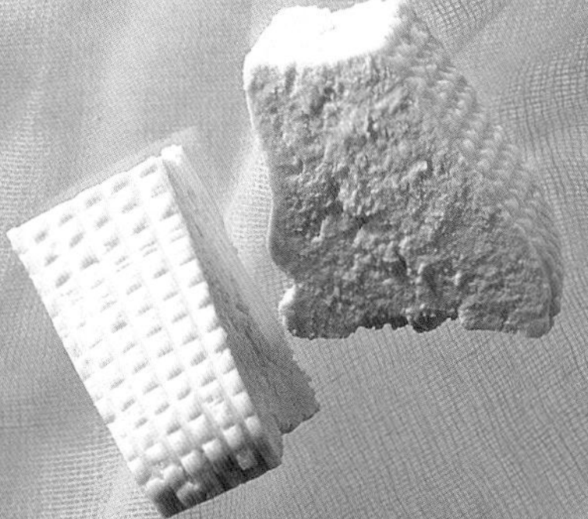

Ricotta bajo en calorías
Grasas por 100 g: 4 g

Ricotta
Grasas por 100 g: 11,3 g

Queso cheddar
Grasas por 100 g: 33,8 g

Brie
Grasas por 100 g: 29 g

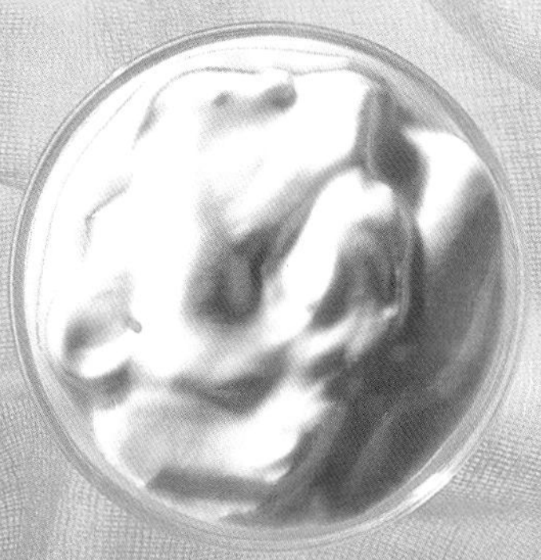

Yogur natural
Grasas por 100 g: 4,4 g

Yogur natural bajo en calorías
Grasas por 100 g: 0,2 g

Mantequilla
Grasas por 100 g: 80 g

Margarina
Grasas por 100 g: 80 g

Aceite de cualquier tipo
Grasas por 100 g: 100 g

Crema agria
Grasas por 100 g: 37,7 g

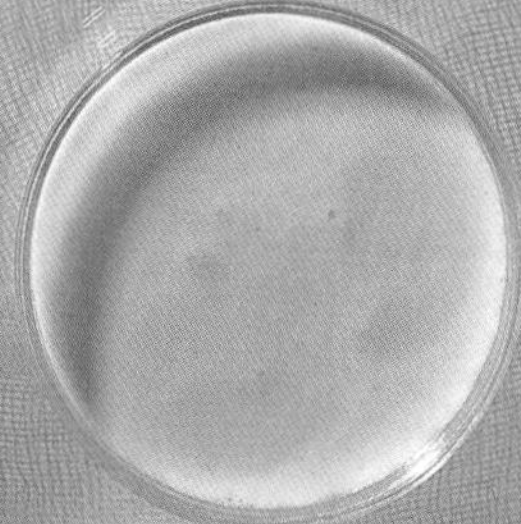

Crema de coco
Grasas por 100 g: 20 g

ALIMENTOS CLAVE

Estos alimentos contienen cantidades significativas de nutrientes que pueden faltar en una dieta vegetariana, si no se sigue un cierto control. Debajo de cada producto figura el consumo diario recomendado.

Copos de avena crudos
Proteínas por 100 g: 10,7 g
Hierro por 100 g: 3,7 mg
Zinc por 100 g: 1,9 mg

Soja cocida
Proteínas por 100 g: 13,5 g
Calcio por 100 g: 76 mg
Hierro por 100 g: 2,2 mg
Zinc por 100 g: 1,6 mg

Almendras
Proteínas por 100 g: 20 g
Calcio por 100 g: 250 mg
Hierro por 100 g: 3,9 mg
Zinc por 100 g: 3,8 mg
Ácido fólico por 100 g: 96 ug

Pipas de girasol
Proteínas por 100 g: 22,7 g
Calcio por 100 g: 100 mg
Hierro por 100 g: 4,6 mg
Zinc por 100 g: 6,4 mg

Semillas de sésamo
Proteínas por 100 g: 22,2 g
Calcio por 100 g: 62 mg
Hierro por 100 g: 5,2 mg
Zinc por 100 g: 5,5 mg

Perejil
Calcio por 100 g: 200 mg
Hierro por 100 g: 9,4 mg

Escarola
Ácido fólico por 100 g: 330 ug

Salvado de trigo
Hierro por 100 g: 12 mg
Zinc por 100 g: 4,7 mg
Ácido fólico por 100 g: 260 ug

Lentejas cocidas
Proteínas por 100 g: 6,8 g
Calcio por 100 g: 17 mg
Hierro por 100 g: 2 mg

Extracto de levadura
Proteínas por 100 g: 24,4 g
Zinc por 100 g: 5,1 mg
B12 por 100 g: 5 ug

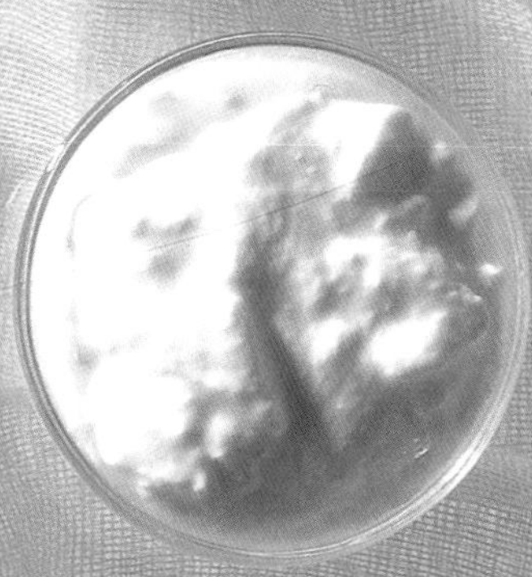

Yogur
Proteínas por 100 g: 5,8 g
Calcio por 100 g: 195 mg

Huevo
Proteínas por 100 g: 13,2 g
Calcio por 100 g: 43 mg
Hierro por 100 g: 1,8 mg
B12 por 100 g: 1,7 ug

Tempeh
Proteínas por 100 g: 19 g

Espinacas
Calcio por100 g: 53 mg
Hierro por 100 g: 3,2 mg
Zinc por 100 g: 0,6 mg
Ácido fólico por 100 g: 120 ug

Queso cheddar
Proteínas por 100 g: 26 g
B12 por 100 g: 1,5 ug
Ácido fólico por 100 g: 60 ug

Tofu
Proteínas por 100 g: 10 g

Albaricoques secos
Calcio por 100 g: 67 mg
Hierro por 100 g: 3,1 mg
Zinc por 100 g: 0,8 mg

Leche
Proteínas por 100 g: 3,3 g
Calcio por 100 g: 120 mg

Consumo diario recomendado: Hierro 7 mg (hombres), 12–16 mg (mujeres), vitaminas B12 2 ug, ácido fólico 200 ug, proteínas 55 g (hombres) 45 g (mujeres), calcio 800 mg, zinc 12–16 mg. (Las mujeres embarazadas, lactantes o mayores de 54 años requieren diferentes cantidades.)

ARRIBA: Probar otros alimentos y combinar nuevos platos es una de las joyas de la cocina vegetariana. Es difícil caer en la rutina cuando existen tantos productos frescos para saborear. Si sólo ha comido la calabaza al horno o hecha puré, pruébela con guindilla y aguacate (página 199), un plato delicioso inspirado en la cocina asiática.

UN MUNDO DE SABORES

Uno de los grandes atractivos de la cocina vegetariana recae en su versatilidad. La gran diversidad de la cocina mundial puede aportarle nuevas opciones y mejorar sus habilidades culinarias. Las limitaciones de la dieta occidental del pasado muy pronto resultarán evidentes.

Muchas culturas se caracterizan por poseer un importante componente vegetariano y otras han desarrollado una alimentación exclusivamente vegetariana por motivos económicos y religiosos. La cocina de estas culturas ha dado lugar a platos deliciosos, nutritivos y de fácil elaboración.

Algunos platos son clásicos ejemplos de mezclas muy acertadas. De México, tenemos judías con tortillas; de Oriente, tofu blando, tempeh y arroz; de Oriente Medio, hummus con pan pita o lavash; del norte de África y el Mediterráneo, cuscús con garbanzos, entre muchísimas más posibilidades.

La comida asiática es una de las mejores y más importantes fuentes de la comida vegetariana. Si todavía no la ha probado, ésta es una perfecta oportunidad para convertirse en vegetariano.

Puede servir muchos platos vegetarianos exóticos como entrante, primer plato, segundo plato o aperitivo. Todo lo que necesita es un poco de información, unos ingredientes interesantes y una cierta intuición sobre sabores y texturas complementarios. Quizás entonces descubrirá la mayor ventaja de la cocina vegetariana: la oportunidad de cocinar y comer una gama exquisita de sabores, colores y texturas, sin posibilidad alguna de llegar a aborrecerlos.

DESPIERTE SU APETITO

Para intensificar el sabor inimitable de los productos frescos, utilice especias y condimentos: harissa, chermoula, concentrados de guindilla y mezclas picantes de curry. Las hierbas son indispensables, y las marinadas, los chutneys, las salsas y mostazas pueden condimentar toda una serie de platos.

Algunas hierbas y especias son condimentos idóneos para determinadas comidas:

- ALBAHACA *con tomates y quesos*
- CANELA, CARDAMOMO, CLAVOS DE ESPECIA *en platos con yogur, leche y crema de leche*
- CLAVOS DE ESPECIA *con naranjas*
- CEBOLLINO *en sopas, salsas, ensaladas y bocadillos; con huevos, patatas y queso*
- ENELDO *en ensaladas, con patatas y en platos a base de huevo*
- HIERBAS PICADAS *con pasta y arroz*
- JENGIBRE *con zanahorias*
- HIERBA DE LIMÓN *en preparados con arroz y salsas al estilo asiático*
- TOMILLO AL LIMÓN *en ensaladas, con verduras cocidas*
- ORÉGANO Y MEJORANA *con huevos, en ensaladas y marinadas, con coliflor y tomates*
- MENTA *con patatas o arroz, en tabbouleh*
- PIMENTÓN DULCE *con huevos, quesos y en potajes*
- PEREJIL *en ensaladas, con tomates*
- ROMERO *con berenjena, tomates y calabacines*
- SALVIA *en platos de judías, queso o huevo, ensaladas*
- AJO *con casi cualquier plato poco dulce*

Dote bien la despensa antes de adentrarse en el mundo de la cocina vegetariana. Así, dispondrá siempre de los ingredientes para servir un buen plato sin tener que hacer concesiones.

Hoy en día la mayoría de supermercados ofrece una enorme gama de los ingredientes necesarios, pero no olvide visitar tiendas de productos naturales, establecimientos especializados en alimentación de otros países y mercados, en especial para especias y condimentos poco comunes.

CÓMO SERVIR UNA COMIDA VEGETARIANA

Es difícil que desaparezcan las antiguos hábitos y aún más difícil romper con la tradición de la carne y cuatro verduras, pero la cocina vegetariana puede facilitarle mucho las cosas. Cuando la carne (o pollo o pescado) no debe ocupar un lugar prominente, resulta más fácil servir la comida en forma de buffet. En numerosas culturas la comida se sirve y se come siguiendo esta costumbre, en la cual los comensales se sirven ellos mismos y eligen los platos y guarniciones.

En el mundo vegetariano, las comidas son más interesantes porque permiten romper las normas. Sirva un primer plato como principal y éste, como entrante, o convierta la sopa en la estrella de la comida. Salvo las sopas y entrantes, incluidas en un mismo capítulo a fin de aportar ideas rápidas para una comida ligera, este libro no divide las recetas de modo tradicional, sino que deja que el cocinero las hojee y seleccione a su gusto.

Tenga en cuenta el color, la textura, el sabor y el valor nutritivo. Sirva el pastel gratinado de patata y manzana (página 164) o el gratinado de pasta y coliflor (página 166) con una ensalada verde o verduras tiernas, como espárragos o tirabeques, para obtener más color y una textura crujiente. Añada frutos secos y semillas picados a los platos de verdura y a las ensaladas, a fin de hacerlos más interesantes (y nutritivos). Pruebe una mezcla de semillas de sésamo y pipas de calabaza tostadas al horno con salsa de soja, que resulta deliciosa con ensalada verde o de pepino y además se conserva unos meses en el congelador dentro de un tarro hermético. Con las comidas vegetarianas, sirva diferentes tipos de pan, como lavash, chapati, roti, papads, tortillas y pita.

CÓMO UTILIZAR ESTE LIBRO

FORMATO DE LAS RECETAS

Estas recetas se han escrito paso a paso para separarlas en sus partes diferenciadas y facilitar su seguimiento.

RECETAS RÁPIDAS

Todas las recetas rápidas pueden elaborarse en un tiempo total de 30 minutos. Para poder localizarlas con facilidad, aparecen listadas en el índice bajo Recetas rápidas.

NOTAS EN LOS MÁRGENES

Las notas en los márgenes pueden contener una receta rápida, describir cómo utilizar un ingrediente determinado o simplemente contar una anécdota sobre los alimentos. Su objetivo es informar y divertir.

FOTOGRAFÍAS PASO A PASO

A lo largo del libro aparecen instrucciones y fotografías sobre cómo seguir paso a paso técnicas especiales para preparar y cocinar platos vegetarianos.

CARACTERÍSTICAS ESPECIALES

Este libro contiene doce páginas sobre carácteristicas especiales para que conozca la innovadora y fresca comida vegetariana.

CUCHARADAS

En las recetas, se han utilizado cucharadas de 20 ml, pero si las utiliza de 15 ml, en la mayoría de casos no percibirá la diferencia. Sin embargo, cuando las recetas contengan levadura en polvo, bicarbonato de sosa, pequeñas cantidades de mantequilla y fécula de maíz, añada una cucharadita adicional por cada cucharada indicada.

TAZAS

Muchos ingredientes se han medido en tazas, siempre con el equivalente en el sistema métrico. En el libro se han utilizado tazas de 250 ml de capacidad.

TEMPERATURA DEL HORNO

El tiempo de cocción puede variar un poco en función del tipo de horno que utilice. Consulte las instrucciones del fabricante para controlar la temperatura de modo adecuado. Para hornos con ventilador consulte el manual de uso, pero por regla general, fije la temperatura 20°C por debajo de la temperatura indicada en la receta.

CLASIFICACIÓN POR ESTRELLAS

Tras probar nuestra recetas, las hemos clasificado según el grado de dificultad de preparación. En este libro, aparece la siguiente clasificación, de fácil uso y comprensión:

★ Una única estrella indica que la receta es simple y, en general, rápida de preparar, es decir, ideal para principiantes.

★★ Dos estrellas indican que debe prestar un poco más de atención o quizás disponer de un poco más de tiempo.

★★★ Tres estrellas acompañan a platos especiales que requieren más tiempo, atención y paciencia, pero el resultado merece la pena. Siempre que se sigan los pasos con detenimiento, incluso los principiantes pueden prepararlos.

SOPAS Y ENTRANTES

Confiésenlo: ¿Quién no ha deseado tomar dos (o incluso tres) entrantes en lugar de uno solo y el plato principal? Los entrantes parecen más atrayentes y, a menudo, en el menú existe una mayor variedad para los vegetarianos. En este capítulo le damos rienda suelta para que haga realidad este deseo: pruebe una sopa reconfortante con un entrante original. No importa cómo combine estas recetas, el resultado le encantará.

ARRIBA: Sopa al pesto

SOPA AL PESTO
(SOPA DE HORTALIZAS CON SALSA DE ALBAHACA)

Tiempo de preparación: 45 minutos
Tiempo total de cocción: 35–40 minutos
Para 6–8 personas

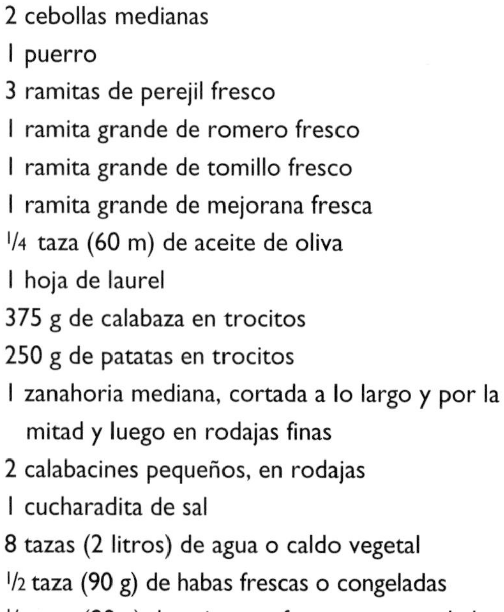

2 cebollas medianas
1 puerro
3 ramitas de perejil fresco
1 ramita grande de romero fresco
1 ramita grande de tomillo fresco
1 ramita grande de mejorana fresca
1/4 taza (60 m) de aceite de oliva
1 hoja de laurel
375 g de calabaza en trocitos
250 g de patatas en trocitos
1 zanahoria mediana, cortada a lo largo y por la mitad y luego en rodajas finas
2 calabacines pequeños, en rodajas
1 cucharadita de sal
8 tazas (2 litros) de agua o caldo vegetal
1/2 taza (90 g) de habas frescas o congeladas
1/2 taza (80 g) de guisantes frescos o congelados
2 tomates pelados y troceados
1/2 taza (45 g) de pasta tipo caracola

Pesto

1/2 taza (15 g) de hojas de albahaca frescas
2 dientes de ajo grandes, majados
1/2 cucharadita de pimienta negra
3 cucharadas de queso parmesano rallado
1/3 taza (80 ml) de aceite de oliva

1 Corte en rodajas finas las cebollas y el puerro. Con un cordel, ate el perejil, el romero, el tomillo y la mejorana. En una olla con aceite caliente cueza 10 minutos las cebollas y el puerro a fuego lento, hasta que estén tiernos.
2 Agregue el manojo de hierbas, el laurel, la calabaza, la patata, la zanahoria, los calabacines, la sal y el agua o el caldo. Tápelo y cuézalo 10 minutos, hasta que las verduras estén casi tiernas.
3 Añada las habas, los guisantes, los tomates y la pasta. Tápelo, cuézalo hasta que las verduras estén tiernas y la pasta en su punto (agregue agua, si es preciso); retire las hierbas, incluido el laurel.
4 Para el pesto: Con una batidora, triture la albahaca, el ajo, la pimienta y el queso hasta obtener una masa fina y vierta el aceite de forma gradual. Resérvelo en el frigorífico. Vuelva a calentar la sopa y decórela con un poco de pesto.

SOPA DE BERROS

Tiempo de preparación: 15 minutos
Tiempo total de cocción: 15–20 minutos
Para 4–6 personas

1 cebolla
4 cebolletas
450 g de berros
100 g de mantequilla
1/3 taza(40 g) de harina
3tazas (750 ml) de caldo vegetal
1 1/4 tazas (315 ml) de agua
sal y pimienta
crema agria o crema de leche, para servir

1 Trocee la cebolla, las cebolletas y los berros y cuézalo todo en una olla con mantequilla caliente. Manténgalo 3 minutos a fuego lento o hasta que las verduras estén tiernas.
2 Añada la harina y remueva hasta que esté bien mezclado. Agregue el caldo y el agua de forma gradual, removiendo hasta conseguir una mezcla fina; siga removiendo hasta que hierva y se espese. Tápelo y déjelo hervir 10 minutos a fuego lento, hasta que los berros estén tiernos. Déjelo enfriar un poco.
3 Con un robot de cocina o una batidora, triture la mezcla en tandas hasta que esté fina. Antes de servir, caliéntela y salpimiéntela. Sírvala decorada con un poco de crema de leche o crema agria y, si lo desea, decórela con berros frescos.

CALDO VEGETAL

PRECALIENTE el horno a 210°C. En una fuente de horno grande, vierta 2 cucharadas de aceite caliente, 4 cebollas, 5 zanahorias y 2 chirivías, todas sin pelar, troceadas y de tamaño grande. Hornee las hortalizas unos 30 minutos y colóquelas luego en una cazuela grande de fondo pesado. Agregue 5 tallos de apio troceados (incluyendo las hojas), 2 hojas de laurel, un manojito de hierbas frescas, 1 cucharadita de pimienta negra en grano y 3 litros de agua. Llévelo a ebullición, baje el fuego y, sin tapar el preparado, déjelo cocer 1 hora a fuego lento o hasta que el líquido se reduzca a la mitad. Cuele el caldo con un colador fino y deseche las hortalizas. Déjelo enfriar antes de introducirlo en el frigorífico. Elimine la grasa de la superficie. Para 1,5 litros.

POTAJE DE MAÍZ

Tiempo de preparación: 15 minutos
Tiempo total de cocción: 30 minutos
Para 8 personas

90 g de mantequilla
2 cebollas grandes, picadas finas
1 diente de ajo majado
2 cucharaditas de semillas de comino
4 tazas (1 litro) de caldo vegetal
2 patatas medianas, peladas y troceadas
1 taza (250 g) de puré de maíz en lata
2 tazas (400 g) de maíz fresco en grano
3 cucharadas de perejil fresco picado
1 taza (125 g) de queso cheddar rallado
sal y pimienta negra recién molida
3 cucharadas de crema de leche (opcional)
2 cucharadas de cebollino picado, para decorar

1 En una cazuela con mantequilla caliente, fría 5 minutos las cebollas a fuego medio, hasta que estén tiernas. Agregue el ajo, el comino y, sin dejar de remover, cuézalo 1 minuto. Añada el caldo, déjelo hervir y vierta las patatas; baje el fuego y, sin taparlo, cuézalo durante 10 minutos.
2 Añada el perejil, el puré de maíz y el maíz en grano. Déjelo hervir, baje el fuego y cuézalo unos 10 minutos. Condimente con queso, sal, pimienta y crema de leche. Caliéntelo hasta que se derrita el queso y decórelo con cebollino.

POTAJE
El potaje es una sopa espesa, en general elaborada a base de leche, con verduras, pescado o pollo. Un tipo especial de potaje es la caldereta, una sopa preparada sin leche. El nombre proviene del francés *chaudière,* que designa el caldero con el que las mujeres de los pescadores preparaban una sopa con parte de lo que cada hombre había pescado para celebrar el regreso de la tripulación.

ARRIBA: Potaje de maíz

GAZPACHO (SOPA FRÍA ESPAÑOLA DE TOMATE Y PEPINO)

Tiempo de preparación: 20 minutos
Tiempo total de cocción: 10-15 minutos
Para 6-8 personas

- 1 cebolla roja
- 3 tomates
- 1/2 pepino mediano
- 1/2 pimiento verde, sin semillas
- 1/2 pimiento rojo, sin semillas
- 1 diente de ajo majado
- 3 1/2 tazas (875 ml) de zumo de tomate
- 1/2 cucharadita de azúcar
- sal y pimienta
- 1/4 taza (60 ml) de aceite de oliva
- 1/4 taza (60 ml) de vinagre de vino blanco

Costrones al ajo

- 6 rebanadas de pan blanco
- 1/4 taza (60 ml) de aceite de oliva
- 1 diente de ajo majado

1 Corte la cebolla, los tomates, el pepino y los pimientos en fragmentos pequeños y colóquelos en un cuenco grande con el ajo.
2 Añada el zumo, el azúcar, la sal, la pimienta y una mezcla de aceite y vinagre, y revuélvalo bien. Refrigere la sopa y sírvala fría, acompañada de un cuenco con costrones al ajo.
3 **Para los costrones al ajo:** Precaliente el horno a 180°C. Elimine la corteza del pan y corte la miga en dados de 1 cm. Rocíelos y nápelos con aceite y ajo mezclados; colóquelos luego en una fuente y hornéelos de 10 a 15 minutos dándoles la vuelta hasta que estén dorados.

SOPA RÁPIDA DE CALABACÍN

FRÍA una cebolla picada fina en una olla con 30 g de mantequilla. Añada 4 calabacines rallados y 2 dientes de ajo majados, y saltéelo de 2 a 3 minutos, hasta que las hortalizas estén tiernas. Agregue 4 tazas (1 litro) de caldo vegetal, deje que hierva, baje un poco el fuego y, sin taparlo, déjelo cocer 10 minutos a fuego lento. Vierta 1/4 taza (60 ml) de crema de leche y espolvoree a su gusto con sal y pimienta. Sírvalo enseguida. Para 4 personas.

SOPA DE JUDÍAS PICANTE

FRÍA una cebolla picada hasta que esté tierna en una cazuela con un poco de aceite; añada 2 dientes de ajo majados y 1/2 cucharada de guindilla en polvo, saltéelo 1 minuto y añada dos latas de 425 g de judías variadas, aclaradas y escurridas. Vierta 2 tazas (500 ml) de caldo vegetal y 400 g de puré de tomate en conserva y cuézalo hasta que esté caliente. Sazone con sal y pimienta, decore el plato con una mezcla de huevo duro troceado y perejil picado fino y sírvalo. Para 4 personas.
Nota: Las combinaciones de judías, como los fríjoles, las cannellino y las blancas se encuentran disponibles en latas. Si lo prefiere, puede utilizar una única variedad de judías.

SOPA DE ESPINACAS Y LENTEJAS

Tiempo de preparación: 10 minutos
Tiempo total de cocción: 1 hora y 25 minutos
Para 4–6 personas

- 2 tazas (370 g) de lentejas
- 5 tazas (1,25 litros) de agua
- 2 cucharaditas de aceite de oliva
- 1 cebolla mediana picada fina
- 2 dientes de ajo majados
- 20 hojas de espinacas picadas finas sin los tallos
- 1 cucharadita de comino molido
- 1 cucharadita de ralladura fina de limón
- 2 tazas (500 ml) de caldo vegetal
- 2 tazas (500 ml) de agua
- 2 cucharadas de cilantro fresco picado fino

1 En una olla con agua, hierva las lentejas hasta que arranque el hervor y, a continuación, manténgalas 1 hora a fuego lento sin taparlas. Aclárelas, escúrralas y luego resérvelas. En otra olla con aceite caliente, sofría la cebolla y el ajo a fuego medio hasta que estén dorados. Incorpore las espinacas y déjelas cocer otros 2 minutos.
2 Agregue las lentejas, el comino, la ralladura de limón, el caldo vegetal y el agua a la olla y, sin taparla, déjelo cocer 15 minutos a fuego lento. Añada el cilantro y remueva bien el preparado. Sírvalo inmediatamente.

COCCIÓN DE JUDÍAS O GUISANTES SECOS

1 Vierta las judías en un cuenco y cúbralas con agua abundante (así crecerán). Déjelas en remojo unas 4 horas o el tiempo indicado.

2 Viértalas en una olla, cúbralas con agua fría, déjelas hervir y cuézalas a fuego lento. Retire la espuma acumulada en la superficie durante la cocción.

3 Si el líquido se reduce demasiado, agregue agua hirviendo. Cuando las judías estén tiernas, escúrralas con un colador. Si lo desea, puede utilizarlas para elaborar sopa de judías picante.

PÁGINA ANTERIOR: Gazpacho

MINESTRONE

Tiempo de preparación: 30 minutos + una noche en remojo
Tiempo total de cocción: 2 horas y 45 minutos
Para 6–8 personas

1 1/4 tazas (250 g) de judías blancas
2 cucharadas de aceite
2 cebollas picadas
2 dientes de ajo majados
4 tomates pelados y triturados
3 cucharadas de perejil picado
9 tazas (2.25 litros) de caldo vegetal
1/4 taza (60 ml) de vino tinto
1 zanahoria troceada
1 nabo troceado
2 patatas troceadas
1 tallo de apio troceado
3 cucharadas de concentrado de tomate
1 calabacín en rodajas
1/2 taza (60 g) de judías verdes troceadas
1/2 taza (80 g) de macarrones
sal y pimienta
virutas de queso parmesano, para servir

1 Deje las judías blancas 1 noche en remojo; escúrralas. Viertálas en una olla con agua hirviendo y cúezalas 15 minutos a fuego lento; escúrralas. En una cazuela con aceite caliente, removiendo, cueza el ajo y las cebollas hasta que estén tiernas.
2 Añada los tomates, el perejil, las judías blancas, el caldo y el vino. Tápelo y cuézalo 2 horas a fuego lento.
3 Añada la zanahoria, el nabo, las patatas, el apio y el concentrado de tomate; tápelo y déjelo cocer a fuego lento de 15 a 20 minutos.
4 Agregue el calabacín, las judías verdes y los macarrones. Tápelo y cuézalo todo a fuego lento de 10 a 15 minutos, hasta que las verduras y la pasta estén tiernas. Salpimiente y sírvalo con virutas de queso parmesano por encima.

ABAJO: Minestrone

SOPA DE CALABAZA CON HARISSA

Tiempo de preparación: 10–40 minutos
Tiempo total de cocción: 20 minutos
Para 6 personas

2,5 kg de calabaza
3 tazas (750 ml) de caldo vegetal
3 tazas (750 ml) de leche
azúcar y pimienta negra

Harissa

250 g de guindillas pequeñas frescas o secas
1 cucharada de semillas de alcaravea
1 cucharada de semillas de cilantro
2 cucharaditas de semillas de comino
4–6 dientes de ajo pelados
1 cucharada de menta seca
1 cucharadita de sal
1/2 taza (125 ml) de aceite de oliva virgen extra

1 Pele la calabaza, extraiga las semillas y la membrana y córtela en porciones. Cuézala en una olla con el caldo y la leche, sin taparla y de 15 a 20 minutos, hasta que esté tierna; déjela enfriar.
2 Triture la mezcla en tandas, hasta que sea fina. Sazone con un poco de azúcar y pimienta negra.
3 Para la harissa: Con guantes de goma, retire el pedúnculo de las guindillas, córtelas en dos, deseche las semillas y sumerja la pulpa 5 minutos en agua caliente (o 30 minutos, si son secas); escúrralas y póngalas en una batidora. Mientras están en remojo, fría la alcaravea, el cilantro y el comino en una sartén sin aceite, de 1 a 2 minutos. Incorpore en la batidora las 3 especias, el ajo, la menta y la sal y, añadiendo el aceite de oliva, tritúrelo hasta conseguir una masa fina y espesa. Distribuya la harissa en cuencos individuales.

CREMA DE TOMATE Y MAÍZ

Tiempo de preparación: 20 minutos
Tiempo total de cocción: 15 minutos
Para 4–6 personas

- 1 cucharadita de aceite de oliva
- 1 cucharadita de caldo vegetal en polvo
- 1 cebolla mediana picada fina
- 3 tomates medianos
- 425 g de puré de tomate en conserva
- 310 g de puré de maíz en lata
- 125 g de maíz en grano en lata, escurrido
- guindilla en polvo
- crema agria y tortillas, para servir

1 Caliente el aceite en una cazuela grande. Incorpore el caldo vegetal y la cebolla y déjelo cocer hasta que la cebolla esté tierna.

2 Pele los tomates, extraiga las semillas con una cuchara y chafe la pulpa. Viértalo a la cazuela, junto con los purés de tomate y de maíz y el maíz en grano. Condimente con guindilla y remuévalo todo hasta que esté caliente. Sirva el plato decorado con una cucharada de crema agria y acompañado de tortillas calientes.

SOPA DE GUISANTES

Tiempo de preparación: 20 minutos + 2 horas en remojo
Tiempo total de cocción: 1 hora y 40 minutos
Para 4–6 personas

- 1 1/2 tazas (330 g) de guisantes
- 2 cucharadas de aceite
- 1 cebolla mediana picada fina
- 1 tallo de apio en rodajas finas
- 1 zanahoria mediana en rodajas finas
- 1 cucharada de comino molido
- 1 cucharada de cilantro molido
- 2 cucharaditas de jengibre fresco rallado
- 5 tazas (1,25 litros) de caldo vegetal
- 2 tazas (310 g) de guisantes congelados
- sal y pimienta negra recién molida
- 1 cucharada de menta fresca picada
- 4 cucharadas de yogur natural o crema agria

1 Sumerja los guisantes en agua fría unas 2 horas y escúrralos bien. En una cazuela de fondo pesado con aceite caliente, cueza 3 minutos la cebolla, el apio y la zanahoria a fuego medio, removiendo de vez en cuando, hasta que la mezcla esté tierna, pero no dorada. Incorpore el comino, el cilantro y el jengibre y cuézalo 1 minuto.

2 Añada los guisantes y el caldo a la cazuela; llévelo a ebullición, reduzca a fuego lento, tape la mezcla y, removiendo, déjela cocer 1 1/2 horas.

3 Vierta los guisantes congelados a la cazuela y mézclelo todo; déjelo enfriar y tritúrelo en tandas con un robot de cocina o una batidora; caliéntelo en la cazuela. Salpimiente, añada la menta y una cucharada de yogur o crema agria.

SOPA CONGELADA

Puesto que hace falta mucho tiempo para preparar algunas sopas, a veces no es mala idea elaborarlas en gran cantidad y congelarlas. Congele la sopa en cantidades que pueda utilizar —una, dos, cinco raciones— ya que una vez descongelada, no es prudente congelarla de nuevo. Deje enfriarla, introdúzcala en un recipiente hermético, tápelo bien y anote la fecha en una etiqueta. Para descongelarla, coloque el recipiente en el frigorífico con un máximo de 24 horas de antelación y luego viértala en una cacerola y caliéntela. Si tiene prisa, puede verter la sopa congelada en una olla y calentarla directamente, o introducirla en el microondas.

ARRIBA: Crema de tomate y maíz
ABAJO: Sopa de guisantes

ENTREMESES

Tentadores a la vista, con un aroma que nos hace la boca agua y cautivando el paladar, estos sugerentes aperitivos invaden los sentidos, ya sea al comerlos solos o como entrantes.

PIMIENTOS ASADOS MARINADOS

Ase 1 pimiento rojo, 1 amarillo, 1 verde y si es posible, 1 amoratado, todos de tamaño grande, hasta que la piel se vuelva negra y rugosa. Cúbralos luego con un paño de cocina para que se enfríen un poco antes de pelarlos. A continuación, córtelos en tiras gruesas y colóquelos en un cuenco; añada 2 dientes de ajo majados, 2 cucharadas de vinagre balsámico, 2 de albahaca fresca picada y ¼ taza (60 ml) de aceite de oliva. Tápelo y resérvelo en el frigorífico unas 3 horas. Antes de servir los pimientos, devuélvalos a temperatura ambiente. Sírvalos con tostadas o torta italiana. Para 4–6 personas.

CEBOLLAS AGRIDULCES

Pele con cuidado 3 cebollas rojas medianas (500 g), manteniendo intactos los extremos para que las capas no se separen. Córtelas en ocho porciones y colóquelas en una fuente de horno antiadherente. Mezcle 2 cucharadas de mostaza en grano, 2 de miel, 2 de

vinagre de vino tinto y 2 de aceite. Unte las cebollas con la mezcla obtenida, tape la fuente e introdúzcala 20 minutos en el horno precalentado a 220°C. Destape la fuente y hornee durante otros 15 ó 20 minutos, hasta que las cebollas estén tiernas y caramelizadas. Para 4–6 personas.

QUESO DE CABRA FRITO

Corte 250 g de queso de cabra en lonchas de 5 mm y espolvoréelas con harina aromatizada. Nape las lonchas en 2 huevos poco batidos y rebócelas en la mezcla de 1 taza (80 g) de pan rallado fresco, 1/2 taza (45 g) de queso pecorino rallado y 1 cucharadita de pimentón dulce. Refrigérelas 1 hora y luego fríalas en aceite caliente y en tandas durante 2 minutos, o hasta que el pan esté crujiente y dorado. Sírvalo con su aliño favorito o con una salsa dulce para mojar el queso. Para esta receta, es preferible utilizar quesos de cabra pequeños. Para 4 personas.

CEBOLLETAS Y ESPÁRRAGOS A LA BARBACOA

Corte 110 g de espárragos y 12 cebolletas en trozos de 12 cm. A continuación, úntelos un poco con aceite de nuez de macadamia y áselos al horno precalentado o a la barbacoa durante 3 minutos o hasta que las verduras estén tiernas. Vierta un poco de vinagre balsámico por encima, espolvoree con pimienta y luego, decore la superficie con virutas de queso parmesano. Para 4–6 personas.

CHAMPIÑONES EN LIMA Y GUINDILLA

Unte con aceite 250 g de champiñones y cuézalos al horno o a la barbacoa hasta que estén tiernos. En un cuenco, mezcle 1 cucharada de ralladura de lima, 2 de zumo de lima, 1 de cilantro fresco picado, 1 cucharadita de guindilla picada, 1 de azúcar moreno, 1 diente de ajo majado y 1/4 taza de aceite de oliva. Nape los champiñones en la mezcla y resérvelos 1 hora en el frigorífico. Para 2–4 personas.

EN EL SENTIDO DE LAS AGUJAS DEL RELOJ, DESDE SUPERIOR IZQUIERDA: Queso de cabra frito; pimientos asados marinados; cebollas agridulces; cebolletas y espárragos a la barbacoa; champiñones en lima y guindilla

CÓMO HACER PURÉ DE LA SOPA

Tenga cuidado al introducir la sopa caliente en una batidora o un robot de cocina, puesto que puede escaldarse si sale disparada. Si es posible, deje enfriar la sopa antes de hacer puré. Sin embargo, si debe hacerlo con la sopa caliente, introdúzcala en el robot en pequeñas cantidades. Es posible que las sopas finas también se salgan del robot de cocina; en este caso, lo mejor es extraer las verduras de la sopa con una espumadera y triturarlas con una o dos cucharadas de líquido. A continuación, vierta en la cazuela el puré obtenido con las verduras y mézclelo con el líquido.

ARRIBA: Sopa de pimiento rojo

SOPA DE PIMIENTO ROJO

Tiempo de preparación: 20 minutos
Tiempo total de cocción: 30 minutos
Para 6 personas

4 pimientos rojos medianos
4 tomates medianos
1/4 taza (60 ml) de aceite
1/2 cucharadita de mejorana seca
1/2 cucharadita de hierbas secas mezcladas
2 dientes de ajo majados
1 cucharadita de pasta de curry suave
1 cebolla roja mediana en rodajas
1 puerro mediano en rodajas (la parte blanca)
250 g de col verde troceada
4 tazas (1 litro) de agua
1 cucharadita de salsa de guindilla dulce
sal y pimienta negra recién molida

1 Corte los pimientos rojos en cuartos, extraiga las semillas y la membrana y áselos hasta que la piel se vuelva negra y rugosa; cúbralos con un paño de cocina y deje que se enfríen antes de pelarlos. Mientras, marque una pequeña cruz en la parte superior de cada tomate, póngalos en un cuenco y cúbralos unos 2 minutos con agua hirviendo; escúrralos, déjelos enfriar y pélelos desde la cruz marcada; córtelos por la mitad y extraiga las semillas con una cuchara.
2 En una cazuela con aceite caliente, cueza a fuego lento las hierbas, el ajo y la pasta de curry 1 minuto, hasta que desprenda su aroma. Añada la cebolla y el puerro y cuézalo 3 minutos o hasta que esté dorado; agregue luego la col, los tomates, los pimientos rojos y el agua. Llévelo a ebullición, reduzca a fuego lento y cuézalo 20 minutos. Retírelo del fuego y déjelo enfriar.
3 Introduzca la sopa en tandas en un robot de cocina y tritúrela unos 30 segundos o hasta que quede fina. Viértala de nuevo en una cacerola limpia, incorpore la salsa de guindillas y salpimiente. Vuelva a calentarla y sírvala enseguida.

SOPA DE CHAMPIÑONES

FRÍA 2 cebollas picadas en 60 g de mantequilla hasta que estén un poco doradas; añada 500 g de champiñones pequeños troceados y, removiendo con frecuencia, cuézalo todo 5 minutos. Agregue 1/4 taza (30 g) de harina y remuévalo 1 minuto. Vierta 2 tazas (500 ml) de leche y 1 1/2 tazas (375 ml) de caldo vegetal. Baje el fuego y, sin tapar el preparado, déjelo cocer a fuego lento de 10 a 15 minutos, hasta que se espese la sopa y los champiñones estén tiernos. Decore con una cucharada de crema agria y perejil. Para 4 personas.

SOPA DE TOMATE CON PASTA Y ALBAHACA

Tiempo de preparación: 25 minutos
Tiempo total de cocción: 35 minutos
Para 4 personas

3 tomates grandes maduros (750 g)
2 cucharadas de aceite de oliva
1 cebolla mediana picada fina
1 diente de ajo majado
1 pimiento rojo pequeño, en trocitos
4 tazas (1 litro) de caldo vegetal
3 cucharadas de concentrado de tomate
sal y pimienta
1 cucharadita de azúcar
1/4 taza (7 g) de hojas de albahaca
o 1 1/2 cucharadas de albahaca seca
1 taza (155 g) de pasta pequeña o macarrones
unas hojas adicionales de albahaca fresca

1 Marque una cruz en la parte superior de cada tomate. Póngalos en un cuenco y cúbralos 2 minutos con agua hirviendo; escúrralos y déjelos enfriar. Pélelos desde la cruz, deseche la piel y trocee la pulpa. En una cacerola con aceite caliente, cueza la cebolla, el ajo y el pimiento rojo 10 minutos, hasta que los ingredientes estén tiernos. Añada los tomates y cuézalo 10 minutos.
2 Añada el caldo, el concentrado de tomate, la sal, la pimienta y el azúcar. Tápelo y cuézalo 15 minutos a fuego lento. Retírelo del fuego, añada la albahaca y deje enfriar. Con un robot de cocina o una batidora, triture la mezcla en tandas; viértala en la cacerola y caliéntela de nuevo.

3 Aparte, cueza la pasta en agua salada hirviendo hasta que esté tierna; escúrrala e incorpórela a la sopa. Sírvala decorada con hojas de albahaca.

SOPA CAMPESINA CON CALABAZA Y PASTA

Tiempo de preparación: 25 minutos
Tiempo total de cocción: 20 minutos
Para 4–6 personas

1 cebolla grande
750 g de calabaza
2 patatas medianas
1 cucharada de aceite de oliva
30 g de mantequilla
2 dientes de ajo majados
12 tazas (3 litros) de caldo vegetal
125 g de pasta miniatura o estrellitas
1 cucharada de perejil fresco picado, para servir

1 Pele y corte la cebolla en trocitos. Luego pele la calabaza y las patatas y córtelas en daditos. En una cacerola con aceite caliente, cueza la cebolla y el ajo 5 minutos a fuego lento, removiendo de vez en cuando.
2 Añada la calabaza, las patatas y el caldo. Suba el fuego, tape la cacerola y déjelo cocer unos 10 minutos o hasta que las verduras estén tiernas.
3 Agregue la pasta y cuézala 5 minutos o hasta que esté tierna. Sirva la sopa enseguida. Si lo desea, espolvoréela con perejil picado.

ADEREZOS PARA SOPAS
Para aumentar el sabor y la originalidad de las sopas, pruebe uno de los trucos siguientes: una cucharada de pesto al ajo puede condimentar una sopa a base de pulpa de tomate, mientras que el sabor picante de la harissa aporta un toque especial a a la sopa de calabaza. Para preparar unos costrones crujientes, unte pan seco con aceite de oliva, córtelo en dados y hornéelos a temperatura moderada de 10 a 15 minutos; también puede freír los dados de pan en aceite de oliva con un poco de ajo.

A LA IZQUIERDA: Sopa de tomate con pasta y albahaca
ARRIBA: Sopa campesina con calabaza y pasta

TOSTA MELBA

Tueste rebanadas finas de plan blanco o integral (con la corteza) hasta que estén doradas por ambos lados. Con un cuchillo dentado, elimine la corteza y, a continuación, corte las tostadas por la mitad en sentido horizontal; así, cada mitad constará de un lado tostado y otro sin tostar. Con un cuchillo, raspe un poco el lado sin tostar y luego extienda rebanadas sobre una fuente de horno con el lado sin tostar boca arriba. Hornéelas a baja temperatura hasta que empiecen a doblarse y dorarse. Sirva las tostas melba con sopas, ensaladas o untadas con alguna crema, para picar.

ARRIBA: Sopa de naranja y zanahoria

SOPA DE NARANJA Y ZANAHORIA

Tiempo de preparación: 20 minutos
Tiempo total de cocción: 35 minutos
Para 4 personas

500 g de zanahorias
30 g de mantequilla
1/2 taza (125 ml) de zumo de naranja
4–5 tazas (1–1,25 litros) de caldo vegetal
1 cebolla pequeña troceada
3–4 cucharaditas de tomillo fresco picado
o 1 cucharadita de tomillo seco
sal y pimienta
crema agria y nuez moscada, para servir

1 Pele las zanahorias y córtelas en rodajas. Cuézalas con la mantequilla a fuego medio y durante 10 minutos en una cacerola de fondo pesado, removiendo de vez en cuando.

2 Añada el zumo de naranja, el caldo vegetal y la cebolla. Llévelo a ebullición y condimente con tomillo, sal y pimienta. Baje el fuego; tape la mezcla y déjela cocer unos 20 minutos, hasta que las zanahorias estén tiernas. Déjelo enfriar.

3 Con un robot de cocina o una batidora, triture la mezcla en tandas, hasta que esté fina; vuelva a calentarla en la cacerola y sírvala en platos individuales, con una cucharada de crema agria y nuez moscada; si lo desea, añada una rama de tomillo.

SOPA DE CEBOLLA A LA FRANCESA

Tiempo de preparación: 20 minutos
Tiempo total de cocción: 1 hora y 45 minutos
Para 4–6 personas

6 cebollas (1 kg aproximadamente)
60 g de mantequilla
1 cucharadita de azúcar
3 cucharadas de harina
9 tazas (2,25 litros) de caldo vegetal
sal y pimienta
1 baguette
1/2 taza (65 g) de queso gruyère o cheddar
y un poco de queso adicional, para servir

1 Pele las cebollas y córtelas en aros finos. Fría la cebolla en mantequilla caliente unos 20 minutos a fuego lento, hasta que esté muy tierna. Añada azúcar y harina y, sin dejar de remover, cuézalo 1 ó 2 minutos, hasta que empiece a dorarse.

2 Incorpore el caldo, tape la mezcla y manténgala 1 hora a fuego lento; luego salpimiéntela.

3 Precaliente el horno a 180°C. Corte la baguette en rebanadas de 1 cm y hornéelas 20 minutos, dándoles la vuelta una vez, hasta que estén secas y doradas. Decórelas con un poco de queso rallado y hornéelas hasta que el queso se derrita. Sirva la sopa con costrones de queso y espolvoree un poco de queso rallado por encima.

HORTALIZAS A LA PARRILLA CON MAYONESA DE AJO

Tiempo de preparación: 30 minutos
Tiempo total de cocción: 15 minutos
Para 8 personas

2 berenjenas medianas en rodajas finas
sal
4 puerros pequeños, a lo largo y en mitades
2 pimientos rojos medianos en ocho trozos
4 calabacines pequeños, a lo largo y en mitades
8 champiñones planos grandes

Aliño

1 cucharada de vinagre balsámico
2 cucharadas de mostaza de Dijon
2 cucharaditas de hojas de orégano secas
1 taza (250 ml) de aceite de oliva

Mayonesa de ajo

2 yemas de huevo
1 cucharada de zumo de limón
2 dientes de ajo majados
1 taza (250 ml) de aceite de oliva
1 cucharada de cebollino fresco troceado
1 cucharada de perejil fresco picado
1 cucharada de agua

1 Espolvoree las rodajas de berenjena con sal y déjelas reposar 30 minutos. Aclárelas con agua fría y deje que se sequen sobre papel de cocina.
2 Disponga las berenjenas, los pimientos rojos, los puerros y los calabacines en una sola capa en una parrilla. Rocíe las verduras con el aliño y áselas 5 minutos a alta temperatura, sin olvidarse de darles la vuelta y untarlas con el aliño a menudo. Añada los champiñones, con los sombrerillos boca arriba y rocíelos con el aliño. Cueza las hortalizas 10 minutos más, hasta que estén tiernas, y déle la vuelta a los champiñones; durante la cocción, unte las verduras con el aliño. Sirva el plato con mayonesa de ajo.
3 **Para el aliño:** Mezcle el vinagre, la mostaza y el orégano y agregue el aceite de forma gradual.
4 **Para la mayonesa de ajo:** Con un robot de cocina o una batidora, triture 5 segundos las yemas de huevo, el zumo de limón y el ajo, hasta que esté todo mezclado. Con el motor encendido, incorpore todo el aceite de forma lenta y gradual hasta que la mayonesa esté espesa y cremosa. Añada el cebollino, el perejil y el agua, y tritúrelo 3 segundos, hasta que esté mezclado.
NOTA: Puede elaborar la mayonesa con antelación y refrigerarla. Aunque se corte, utilícela como se indica.

ARRIBA: Hortalizas a la parrilla con mayonesa de ajo

SOPA RÁPIDA DE PASTA

SALTEE unos minutos y en poco aceite 2 cebolletas picadas, 150 g de tirabeques en trocitos y 200 g de champiñones en láminas, hasta que los ingredientes estén tiernos. Añada 2 dientes de ajo majados y 1 cucharadita de jengibre fresco rallado, y saltéelo otro minuto. Agregue 4 tazas (1 litro) de caldo vegetal y llévelo a ebullición. Añada 150 g de pasta de cabello de ángel y cuézala 3 minutos o hasta que esté tierna. Sirva la sopa enseguida. Para 4 personas.
Nota: La pasta de cabello de ángel es larga como los espaguetis, pero mucho más fina. En italiano se conoce como *capelli d'angelo* y se utiliza más en las sopas que servida con una salsa.

MANTEQUILLAS AROMATIZADAS

Es posible aromatizar la mantequilla reblandecida con finas hierbas picadas, ajo, queso azul o mostaza, lo que suele realzar las verduras preparadas al horno o al vapor. Envuelva la mantequilla aromatizada en una lámina de film transparente y resérvela en el frigorífico hasta que esté firme. Córtela en trocitos y sírvala encima de verduras calientes.

ARRIBA: Champiñones con mantequilla de hierbas y almendras

CHAMPIÑONES CON MANTEQUILLA DE HIERBAS Y ALMENDRAS

Tiempo de preparación: 20 minutos
Tiempo total de cocción: 20 minutos
Para 4–6 personas

12 champiñones grandes
1 cucharada de aceite de oliva
1 cebolla pequeña, picada fina
1/4 taza (40 g) de almendras blanqueadas
1 diente de ajo, pelado y majado
1 cucharada de zumo de limón
3 cucharadas de ramitas de perejil
3 cucharaditas de tomillo fresco picado o 1 cucharadita de tomillo seco
3 cucharaditas de romero fresco picado o 1 cucharadita de romero seco
1 cucharada de cebollino fresco picado
1/2 cucharadita de sal
1/4 cucharadita de pimienta negra
75 g de mantequilla desmenuzada

1 Precaliente el horno a 180°C. Unte una fuente de horno con aceite o mantequilla fundida. Trocee los tallos de los champiñones. En un cazo con aceite caliente, sofría la cebolla 2 ó 3 minutos a fuego medio, hasta que esté tierna y dorada. Añada los tallos y cuézalo 2 minutos, hasta que esté tierno. Retírelo del fuego.

2 Triture las almendras, el zumo de limón, el ajo, el perejil, el tomillo, el romero, el cebollino, la sal, la pimienta y la mantequilla de 20 a 30 segundos, hasta conseguir una mezcla fina.

3 Disponga los sombrerillos de los champiñones en la fuente, rellénelos con cantidades iguales de la mezcla de cebolla y champiñones y alise la superficie; cúbralos con la mezcla de almendras y hierbas. Hornéelos 10-15 minutos, hasta que estén cocidos y la mantequilla esté derretida.

NOTA: Es preferible cocinar los champiñones antes de servirlos. Rellene los sombrerillos con un máximo de dos horas de antelación, tápelos y resérvelos en el frigorífico en una fuente llana.

HOJALDRES RÁPIDOS DE CHAMPIÑONES

RECORTE 4 cuadrados de una lámina de pasta de hojaldre; úntelos con mantequilla fundida, espolvoréelos con semillas de sésamo y hornéelos 15 minutos a 200°C, hasta que estén hinchados y dorados. Fría 400 g de champiñones en láminas en 40 g de mantequilla fundida, unos 10 minutos o hasta que estén tiernos. Añada 170 ml de crema de leche y aderece con pimienta ne-gra y sal. Divida los cuadrados de pasta en dos y reparta la mezcla de champiñones en la parte inferior; espolvoréela con parmesano y cúbrala con la otra mitad de la pasta. Sirva los hojaldres enseguida. Para 4 personas.

FLANES DE BERENJENA Y CALABACÍN CON PIMIENTO EN CONSERVA

Tiempo de preparación: 30 minutos
+ 20 minutos en reposo
Tiempo total de cocción: 1 hora y 15 minutos
Para 6 unidades

1 berenjena grande, en dados de 1 cm
1 cucharada de sal
200 g de queso ricotta fresco
1 ¼ tazas (310 g) de crema agria
3 huevos
1 cucharada de fécula de maíz
1 taza (135 g) de calabacín rallado
½ cucharadita de pimienta negra machacada

Pimiento en conserva

¾ taza (185 ml) de vinagre de vino tinto
⅓ taza (90 g) de azúcar
1 cucharadita de semillas de mostaza amarilla
1 manzana verde pelada y troceada
1 pera pelada y troceada
1 pimiento rojo troceado
1 pimiento verde troceado

1 Precaliente el horno a 210°C. Unte con aceite seis moldes individuales de ½-¾ tazas de capacidad. Ponga la berenjena en un colador, espolvoréela con sal y déjela reposar unos 20 minutos. Aclárela en agua fría y escúrrala bien.
2 Con una batidora eléctrica, triture el ricotta y la crema agria en un cuenco hasta obtener una masa ligera y cremosa. Añada los huevos y la fécula de maíz y tritúrelo hasta que esté fino. Viértalo luego en un recipiente grande y agregue la berenjena, el calabacín y la pimienta negra.
3 Distribuya partes iguales de la mezcla en los moldes y colóquelos en una fuente de horno honda. Vierta agua caliente en la fuente, hasta cubrir dos tercios de los moldes y envuélvala con papel de aluminio. Hornee 40 minutos o hasta que al clavar una brocheta en el centro, ésta salga limpia. Cuando esté listo, cúbralo o sírvalo con pimiento en conserva.
4 Para el pimiento en conserva: En una cazuela, caliente vinagre, azúcar y semillas de mostaza 5 minutos, hasta que se disuelva el azúcar y la mezcla arranque el hervor. Añada los demás ingredientes. Llévelo a ebullición, baje el fuego y, sin taparlo, déjelo cocer durante 30 minutos.

TORTITAS DE PATATA

Tiempo de preparación: 20 minutos
Tiempo total de cocción: 15 minutos
Para 4–6 personas

4 patatas grandes, peladas y escurridas
3 huevos ligeramente batidos
4 cebolletas en rodajas finas
3 cucharadas de fécula de maíz
2 cucharadas de salvado de avena
aceite, para freír
½ taza (60 g) de cebolletas picadas, remolacha fresca rallada y crema agria, para servir (opcional)

1 Ralle las patatas gruesas, escurra con las manos el exceso de líquido y séquelo bien sobre papel de cocina. Coloque las patatas en un cuenco grande y añada los huevos, las cebolletas, la fécula de maíz y el salvado de avena. Revuélvalo hasta que esté bien mezclado.
2 Vierta cucharadas colmadas de la mezcla en una cacerola bien untada con aceite y aplánelo un poco. Manténgalo a fuego medio hasta que esté bien cocido y dorado por ambos lados. Escúrralo sobre papel de cocina.
3 Sírvalo caliente, decorado con cebolletas o ralladura de remolacha y una cucharada de crema agria.

PATATAS RALLADAS
Con las patatas ralladas puede elaborar tortitas (vea la receta a la izquierda) o rösti de patatas suizo. Coloque las patatas ralladas en una sartén con aceite y mantequilla calientes y presione para formar una masa plana. Dórelas por un lado, déles la vuelta y dore el otro lado. Es muy importante escurrir las patatas, ya que deben freírse en lugar de cocerse en el líquido. En primer lugar, deje secar las patatas enteras peladas, luego rállelas y, en un colador, exprímalas varias veces hasta que expulsen todo el líquido. Séquelas sobre un paño o servilletas de papel. Para ello, necesitará muchas servilletas o diversos paños, pero es un paso imprescindible para que las patatas tengan una textura crujiente.

ARRIBA: Flanes de berenjena y calabacín con pimiento en conserva

CÓMO PELAR ESPÁRRAGOS

No es necesario pelar todo tipo de espárragos—casi nunca es preciso con los delgados y, de hacerlo, no quedaría mucho que comer. Los espárragos gruesos, si son realmente frescos, resultan excelentes sin pelar; si no está muy convencido, pele los tallos desde la punta a la base con un pelador de verduras. Esta operación le resultará más fácil sobre una tabla. Asimismo, corte o extraiga la base del tallo, puesto que suelen ser un poco duros.

ARRIBA: Espárragos con salsa holandesa al limón

ESPÁRRAGOS CON SALSA HOLANDESA AL LIMÓN

Tiempo de preparación: 15 minutos
Tiempo total de cocción: 8 minutos
6 unidades

315–440 g de puntas de espárragos
180 g de mantequilla
2 cucharadas de agua
4 yemas de huevo
1–2 cucharadas de zumo de limón, lima o naranja
sal y pimienta blanca
virutas de queso parmesano o pecorino (opcional)

1 Deseche los extremos leñosos de los espárragos. Viértalos en agua hirviendo, cuézalos hasta que estén tiernos, de 1 a 2 minutos y escúrralos.
2 Derrita la mantequilla en una cazo, retire la espuma y déjela enfriar. En otro cazo, mezcle el agua y las yemas de huevo y bátalo 30 segundos, hasta que esté cremoso y de color blanquecino; luego cuézalo a fuego lento y bátalo 3 minutos, hasta que la mezcla se espese.
3 Retírelo del fuego; sin dejar de batir la mezcla, añada mantequilla de forma gradual (deje el suero en el fondo del cazo). Vierta el zumo y condimente a su gusto. Rocíe los espárragos con la salsa y decórelos con virutas de queso.

LIONESAS DE GUINDILLA CON CURRY DE VERDURAS

Tiempo de preparación: 35 minutos
Tiempo total de cocción: 1 hora y 5 minutos
12 unidades

Pasta de lionesas

90 g de mantequilla
1 1/4 tazas (315 ml) de agua
1 1/4 tazas (155 g) de harina tamizada
1/4 cucharadita de guindilla en polvo
4 huevos ligeramente batidos

Curry de verduras

4 calabacitas amarillas
100 g de tirabeques
1 zanahoria
50 g de mantequilla
2 cebollas medianas en rodajas
2 cucharadas de pasta de curry suave
300 g de setas de ostra pequeñas
1 cucharada de zumo de limón

1 Precaliente el horno a 240°C. Rocíe con agua dos fuentes de horno de 32 x 28 cm.
2 Para la pasta de lionesas: Mezcle la mantequilla y el agua en un cazo y manténgalo 5 minutos a fuego lento, hasta que la mantequilla se derrita y la mezcla arranque el hervor. Retírelo del fuego;

añada la harina y la guindilla en polvo y mézclelo bien con una cuchara de madera.

3 Incorpore de nuevo el cazo en el fuego y, sin dejar de batir la mezcla, cuézala 3 minutos a fuego lento, hasta que se espese y se desprenda de la base y las paredes del cazo. Pásela a un cuenco grande y, con una batidora eléctrica, bátala 1 minuto a alta velocidad. Añada los huevos de forma gradual y bata la masa hasta que esté espesa y lisa. (Este paso requiere unos 5 minutos.)

4 Forme montoncitos de dos cucharadas de la mezcla obtenida y dispóngalos en las fuentes preparadas a intervalos de unos 10 cm. Rocíelos con un poco de agua y hornéelos 20 minutos. Reduzca a 210°C y manténgalos en el horno otros 30 minutos, hasta que estén crujientes y bien dorados. (Durante la cocción, haga un pequeño corte en el centro de los montoncitos para que se desprenda el vapor y se sequen del todo.) Deje enfriar las lionesas en una rejilla de metal.

5 Para el curry de verduras: Corte el calabacín en rodajas finas, los tirabeques por la mitad y en diagonal y la zanahoria en tiritas. En una cacerola con el resto de la mantequilla caliente, fría unos 5 minutos las cebollas a fuego lento o hasta que estén doradas y agregue la pasta de curry. Agregue las setas y las verduras preparadas y remuévalo todo a fuego fuerte durante 1 minuto. Vierta el zumo de limón, retire la mezcla del fuego y remuévala bien. Corte las lionesas por la mitad y, con una cuchara, elimine la masa cruda. Rellénelas con verduras y sírvalas enseguida.

TOMATES AL HORNO CON TOSTADAS

Tiempo de preparación: 15 minutos
Tiempo total de cocción: 35 minutos
Para 4 personas

- 1 barra de pan
- 4 tomates grandes maduros
- 1/2 cucharadita de hojas de mejorana secas
- sal y pimienta negra recién molida
- 1/3 taza (80 ml) de aceite de oliva
- 2 cucharadas de vinagre de vino tinto
- 1 cucharadita de azúcar moreno
- 1 diente de ajo, por la mitad
- 1/2 taza (110 g) de alcachofas troceadas y marinadas
- 1 cucharada de perejil de hoja plana picado fino

1 Corte el pan en rodajas. Precaliente el horno. Corte los tomates por la mitad, quíteles las semillas y colóquelos boca abajo en una fuente llana resistente al calor. Introduzca la mejorana, la sal, la pimienta, el aceite, el vinagre y el azúcar en un tarro de cristal con tapa de rosca; agítelo bien. Vierta la mitad del líquido sobre los tomates.

2 Hornee los tomates 30 minutos a alta temperatura; déles la vuelta durante la cocción. Vierta el resto de la mezcla con el aceite sobre los tomates. Retírelo del fuego y manténgalo caliente.

3 Unte las rebanadas de pan por ambos lados con un poco de aceite; tuéstelas hasta que estén doradas y úntelas con el ajo cortado. Coloque los tomates cocidos encima del pan, decórelos con alcachofas y espolvoréelos con perejil.

ENTRANTES RÁPIDOS Y FÁCILES

Puerros pequeños cocidos en mantequilla y horneados con una envoltura de pasta filo; tirabeques al vapor revueltos en crema de hierbas; espárragos con mantequilla fundida y parmesano; judías al vapor con mantequilla de ajo; pan untado con dientes de ajo asados y pelados; oruga con virutas de queso parmesano y vinagreta al limón; conchas de pasta con guisantes y crema aromatizada con ajo.

A LA IZQUIERDA: Lionesas de guindilla con curry de verduras
ARRIBA: Tomates al horno con tostadas

ENSALADA DE QUESO DE CABRA

Tiempo de preparación: 20 minutos
Tiempo total de cocción: 15 minutos
Para 4 personas

12 rebanadas de pan blanco
4 unidades de 100 g de queso de cabra
60 g de hojas de lechuga variadas
60 g de oruga
250 g de tomates "cherry", por la mitad
1 cucharada de vinagre de vino blanco
1/4 taza (60 ml) de aceite de oliva
1/2 cucharadita de mostaza en grano

1 Precaliente el horno a 180°C. Con un cortapastas, recorte un círculo de cada rebanada de pan. (El pan no debe ser más grande que el queso o al hornear se quemarán los extremos.) Coloque el pan en una fuente y hornee 10 minutos. Corte cada queso en tres rodajas.
2 Coloque una rodaja de queso encima de cada círculo de pan. Disponga una base de hojas de lechuga y oruga en platos individuales y cúbralas con varios tomates por la mitad. Hornee los círculos de pan y queso 5 minutos a alta temperatura, hasta que el queso esté dorado y empiece a formar burbujas. Rocíe la lechuga con el aliño y cubra cada ensalada con 3 círculos de queso. Si lo desea, sírvalo decorado con cebollino picado.
3 Para el aliño: Mezcle vinagre, aceite y mostaza en un tarro de cristal con rosca; agítelo bien durante 1 minuto hasta que esté bien mezclado.

AGUACATE CON LIMA Y GUINDILLAS

Tiempo de preparación: 20 minutos
Tiempo total de cocción: ninguno
Para 6 personas

1 cucharadita de ralladura fina de lima
2 cucharadas de zumo de lima
1 cucharadita de azúcar moreno
1 cucharada de aceite de oliva
1 cucharada de perejil fresco picado
2–3 guindillas jalapeñas, sin semillas y en dados
2 aguacates maduros, pelados y en rodajas

1 En un cuenco, mezcle la ralladura y el zumo de lima, el azúcar, el aceite, el perejil y las guindillas; vierta la mezcla sobre el aguacate y sírvalo.
NOTA: El zumo de lima impide que los aguacates se ennegrezcan; puede usar zumo de limón.

QUESO DE CABRA
A pesar de que muchos quesos se obtienen de la leche de vaca, también se utiliza la leche de otros animales para elaborar quesos conocidos. El queso de cabra o *chèvre* tiene un sabor ácido distintivo al que es fácil habituarse. En función de su edad, puede oscilar entre fresco y suave o crujiente y seco. Cuando es muy joven, es lo suficientemente suave para untar, mientras que al madurar, adquiere una consistencia cretácea.

A LA DERECHA: Ensalada de queso de cabra

BERENJENAS REBOZADAS

Tiempo de preparación: 40 minutos + 20 minutos en reposo
Tiempo total de cocción: 15–20 minutos
Para 4–6 personas

Salsa de yogur

200 g de yogur natural
2 cucharadas de cebolla rallada fina
1/2 cucharadita de hojas de menta seca
1/2 cucharadita de sal
1/4 cucharadita de cilantro molido
una pizca de comino molido

1 berenjena grande y alargada
1 cucharada de sal
2 cucharadas de harina besan (de garbanzos)
1/4 cucharadita de pimienta negra
1/4 taza (30 g) de harina de fuerza
1/2 taza (55 g) adicional de harina besan
2 huevos ligeramente batidos
1/2 taza (60 ml) de cerveza fría
2 cucharaditas de zumo de limón
2/3 taza (170 ml) de aceite de oliva, para freír

1 Para la salsa de yogur: En un cuenco bata los ingredientes hasta que estén bien mezclados; cúbralo con film transparente y refrigérelo.
2 Corte la berenjena en 20 rodajas de 5 mm y espolvoréelas con sal por ambos lados. Déjelas unos 20 minutos en un colador, aclárelas, escúrralas y déjelas secar sobre papel de cocina.
3 En una lámina de papel encerado, mezcle la pimienta con 2 cucharadas de harina besan y reboce las rodajas de berenjena en la mezcla obtenida; luego agítelas un poco para que desprendan el exceso de harina.
4 Tamice los otros tipos de harina en un cuenco mediano y haga un hueco en el centro. Añada los huevos, la cerveza y el zumo de limón simultáneamente; bátalo hasta que haya vertido todo el líquido y no queden grumos en la masa.
5 Caliente aceite en una sartén de fondo pesado. Con dos tenedores, introduzca las rodajas de berenjena enharinada en la masa; escúrralas. Fríalas en aceite, 2 minutos a fuego medio, hasta que la cara inferior esté dorada y crujiente. Déles la vuelta y fría el otro lado. Distribuya las berenjenas en una fuente y manténgalas calientes. Repita la operación con la pasta y la berenjena restantes. Sírvalas con salsa de yogur bien fría.

BERENJENA MARINADA EN CHERMOULA

Tiempo de preparación: 40 minutos + 1 hora de refrigeración
Tiempo total de cocción: 10 minutos
Para 4 personas

2 berenjenas medianas
sal
aceite de oliva

Chermoula

2 dientes de ajo majados
1 cucharada de comino molido
1 cucharadita de canela molida
1/4 cucharadita de pimienta de Cayena
1 cucharadita de pimienta de Jamaica
1/4 taza (60 ml) de zumo de limón
3 cucharadas de cilantro fresco picado
2 cucharadas de menta fresca picada
1/2 taza (125 ml) de aceite de oliva

1 Corte las berenjenas en rodajas de 1 cm y espolvoréelas con sal. Resérvelas unos 30 minutos y, a continuación, aclárelas y déjelas secar.
2 Unte las rodajas de berenjena con aceite de oliva y hornéelas hasta que estén doradas por ambos lados. Déjelas secar sobre papel de cocina.
3 Para la chermoula: Mezcle los ingredientes, añada la berenjena y remuévalo bien; tápelo y refrigérelo 1 hora. Sírvalo a temperatura ambiente.

CHERMOULA
La chermoula es un picante condimento marroquí utilizado para aderezar los guisos de verduras. Puede usarla como una marinada, antes o después de la cocción de las verduras, o como una salsa para condimentar las verduras.

ARRIBA: Berenjenas rebozadas

CÓMO COMER LAS ALCACHOFAS

Las alcachofas frescas enteras siempre se comen con los dedos; por lo tanto, asegúrese de proporcionar lavamanos a sus invitados. Para comerlas, extraiga una hoja cada vez, moje la punta en mayonesa y arranque la base carnosa con los dientes. En el interior de las alcachofas, las hojas son más tiernas y con mayor parte comestible. Reserve un cuenco para las hojas desechadas.

ARRIBA: Champiñones pequeños marinados

CHAMPIÑONES PEQUEÑOS MARINADOS

Tiempo de preparación: 30 minutos
Tiempo total de cocción: ninguno
Para 6–8 personas

500 g de champiñones pequeños, en mitades
1/2 taza (125 ml) de aceite de oliva
1/2 taza (125 ml) de vinagre de vino blanco
3 dientes de ajo picados
2 cucharadas de perejil fresco picado
2 cucharaditas de guindilla picada
1 cucharadita de azúcar
sal y pimienta

1 Limpie los champiñones con un paño húmedo y corte los tallos por debajo del sombrerillo. Ponga los sombrerillos en un cuenco. Mezcle aceite de oliva, vinagre, ajo, perejil, guindilla, azúcar, sal y pimienta en un tarro de cristal con tapa de rosca y agítelo bien.
2 Vierta la marinada sobre los champiñones y mézclelo bien. Tápelo con film transparente y refrigérelo un mínimo de 1 hora. Puede marinar los champiñones con un máximo de 2 días de antelación, en función de la intensidad del sabor que desee. Con frecuencia, dé la vuelta a los champiñones durante la marinada.
3 Sirva los champiñones a temperatura ambiente junto con otras verduras marinadas y como parte de una fuente para entremeses, si lo desea.

ALCACHOFAS CON MAYONESA AL ESTRAGÓN

Tiempo de preparación: 30 minutos
Tiempo total de cocción 30 minutos
Para 4 personas

4 alcachofas medianas
1/4 taza (60 ml) de zumo de limón

Mayonesa al estragón

1 yema de huevo
1 cucharada de vinagre de estragón
1/2 cucharadita de mostaza francesa
2/3 taza (170 ml) de aceite de oliva
sal y pimienta blanca

1 Corte los tallos de las alcachofas. Con unas tijeras, elimine las puntas de las hojas externas y mediante un cuchillo afilado, corte los extremos de las alcachofas. Unte todas las partes cortadas con zumo de limón para que no se decoloren.
2 Cueza las alcachofas al vapor unos 30 minutos, hasta que estén tiernas; si es preciso, cubra la olla con agua hirviendo. Retírelo del fuego y déjelo enfriar.
3 Para la mayonesa al estragón: En un cuenco mezcle la yema de huevo, el vinagre y la mostaza y bátalo 1 minuto. Primero, añada una cucharada de aceite cada vez, sin dejar de batir, hasta que la mezcla esté cremosa y consistente. A medida que se espese la mayonesa, vierta aceite

de forma lenta y continua. Bata hasta que haya añadido todo el aceite. Alíñelo y, en cada plato, sirva una alcachofa fría y mayonesa al estragón.
NOTA: Puede preparar las alcachofas con un máximo de 4 horas de antelación y la mayonesa, con un máximo de 2; cúbralo y refrigérelo.

CRUDITÉS CON SALSA DE AJO

Tiempo de preparación: 30 minutos
Tiempo total de cocción: 20 minutos
Para 4–6 personas

hortalizas frescas en tiras, para servir

Salsa de ajo

2 patatas grandes, peladas y en dados
4–5 dientes de ajo majados
1 cucharada de vinagre de vino blanco
pimienta blanca recién molida
zumo de limón
sal
1/3 taza (80 ml) de aceite de oliva

1 Tape y refrigere las verduras preparadas.
2 Para la salsa de ajo: Cueza las patatas en agua hirviendo hasta que estén tiernas. Compruébelo con un cuchillo afilado o un tenedor; si extrae el cuchillo con facilidad, ya puede triturar la patata; con un tenedor, intente triturar un dado. Escurra bien las patatas, colóquelas en un cuenco y tritúrelas hasta conseguir una masa fina. Añada el ajo majado y el vinagre y mézclelo bien. Aliñe a su gusto con pimienta, zumo de limón y sal.
3 De vez en cuando, vierta unas gotas de aceite de oliva y remueva bien en cada ocasión. Añada aceite y triture la mezcla hasta que esté fina y espesa, lo que puede durar unos 5 minutos. Sirva la salsa caliente, con los bastoncitos de hortalizas y pan crujiente o tostadas finas.
NOTA: A menudo esta salsa se elabora con almendras y pan blanco remojado en lugar de patatas. Utilice 4 cucharadas de almendras molidas y 90 g de pan blanco duro remojado en agua y escurrido. Tritúrelo con una picadora y, con el motor en marcha, añada gotas de aceite a través del tubo de alimentación. La masa debería tener la consistencia de una mayonesa espesa. Si resulta demasiado espesa, añada un poco más de aceite o de zumo de limón.

TOSTADAS CON SALSA

CORTE una barrita de pan en unas 6 rebanadas de unos 4 cm. Tuéstelas al horno por un lado hasta que estén doradas y elimine un poco de pan del lado que está sin tostar. Triture 2 tomates maduros pequeños, corte por la mitad una cebolla roja pequeña y unas aceitunas negras sin hueso. Mézclelo, rellene con la mezcla el interior de las rebanadas y cúbralas con 125 g de queso feta desmenuzado y unas hojas de tomillo fresco. Rocíe con aceite de oliva y hornee hasta que la superficie esté dorada.

ARRIBA: Crudités con salsa de ajo

ARRIBA: Strudel de verduras

STRUDEL DE VERDURAS

Tiempo de preparación: 30 minutos
Tiempo total de cocción: 35 minutos
Para 4–6 personas

12 hojas de espinacas
2 cucharadas de aceite de oliva
1 cebolla mediana, en rodajas finas
1 pimiento rojo mediano, en tiras
1 pimiento verde mediano, en tiras
2 calabacines medianos, en rodajas
2 berenjenas delgadas, en rodajas
sal y pimienta
6 láminas de pasta filo
40 g de mantequilla fundida
1/3 taza (20 g) de hojas de albahaca fresca picada
1/2 taza (60 g) de queso cheddar rallado
2 cucharadas de semillas de sésamo

1 Precaliente el horno a 210°C. Unte una fuente de horno con mantequilla derretida. Limpie bien las hojas de espinacas y cuézalas al microondas o al vapor hasta que estén tiernas. Escurra el exceso de líquido y extiéndalas sobre una superficie para que se sequen.
2 En una sartén con aceite caliente fría la cebolla 3 minutos a fuego medio. Añada los pimientos, los calabacines y las berenjenas y, removiendo, cuézalo todo 5 minutos o hasta que las verduras estén tiernas. Condimente y déjelo enfriar.
3 Unte 1 lámina de pasta filo con mantequilla derretida y cúbrala con otra lámina. Repita la operación con la pasta restante y extienda mantequilla entre cada lámina. Esparza sobre la pasta, en sentido longitudinal y dejando unos 5 cm de margen, las espinacas, la mezcla de verduras enfriada, la albahaca y el queso. Doble los extremos sobre el relleno, colocando el más corto en la parte superior y enróllelo bien.
4 Coloque el strudel en una fuente con la parte sellada boca abajo. Úntelo con mantequilla derretida y decore con semillas de sésamo. Hornee 25 minutos, hasta que esté dorado y crujiente.
NOTA: Prepare este plato antes de servir. Córtelo en rodajas, si se trata de un primer plato; si es plato único, acompáñelo de ensalada verde.

SAMOSAS

Tiempo de preparación: 30 minutos
Tiempo total de cocción: 10 minutos
Para unas 24 unidades

2 patatas peladas
1/2 taza (80 g) de guisantes congelados
3 cucharadas de pasas de Corinto
2 cucharadas de coriandro fresco picado
2 cucharadas de zumo de limón
1 cucharada de salsa de soja
1 cucharadita de comino molido
1 cucharadita de guindilla en polvo
1/2 cucharadita de guindilla fresca picada
1/4 cucharadita de canela molida
4 láminas de pasta de hojaldre congelada ya enrollada y descongelada
aceite, para freír

Salsa de menta
1/2 taza (125 g) de yogur natural
1/2 taza (125 ml) de suero de leche
3 cucharadas de menta fresca picada
1/2 cucharadita de comino molido

1 Cueza las patatas hasta que estén tiernas, trocéelas y mézclelas con los guisantes, las pasas de Corinto, el cilantro, el zumo de limón, la soja, el comino, la guindilla y la canela.
2 Con un cortapastas de 10 cm, corte discos de pasta y cúbralos con una cucharada de la mezcla. Forme semicírculos doblando los extremos de la pasta sobre el relleno y séllelos con un tenedor.
3 Fría ambos lados de la pasta en una sartén con 2 cm de aceite, hasta que estén dorados y tiernos. Escúrralos sobre papel de cocina y sírvalos con salsa de menta o de melocotón.
4 **Para la salsa de menta:** Mezcle el yogur, el suero de leche, la menta y el comino en un cuenco y remuévalo bien hasta que esté suave.

SALSA DE MELOCOTÓN

VIERTA en una olla 6 melocotones frescos pelados y troceados. Agregue 1 cucharada de jengibre picado, 2 cucharadas de azúcar moreno, 2 cebolletas picadas, 1/4 cucharadita de especias variadas, 2 clavos, 4 granos de pimienta negra, 2 cucharadas de vinagre de vino tinto y 2 cucharaditas de salsa de soja. Remueva a fuego medio hasta que se disuelva el azúcar. Tápelo y cuézalo 15 minutos a fuego lento, hasta que esté suave y cremoso. Retírelo del fuego, deseche los clavos y los granos de pimienta y déjelo enfriar. Sírvalo con pakoras o samosas y refrigere los restos en un recipiente hermético. Para 3 tazas.

PAKORAS DE VERDURAS

Tiempo de preparación: 15 minutos
Tiempo total de cocción: 10 minutos
Para 4 personas

☆

1 taza (110 g) de harina besan (de garbanzos)
1/2 cucharadita de cilantro molido
1 cucharadita de sal
1/2 cucharadita de cúrcuma molida
1/2 cucharadita de guindilla en polvo
1/2 cucharadita de garam masala
1–2 dientes de ajo majados
3/4 taza (185 ml) de agua
1/2 coliflor en ramilletes
2 cebollas en aros (ver nota)
aceite, para freír

1 Tamice la harina en un cuenco. Añada sal, cilantro, cúrcuma, guindilla, garam masala y ajo.
2 Haga un hueco en el centro de la harina; vierta el agua de forma gradual y forme una masa fina y espesa.
3 Reboce la coliflor y las cebollas con la masa. Cueza en tandas la coliflor y las cebollas en 4 cm de aceite, de 4 a 5 minutos, hasta que estén doradas. Escúrralas sobre papel de cocina y sírvalas con salsa de menta (ver receta de samosas), salsa de guindillas o salsa de melocotón (abajo).
NOTA: Para las pakoras, es mejor utilizar cebollas en vinagre o rodajas de berenjena o patata.

HARINA BESAN
Esta variedad de harina de textura consistente se elabora a partir de garbanzos secos. Es de sabor fuerte y se utiliza en la cocina india, sobre todo para la elaboración de pakoras.

ARRIBA: Samosas
ABAJO: Pakoras de verduras

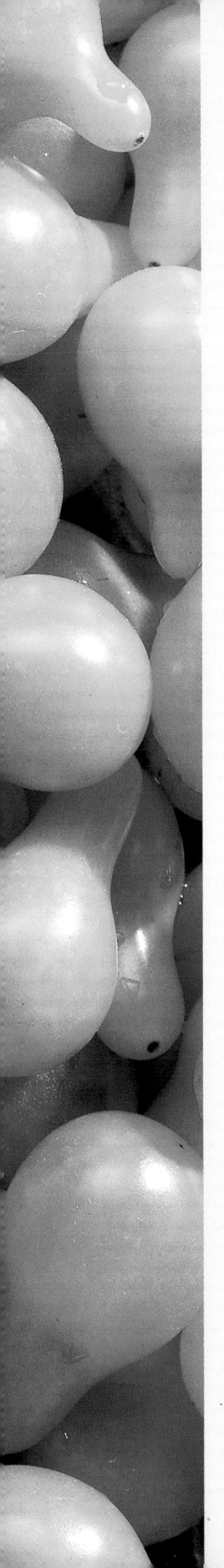

APERITIVOS Y PLATOS DE FIESTA

La buena presentación de los platos para fiestas hacen de la comida un auténtico espectáculo y la alternativa vegetariana no es ninguna excepción. Olvídese de los típicos pasteles y canapés y dispóngase a impresionar a sus invitados con este tentador abanico de inspiradas sugerencias. Y a la mañana siguiente, siéntese con su familia para revivir la fiesta con el mejor de los aperitivos.

TORTILLA VEGETAL CON PAN PITA

Tiempo de preparación: 50 minutos
Tiempo total de cocción: 20 minutos
Para 4 personas

4 remolachas enanas, peladas y ralladas
$2\frac{1}{2}$ cucharaditas de jengibre fresco rallado
2 dientes de ajo majados
1 cucharadita de vinagre de arroz
1 cucharadita de aceite de sésamo
4–5 cucharaditas de salsa de soja
2 cebolletas picadas finas
unas gotitas de salsa tabasco
3 cucharadas de aceite de cacahuete
1 cebolla cortada en aros finos
1 pimiento rojo cortado en tiras finas
1 zanahoria mediana, pelada y rallada
4 hojas de bok choy enanas, ralladas
1 cucharada de salsa de guindilla dulce
3 huevos ligeramente batidos
1 cucharada de fécula de maíz
8 panes pita redondos

ARRIBA: Tortilla vegetal con pan pita

1 Ponga la remolacha junto con $\frac{1}{2}$ cucharadita de jengibre, la mitad del ajo, el vinagre de arroz, el aceite de sésamo, 1 cucharadita de salsa de soja, las cebolletas y la salsa tabasco en un bol mediano. Mézclelo todo bien y resérvelo.

2 Vierta la mitad del aceite de cacahuete en un wok o sartén. Añada la cebolla y el resto del ajo y fríalos 1 minuto a fuego medio. Agregue el pimiento rojo, la zanahoria, el bok choy, el jengibre restante y la salsa de guindilla. Fríalo de 1 a 2 minutos más hasta que esté tierno, retírelo del fuego y páselo a un bol grande; deje que se enfríe un poco. Mezcle los huevos, la fécula y la salsa de soja restante, añádalos a la mezcla de hortalizas enfriada y remuévalo todo bien.

3 En una sartén con el resto del aceite, vierta una cuarta parte de la mezcla de huevo y hortalizas, a fin de formar un disco de cierto grosor; fríalo de 1 a 2 minutos por ambos lados. Repita la operación con la mezcla restante.

4 Tueste ligeramente los panes pita por ambas caras y escurra el exceso de líquido de la mezcla de remolacha. Coloque cuatro panes pita en sendos platos individuales y, encima de cada uno de ellos, una tortilla vegetal acompañada de un poco de remolacha. Decore el plato con pimiento amarillo, si lo desea, y sírvalo con el pan pita restante.

CROQUETAS DE ESPINACAS CON SALSA DE YOGUR A LA MENTA

Tiempo de preparación: 50 minutos + 1 hora de refrigeración
Tiempo total de cocción: 25 minutos
Para 18 unidades

1 1/2 tazas (285 g) de arroz de grano corto
250 g de queso feta desmenuzado
1/4 taza (25 g) de queso parmesano rallado
2 huevos ligeramente batidos
1 diente de ajo majado
2 cucharaditas de corteza de limón rallada
1/3 taza (40 g) de cebolletas picadas
250 g de espinacas, descongeladas y escurridas
1 cucharada de eneldo fresco picado
2 tazas (200 g) de pan seco rallado
2 huevos ligeramente batidos, adicionales
aceite abundante para freír

Salsa de yogur a la menta

200 g de yogur natural
2 cucharadas de menta fresca picada
2 cucharadas de zumo de limón
sal y pimienta negra recién molida

1 Cueza el arroz en una olla grande con agua hirviendo hasta que esté tierno; escúrralo, aclárelo con agua fría y escúrralo de nuevo. Mézclelo con los quesos, los huevos, el ajo, la corteza de limón, las cebolletas, las espinacas y el eneldo en un bol grande. Con las manos humedecidas, divida la mezcla en 18 porciones y moldéelas en forma de croquetas alargadas; colóquelas sobre una bandeja y refrigérelas 30 minutos.
2 Esparza el pan rallado sobre una lámina de papel encerado. Moje las croquetas en el huevo batido adicional y páselas luego por el pan rallado, sin que queden demasiado recubiertas. Refrigérelas otros 30 minutos.
3 **Para la salsa de yogur a la menta:** Mezcle el yogur, la menta fresca, el zumo de limón, la sal y la pimienta en un bol, y mézclelo bien. Tápelo y refrigérelo hasta el momento en que lo necesite.
4 En una sartén honda de fondo pesado, sumerja tandas de croquetas en aceite bastante caliente con ayuda de unas tenacillas o una espumadera. Fríalas de 2 a 3 minutos o hasta que estén crujientes, doradas y bien hechas por dentro. Escúrralas y sírvalas calientes o frías junto con la salsa.

PATATAS FRITAS AL ESTILO CAJÚN

Tiempo de preparación: 10 minutos
Tiempo total de cocción: 25–30 minutos
Para 4 personas

aceite vegetal
4 patatas medianas
1–2 cucharadas de mezcla de especias cajún

1 Ponga el horno a calentar a 190°C. Vierta 1 cm de aceite en una bandeja y déjelo unos 5 minutos en el horno para que se caliente.
2 Corte las patatas en forma de media luna o en tacos y páselas por la mezcla de especias cajún, a fin de rebozarlas por completo.
3 Vierta las patatas en el aceite caliente y remuévalas. Hornéelas de 20 a 25 minutos o hasta que estén bien doradas, removiéndolas de vez en cuando; escúrralas sobre papel absorbente. Sírvalas enseguida acompañadas de salsa de tomate preparada y crema agria, si lo desea.
NOTA: La mezcla de especias al estilo cajún se encuentra en ciertos supermercados; en todo caso, siempre puede elaborar su propia mezcla en casa.

ESPECIAS CAJÚN
Esta mezcla de especias confiere a los platos de Louisiana su peculiar y exquisito sabor. Puede prepararla en casa mezclando 1 cucharada de ajo en polvo, 1 cucharada de cebolla en polvo, 1 cucharadita de pimienta negra y otra de pimienta blanca molidas, 2 cucharaditas de tomillo seco, 1/2 cucharadita de orégano seco y 1 1/2 cucharaditas de pimienta de Cayena.

ARRIBA: Patatas fritas al estilo cajún

HOJALDRES DE QUESO Y SETAS

Tiempo de preparación: 40 minutos
Tiempo total de cocción: 30 minutos
Para 6 unidades

☆☆

- 40 g de mantequilla
- 2 dientes de ajo majados
- 500 g de champiñones botón en láminas
- 1 pimiento rojo pequeño, picado fino
- 2/3 taza (160 g) de crema agria
- 3 cucharaditas de mostaza sin semillas
- 1/2 taza (65 g) de queso gruyère o cheddar rallado fino
- 6 láminas de pasta de hojaldre extendida
- 1/2 taza (65 g) de queso gruyère o cheddar rallado fino, adicional
- 1 huevo ligeramente batido

1 Ponga a calentar el horno a 190°C. Engrase ligeramente dos bandejas de horno con aceite o mantequilla fundida. En una sartén grande con mantequilla, fría el ajo y las setas a fuego medio, removiendo de vez en cuando, hasta que las setas estén tiernas y el líquido se haya evaporado. Retírelas del fuego y déjelas enfriar. Añada el pimiento rojo y remueva.

2 Mezcle la crema agria con la mostaza y el queso en un bol pequeño y remuévalo bien. Corte doce discos de hojaldre de 14 cm, unte 6 de ellos con la mezcla de crema, dejando 1 cm de margen, y cúbralos con la de setas.

3 Espolvoree los hojaldres con dos cucharaditas del queso rallado adicional. Pinte los bordes de la pasta con huevo batido, coloque los discos de pasta reservados encima del relleno y presione los bordes con un tenedor a fin de sellarlos. Pínteles la superficie con huevo y espolvoree el resto del queso por encima. Coloque los hojaldres rellenos en las bandejas y hornéelos 20 minutos o hasta que hayan subido y empiecen a dorarse.

QUESO SUIZO

Si bien son bastante distintos, tanto el queso gruyère como el emmental suelen conocerse como"queso suizo". El gruyère presenta sólo unos pocos agujeros del tamaño de guisantes, mientras que los agujeros del emmental son tan grandes como cerezas. Desde el punto de vista del chef, la diferencia a tener en cuenta reside en la textura de cada queso al cocinarlo: en tal caso, suele preferirse el gruyère al emmenthal, puesto que este último tiende a resultar filamentoso una vez fundido.

GUINDILLAS REBOZADAS CON POLENTA

Tiempo de preparación: 30 minutos
+ 2 horas de refrigeración
Tiempo total de cocción: 2–3 minutos por tanda
Para 6 personas

- 330 g de guindillas enteras no muy picantes
- 1/2 taza (60 g) de queso cheddar rallado
- 100 g de queso cremoso suave
- 1/3 taza (40 g) de harina
- 2 huevos ligeramente batidos
- 3/4 taza (110 g) de polenta (harina de maíz)
- 3/4 taza (75 g) de pan seco rallado
- aceite abundante para freír
- crema agria para servir (opcional)

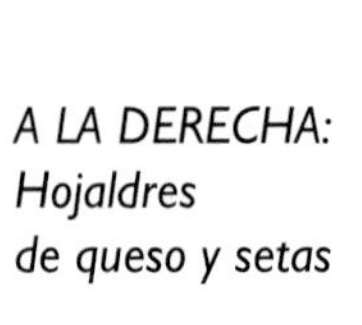

A LA DERECHA: Hojaldres de queso y setas

1 Seleccione doce guindillas grandes de tamaño similar. Escúrralas bien al sacarlas del tarro y séquelas con papel absorbente. Mediante un cuchillo afilado, practique un corte a lo largo de cada guindilla y extráigale las semillas y las membranas. Mezcle aparte los dos tipos de queso y rellene con ellos las guindillas.
2 Vierta la harina en un plato grande y los huevos batidos en un bol. Mezcle la polenta con el pan rallado en una bolsita de plástico y pásela a un plato grande. Enharine las guindillas y sacúdales el exceso de harina; páselas primero por el huevo batido y luego por el pan rallado, a fin de rebozarlas bien. Refrigérelas 1 hora. Rebócelas de nuevo y déjelas otra hora en el frigorífico.
3 Ponga al fuego una sartén mediana con aceite y fría en ella un dadito de pan. Si éste se dora en sólo 30 segundos, significa que el aceite está ya lo bastante caliente. Dore las guindillas por tandas y déjelas escurrir sobre papel absorbente.
NOTA: Este aperitivo le sabrá delicioso si lo acompaña de crema agria y su salsa preferida.

SANDWICH FRANCÉS

CORTE EN diagonal dos rebanadas de pan tipo baguette y úntelas con mantequilla. Cubra una rebanada con queso suizo y mostaza sin semillas y tápela con la otra rebanada. Bata un huevo desleído en un chorrito de leche, salpimiéntelo y condiméntelo con finas hierbas picadas. Moje el sandwich en la mezcla de huevo por ambos lados. Derrita un poco de mantequilla en una sartén y en cuanto chisporrotee, dore el sandwich de 2 a 3 minutos por cada lado. Sírvalo solo o con ensalada. Para 1 persona.

ROLLITOS DE PRIMAVERA CON HORTALIZAS FRESCAS

Tiempo de preparación: 40 minutos
Tiempo total de cocción: ninguno
Para 12 unidades

1 taza (155 g) de zanahoria rallada
100 g de tirabeques, en rodajas
1 taza (90 g) de brotes de soja
30 g de fideos de arroz, remojados, escurridos y enfriados
2 cucharadas de cilantro fresco picado
2 cucharadas de menta fresca picada
1/4 taza (40 g) de cacahuetes tostados en seco y picados
12 láminas redondas de papel de arroz

Salsa para mojar

1 cucharada de azúcar
1/4 taza (60 ml) de agua caliente
2 cucharadas de salsa de pescado (opcional)
1 diente de ajo majado
1/4 taza (60 ml) de zumo de lima
1 guindilla fresca pequeña, en rodajitas
1 cucharada de cilantro fresco picado

1 Mezcle la zanahoria con los guisantes y los brotes en un bol. Pique los fideos cocidos más bien gruesos y agréguelos a las hortalizas junto con el cilantro, la menta y los cacahuetes.
2 Sumerja cada lámina de papel de arroz en un bol con agua caliente durante 1 minuto a fin de ablandarlas. Sáquelas con cuidado y deposítelas sobre una superficie plana y limpia. Coloque 2 cucharadas rasas de la mezcla de hortalizas sobre la mitad inferior de las láminas y enróllelas con firmeza. (El papel se pegará sobre sí mismo por el solo hecho de estar húmedo.)
Sirva los rollitos junto con la salsa para mojarlos.
3 Para la salsa: Ponga el azúcar en un bol, añádale agua y remuévalo hasta que se disuelva. Agregue el resto de los ingredientes y remueva.
NOTA: Para esta receta deberían remojarse los fideos de arroz en agua hirviendo durante 30 segundos. Las láminas de papel de arroz miden unos 23 cm de diámetro y pueden adquirirse empaquetadas en establecimientos especializados en comida asiática.

FIDEOS DE ARROZ
Los fideos de arroz son de color blanco y vienen plegados en forma de ovillo. Tanto la anchura como el grosor pueden variar. Suelen añadirse a sopas y salteados, previamente remojados en agua caliente, o bien hervidos hasta que se ablanden. (Siga las instrucciones indicadas en el paquete.) Algunas recetas requieren fideos de arroz fritos—éstos suelen hincharse y separarse cuando se fríen en aceite abundante. Puesto que crecen bastante es aconsejable freírlos en pequeñas cantidades.

ARRIBA: Guindillas rebozadas con polenta

ARRIBA: Empanadillas de espinacas con aceitunas

PIÑONES

De entre todos los frutos secos, los piñones son los de mayor contenido proteico y se obtienen de la copa de ciertas variedades de pino—sobre todo del pino piñonero y de una variante italiana que tiene forma de paraguas y suele aparecer en las pinturas de paisajes italianos. Los piñones suelen comercializarse blanqueados, si bien puede potenciarse su sabor tostándolos o friéndolos; para ello debe procederse con cuidado, porque se queman enseguida.

EMPANADILLAS DE ESPINACAS CON ACEITUNAS

Tiempo de preparación: 1 hora y 20 minutos + 1 hora de refrigeración
Tiempo total de cocción: 15 minutos
Para 30 unidades

2 tazas (250 g) de harina
200 g de mantequilla cortada en daditos
3/4 taza (185 ml) de agua
1 huevo ligeramente batido, para glasear

Relleno

60 g de espinacas en hojas
100 g de queso feta
2 cucharadas de aceitunas negras sin hueso, picadas
2 cucharaditas de romero fresco picado
1 diente de ajo majado
2 cucharadas de pistachos sin cáscara
1 huevo ligeramente batido

1 Tamice la harina en un cuenco y añada los dados de mantequilla; remueva hasta ligar bien la mezcla. Forme un hueco en el centro de la harina, vierta casi todo el agua y remueva con un cuchillo, hasta obtener una masa más bien pegajosa; vierta más agua, si es preciso, y amásela.

2 Vuelque la masa sobre una superficie bien enharinada y presiónela ligeramente hasta dejarla casi fina, sin trabajarla demasiado. Extiéndala en forma de rectángulo de 20 x 40 cm e intente que los extremos queden bien cuadrados. Pliegue un tercio de la masa hacia el centro y el tercio del extremo opuesto sobre el primero. Gire un cuarto hacia la derecha, de modo que el pliegue superior quede a la derecha. Vuelva a aplicar el rodillo a la masa, forme otro rectángulo de 20 x 40 cm y pliéguela como antes. Envuelva la masa en film transparente y refrigérela 30 minutos.

3 Repita el paso anterior, extendiendo la masa, plegándola y girándola dos veces más. Refrigérela otros 30 minutos. Los procesos de plegado y extendido de la masa son los que le proporcionan su textura hojaldrada. Extienda la masa sobre una superficie enharinada hasta dejarla de 3 mm de grosor y córtela en discos de 8 cm.

4 Precaliente el horno a 180°C y unte una bandeja grande con aceite o mantequilla fundida.

5 **Para el relleno:** Lave bien las hojas de espinacas, séquelas y píquelas finamente en un bol. Desmenuce el queso feta sobre las espinacas y añada luego las aceitunas, el romero y el ajo. Esparza los pistachos sobre una placa y tuéstelos en el horno de 1 a 2 minutos a temperatura media; déjelos enfriar y píquelos bien finos. Agréguelos a las espinacas junto con el huevo batido y remuévalo todo.

6 Coloque dos cucharaditas de la mezcla en el centro de cada disco de masa, dóblelos por la mitad y selle los bordes con los dedos. Ponga las empanadillas en la bandeja untada, píntelas con huevo batido y hornéelas 15 minutos hasta que se doren y estén crujientes; sírvalas enseguida.

TOSTADAS RÁPIDAS CON HIERBAS Y ALCAPARRAS

TUESTE UNA o dos rebanadas de pan italiano de corteza crujiente o una base para una minipizza hasta dorarla por ambas caras. Frote cada base o rebanada con ajo majado, cúbrala con trozos de tomate en rama o de pera y sazónela con sal y pimienta negra recién molida. Condimente con especias como albahaca fresca o tomillo al limón. Fría las alcaparras rápidamente en aceite abundante hasta que estén crujientes y se abran: escúrralas y échelas por encima del tomate. Sirva las tostadas enseguida con virutas de parmesano o crema agria. Para 1 persona.

PARRILLADA DE BERENJENAS Y PIMIENTOS

Tiempo de preparación: 20 minutos
Tiempo total de cocción: 8 minutos
Para 4 personas

2 cucharadas de aceite
1 berenjena pequeña cortada en rodajas de 1 cm
1 focaccia grande de 30 x 30 cm
4 cucharadas de concentrado de tomate
1 cebolla pequeña picada fina
1 pimiento rojo pequeño en tiras finas
3 cucharadas de hojas de cilantro frescas picadas
1/2 taza (60 g) de queso cheddar rallado
3 cucharadas de parmesano rallado

1 En una sartén grande con aceite, fría las rodajas de berenjena durante 2 minutos o hasta que estén blandas y algo doradas; escúrralas sobre papel de cocina.
2 Corte la focaccia en cuatro cuadrados y éstos por la mitad de forma horizontal. Tueste ambos lados y úntelos con el concentrado de tomate.
3 Coloque la berenjena, la cebolla, el pimiento rojo, el cilantro fresco y la mezcla de quesos encima de cada cuadrado; déjelos bajo el grill del horno de 2 a 3 minutos o hasta que el queso se derrita. Sirva la parrillada inmediatamente.

TRIÁNGULOS DE QUESO, PIÑONES Y ALBAHACA

Tiempo de preparación: 40 minutos
Tiempo total de cocción: 15 minutos
Para 28 unidades

125 g de queso feta
1/2 taza (125 g) de queso ricotta
2 cucharadas de albahaca fresca picada
3 cucharadas de piñones tostados
1 huevo ligeramente batido
sal y pimienta
14 láminas de pasta filo
125 g de mantequilla fundida

1 Precaliente el horno a 190°C. Mezcle los quesos, la albahaca, los piñones y el huevo en un bol mediano y salpiméntelos.
2 Coloque una lámina de pasta sobre la superficie de trabajo y úntela toda con mantequilla fundida. Cúbrala con otra lámina de pasta y úntela también. Corte la pasta en cuatro tiras a lo largo.
3 Coloque 3 cucharaditas rasas de relleno en un extremo de cada tira de pasta; pliéguelas en forma de triángulo de modo que encierren bien el relleno. Unte los triángulos con mantequilla y espárzalos sobre bandejas de horno ligeramente engrasadas. Repita el proceso con la pasta y el relleno restantes y hornee los triángulos 15 minutos o hasta que se doren. Sírvalos calientes.
VARIANTE: Vierta 1 cucharada de aceite en una sartén mediana y fría en ella 1 cebolla picada, 2 dientes de ajo majados y 2 guindillas rojas finamente picadas. Remuévalo todo sobre fuego medio de 2 a 3 minutos o hasta que la cebolla esté tierna. Vierta 425 g de judías pintas o fríjoles en lata, escurridos y hechos puré, 1 taza (250 g) de salsa de tomate preparada y 2 cucharadas de cilantro fresco picado; remueva. Coloque una cucharadita de la mezcla de judías sobre cada lámina de hojaldre (como se indica más arriba). Espolvoree con un poco de queso cheddar rallado, pliegue la pasta en triángulos y hornéela según las indicaciones. Estos triángulos resultan deliciosos servidos con crema agria y salsa guacamole.

PASTA FILO
Para trabajar la pasta filo se precisa cierta agilidad manual, ya que las láminas de esta pasta deben trabajarse deprisa pero con cuidado, porque al entrar en contacto con el aire se secan y se agrietan con gran facilidad. Trabaje una sola lámina cada vez y mantenga las demás cubiertas con un paño húmedo.

A LA IZQUIERDA: Parrillada de berenjenas y pimientos

TOMATES

Versátiles, infalibles y siempre disponibles, tomados en rodajas o como base de toda una miríada de platos, muy pocos alimentos evocan tanto placer como pueda hacerlo un tomate bien rojo y maduro.

ENSALADA DE TOMATE

Coloque en una fuente rodajas de tomate de pera y rodajas de queso bocconcini. Espolvoréelas con albahaca rallada y rocíelas con un buen aceite de oliva virgen extra. Condiméntelas con sal gruesa y pimienta negra recién molida, y sírvalas con hojas de oruga y pan fresco.

TOMATES SECADOS EN CASA

Corte por la mitad 500 g de tomates, ya sean redondos o de pera; colóquelos en una sola capa en una bandeja de horno, con la parte cortada hacia arriba. Sálelos e introdúzcalos en el horno precalentado a 120°C de 7 a 8 horas si son de pera y hasta 10 horas si son redondos; se arrugarán y ennegrecerán. Déjelos enfriar, póngalos en tarros esterilizados con un poco de perejil fresco y cúbralos con aceite de oliva. Guárdelos en un sitio fresco.

LOS TOMATES ASADOS se preparan del mismo modo, pero el tiempo de cocción se limita a 4 ó 5 horas. Sírvalos el mismo día aliñados con aceite y pimienta negra.

PIZZETTAS DE TOMATE

Unte con salsa de tomate unas bases para pizza pequeñas hechas en casa o precocinadas. Esparza por encima rodajas de tomate maduro, aceitunas negras cortadas por la mitad y filetes de anchoa (opcional). Añada un poco de mozzarella rallada y queso de cabra desmenuzado; ponga las bases en una bandeja de horno y hornéelas de 15 a 20 minutos a 220°C hasta que estén crujientes. Sírvalas con hojitas de orégano esparcidas por encima.

SALSA DE TOMATE CALIENTE

En una sartén con ¼ taza (60 ml) de aceite de oliva, fría 6 cebolletas picadas. Déjelas 5 minutos a fuego lento hasta que estén blandas, pero no doradas. Corte una cruz en la base de 3 tomates maduros y déjelos 2 minutos en un cuenco con agua hirviendo. Sumérjalos en agua fría, retírelos y pélelos. Píquelos muy finos y viértalos en la sartén; déjelos 5 minutos a fuego lento y añádales ¼ taza (60 ml) de vinagre de vino tinto, 2 dientes de ajo picados, ⅔ taza (170 ml) de vino blanco seco, sal y pimienta. Déjelo cocer todo 15 minutos o hasta que la salsa se reduzca y espese. Justo antes de servir, añada 2 cucharadas de pepinillos bien picados y 1 cucharada de alcaparras también picadas. Sirva esta salsa con calabacines fritos o asados, o bien con berenjenas y alcaparras por encima. Para 4 personas.

TOSTADAS CON TOMATE

Pele 500 g de tomates maduros; para ello corte una cruz en la base de los mismos y déjelos 2 minutos en un cuenco con agua hirviendo. Sumérjalos en agua fría, retírelos y pélelos. Córtelos por la mitad y prénselos para que suelten las semillas; corte la pulpa en dados y póngala en un bol junto con ¼ taza (60 ml) de aceite de oliva. Añádale 8 hojas de albahaca muy picadas y sal y pimienta recién molida al gusto. Tueste 8 rebanadas gruesas de pan de corteza italiano y frótelas con un diente de ajo. Sirva las rebanadas calientes untadas con el tomate. Para 4 personas.

EN EL SENTIDO DE LAS AGUJAS DEL RELOJ, DESDE SUPERIOR IZQUIERDA: Tostadas con tomate; salsa de tomate caliente (con berenjenas asadas); pizzettas de tomate; tomates asados; ensalada de tomate; tomates secados en casa

PAN LAVASH

El pan lavash consiste en rebanadas finas y rectangulares de pan de trigo, que pueden adquirirse en establecimientos especializados. Pueden prepararse rellenas para tomar como sandwich o como burritos mexicanos. Pruebe el pan lavash aliñado con aceite o mantequilla y sal, ajo majado o especias y déjelo en el horno hasta que esté crujiente; trocéelo y sírvalo con varias salsas para mojar. Con este pan obtendrá asimismo una buena base para pizzas, si le gustan bien finas.

ARRIBA: Fritos a las hierbas con salsa de queso azul
A LA DERECHA: Dolmades

FRITOS A LAS HIERBAS CON SALSA DE QUESO AZUL

Tiempo de preparación: 30 minutos
Tiempo total de cocción: 5 minutos
Para 10 personas

☆

4 rebanadas de pan lavash
90 g de mantequilla fundida
1 tarrito de sazón de pimienta y finas hierbas
1 cucharada de cebollino fresco picado

Salsa de queso azul

250 g de queso azul desmenuzado
60 g de mantequilla ablandada
1 cucharada de vino blanco dulce
2 cucharaditas de menta fresca picada
1 cucharadita de romero fresco picado
2 cucharaditas de orégano fresco picado
1/3 taza (90 g) de crema de leche o crema agria
sal y pimienta

1 Precaliente el horno a 180°C. Unte las rebanadas de pan con mantequilla y espolvoréelas con la sazón de pimienta a las finas hierbas y el cebollino.

2 Corte las rebanadas en veinte cuadrados y éstos por la mitad; hornéelos 5 minutos hasta que estén crujientes. Retírelos, déjelos enfriar y sírvalos con la salsa de queso azul.

3 Para la salsa de queso azul: Bata el queso y la mantequilla en un bol con la batidora, hasta obtener una salsa fina y cremosa. Añada el vino, la menta, el romero y el orégano y remuévala bien. Agregue la crema de leche o crema agria y sazónela al gusto. Sirva la salsa en platos individuales.

NOTA: En un recipiente hermético, los fritos se conservan hasta 2 semanas. Para variar, mezcle 2 dientes de ajo majados con la mantequilla antes de untar el pan con la misma, y espolvoree con el cebollino y queso parmesano rallado; corte el pan en triángulos y hornéelo.

DOLMADES

Tiempo de preparación: 40 minutos + 1 hora en remojo
Tiempo total de cocción: 50 minutos
Para unas 35 unidades

☆☆☆

250 g de hojas de parra en salmuera
3/4 taza (185 ml) de aceite de oliva
2 cebollas grandes, picadas muy finas
3/4 taza (165 g) de arroz de grano corto
6 cebolletas picadas
4 cucharadas de eneldo fresco picado grueso
1 cucharada de menta fresca picada muy fina
sal y pimienta negra recién molida
1 cucharada de zumo de limón

1 Aclare las hojas de parra en agua fría y póngalas 1 hora a remojo en agua caliente; escúrralas. Vierta 1/2 taza (125 ml) del aceite en una cazuela de fondo pesado y fría en él las cebollas; déjelas a fuego lento unos 5 minutos y retírelas. Resérvelas, tapadas, 5 minutos. Añada a la cazuela el arroz, las cebolletas, las hierbas, la sal y la pimienta y revuélvalo todo bien.
2 Extienda una hoja de parra con la parte venosa hacia arriba y coloque encima de ella 3 cucharaditas de la mezcla de arroz. Pliegue los extremos sobre el relleno y enrolle la hoja en dirección hacia la punta de la misma. Repita el proceso con el resto del relleno y de las hojas.
3 Coloque cinco hojas de parra sobre el fondo de una cazuela mediana de fondo pesado y disponga encima las hojas rellenas en dos capas; rocíelas con el aceite restante. Ponga un plato resistente al calor encima de las hojas y cubra éstas con agua; llévelas a ebullición, baje el fuego y déjelas cocer, tapadas, unos 45 minutos. Retire el plato, escurra las dolmades y rocíelas con zumo de limón. Sírvalas frías o calientes.
NOTA: Si puede adquirirlas, utilice hojas de parra frescas. Escójalas pequeñas y blanquéelas en agua hirviendo.

BOCADOS MEDITERRÁNEOS

Tiempo de preparación: 15 minutos
Tiempo total de cocción: 15 minutos
Para unas 20 unidades

- 1 cebolla roja mediana
- 3 cucharadas de aceitunas negras sin hueso
- 1 pimiento rojo mediano
- 1 pimiento verde mediano
- 2 cucharadas de hojas de albahaca frescas
- 3 cucharaditas de vinagre balsámico
- 2 dientes de ajo majados
- 1/4 taza (60 ml) de aceite
- 3 dientes de ajo majados, adicionales
- 1 focaccia grande de 30 x 40 cm
- 3/4 taza (90 g) de queso cheddar rallado

1 Precaliente el horno a 180°C y forre una bandeja de horno con papel de aluminio. Corte las cebollas y las aceitunas en rodajitas y los pimientos por la mitad; extraiga a éstos las semillas y membranas y corte la pulpa en tiras finas. Pique las hojas de albahaca también finas.
2 Mezcle las cebollas, las aceitunas, los pimientos, la albahaca, el vinagre y el ajo en un bol mediano, revuélvalo bien, tápelo y déjelo aparte.
3 En un bol pequeño, mezcle el aceite con el ajo adicional. Mediante un cuchillo de sierra corte la focaccia por el medio y unte ambas mitades con la mezcla de aceite y ajo. Cubra la mitad inferior con el relleno de pimiento y aceitunas. Espolvoree con el queso y cúbralo todo con la otra mitad de la focaccia. Pásela a la bandeja preparada y hornéela 15 minutos o hasta que el queso se derrita. Córtela en cuadrados y sírvala caliente o a temperatura ambiente.

BOCADITOS SALADOS

UNTE 4 láminas de pasta de hojaldre con aceite o mantequilla fundida. Colóquelas en 4 bandejas de horno engrasadas y unte 2 láminas con una fina capa de concentrado de tomate y las otras 2 con mostaza de Dijon. Cubra las primeras con 2/3 taza (140 g) de corazones de alcachofa marinados y cortados en cuartos, 1/3 taza (40 g) de aceitunas negras en rodajas, albahaca picada y algo de mozzarella rallada; esparza el ajo por encima. Cubra las láminas de mostaza con rodajitas de tomate de pera, finas hierbas picadas y virutas de camembert. Hornéelo de 10 a 15 minutos a 210°C y sírvalo cortado en triángulos. Para 2–6 personas.

VINAGRE BALSÁMICO
El vinagre balsámico posee un intenso sabor dulce y una consistencia muy parecida a la del jarabe. Se utiliza moderadamente en la elaboración de aliños para ensalada y salsas. Producido en la región de Módena, Italia, bajo estrictas normas de producción, este vinagre se deja envejecer en toneles de madera durante un mínimo de tres años y hasta un total de 12. Cuanto más añejo, más suave es su sabor (y más elevado su precio).

ARRIBA: Bocados mediterráneos

CÓMO PELAR LOS AJOS

1 Coloque un diente de ajo sobre la tabla, apoye un cuchillo de hoja plana encima y déle un golpe seco con el canto de la mano.

2 La piel de consistencia tan fina como el papel se desprenderá con facilidad.

ARRIBA: Salsa de tomate picante con fritos de pan pita

SALSA DE TOMATE PICANTE CON FRITOS DE PAN PITA

Tiempo de preparación: 20 minutos
Tiempo total de cocción: 20 minutos
Para 2 tazas

- 2 cucharadas de aceite
- 1 cebolla picada
- 2 dientes de ajo majados
- 2 guindillas rojas pequeñas picadas
- 425 g de tomates en lata, triturados
- 2 pimientos picados
- 2 cucharadas de zumo de limón
- 4 cucharadas de perejil fresco picado
- 3 panes pita para rellenar
- 3 cucharadas de crema agria

1 Precaliente el horno a 180°C. En una sartén mediana con aceite caliente, fría la cebolla, el ajo y las guindillas y remuévalo todo durante 2 minutos o hasta que la cebolla esté tierna.
2 Añada los tomates, los pimientos y el zumo de limón. Póngalo todo a hervir, baje el fuego al mínimo y cuézalo 5 minutos, sin tapar, hasta que la salsa espese. Retírela y añada el perejil.
3 Corte los panes por la mitad y cada mitad en 8 triángulos; úntelos con aceite y colóquelos en una sola capa en una bandeja. Hornéelos 10 minutos o hasta que estén dorados y crujientes. Pase la salsa a un bol y decórela con crema agria. Sírvala caliente o fría para mojar el pan pita.

BABA GHANNOUJ

Tiempo de preparación: 20 minutos + 15 minutos en reposo
Tiempo total de cocción: 20 minutos
Para 6–8 personas

- 2 berenjenas pequeñas, por la mitad a lo largo
- sal
- 2 dientes de ajo majados
- 2 cucharadas de zumo de limón
- 3 cucharadas de pasta tahini
- 1 cucharada de aceite de oliva
- 1 cucharada de menta fresca picada muy fina

1 Ponga a calentar el horno a 190°C. Sale la pulpa de las berenjenas y déjelas reposar 15 minutos. Enjuáguelas con agua para quitarles la sal y séquelas con papel absorbente.
2 Coloque las berenjenas con la pulpa hacia arriba en una bandeja y hornéelas 20 minutos, hasta que la pulpa esté tierna. Pélelas y deseche la piel.
3 Vierta la pulpa, junto con el ajo, el zumo de limón, la tahini y el aceite de oliva en la picadora y píquelo todo 30 segundos o hasta obtener una masa bien fina. Sálela al gusto. Decórela con hojitas de menta y sírvala para acompañar triángulos de pan pita o lavash.

NOTA: Esta salsa constituye un aperitivo muy apreciado en Oriente Medio. Puede prepararse con antelación y refrigerarse. La tahini es una pasta a base de semillas de sésamo tostadas que puede adquirirse en tiendas especializadas.

SAMOSAS DE PATATA Y ANACARDOS

Tiempo de preparación: 20 minutos + refrigeración
Tiempo total de cocción: 40 minutos
Para 16 unidades

1 cucharada de aceite de oliva
2 cucharaditas de jengibre fresco picado
3 patatas medianas, peladas y cortadas en dados
90 g de anacardos tostados y picados
1/4 taza (15 g) de coco rallado
3 cucharadas de crema de coco
3 cucharadas de hojas de cilantro picadas
sal y pimienta negra molida
4 láminas de pasta quebrada
aceite para freír

1 En una sartén grande de fondo pesado con aceite, fría el jengibre y las patatas a fuego medio durante 8 minutos sin dejar de remover. Añada los anacardos, el coco, la crema de coco y el cilantro; remueva bien, sazone y déjelo enfriar.
2 Corte cada lámina de pasta en cuatro trozos. Coloque un cuarto de taza de relleno en el centro de cada cuadrado y moje los bordes de la pasta con agua. Prense los bordes y tuérzalos un poco a fin de sellarlos. Refrigere 15 minutos.
3 En una cazuela honda de fondo pesado con aceite, fría las samosas en tandas de 6 minutos hasta que estén doradas y crujientes. Escúrralas y sírvalas con una salsa de yogur natural, pepino y guindilla picados y una pizca de menta al gusto.

SALSA DE AGUACATE

Tiempo de preparación: 15 minutos
Tiempo total de cocción: 1 minuto
Para 6 personas

1 cebolla roja mediana
2 aguacates grandes
1 cucharada de zumo de lima
1 tomate mediano
1 pimiento rojo pequeño
1 cucharadita de cilantro molido
1 cucharadita de comino molido
3 cucharadas de hojas de cilantro picadas
2 cucharadas de aceite de oliva
4–5 gotas de salsa tabasco

1 Pique la cebolla muy fina. Corte los aguacates por la mitad, extráigales el hueso y pélelos con cuidado. Pique la pulpa, pásela a un bol y rocíela ligeramente con el zumo de lima; remuévala.
2 Corte el tomate en dos y prénselo para que suelte las semillas; píquelo muy fino. Extraiga las semillas y membranas del pimiento y píquelo.
3 Vierta las especias molidas en una sartén y remuévalas 1 minuto a fuego medio, a fin de potenciar su aroma y su sabor; déjelas enfriar. Vierta todos los ingredientes en un bol y revúelvalos de modo que el aguacate no se deshaga. Refrigere la salsa hasta el momento de utilizarla. Sírvala a temperatura ambiente con fritos de maíz.

AGUACATES

Para saber si un aguacate está listo para su consumo, éste debe ser firme al tacto, pero también ceder un poco al presionarlo con los dedos. El aspecto de la piel debe ser igualmente inmaculado. Existen tres variedades comunes de aguacate, a saber: el hass, de piel muy rugosa que va desde el color verde al morado; el fuerte, con más forma de pera y una piel de color verde más fina y lisa que el anterior; y el cocktail o enano que mide tan sólo unos 5 cm.

A LA IZQUIERDA: Samosas de patata y anacardos
ARRIBA: Salsa de aguacate

NACHOS CON GUACAMOLE

Tiempo de preparación: 20 minutos
Tiempo total de cocción: 3–5 minutos
Para 4 personas

440 g de fríjoles en lata, aclarados y escurridos
4 cucharadas de salsa de tomate preparada
250 g de fritos de maíz
2 tazas (250 g) de queso cheddar rallado
1 1/2 tazas (375 g) de salsa de tomate adicional
4 cucharadas de crema agria

Guacamole

1 aguacate grande
1 cebolleta picada muy fina
1 tomate pequeño picado muy fino
1 cucharada de zumo de limón
pimienta negra recién molida

1 Ponga el horno a calentar a 180°C. Mezcle la salsa con los fríjoles y reparta la mezcla entre 4 cazoletas individuales resistentes al calor. Cúbralas con los fritos de maíz y queso rallado. Hornéelas 3–5 minutos, hasta que se derrita el queso.
2 Para componer el plato, ponga una cucharada de salsa adicional sobre el queso fundido y encima de ésta, el guacamole y la crema agria.
3 Para el guacamole: Corte el aguacate por la mitad y deseche la piel y el hueso. Chafe la pulpa con un tenedor y mézclela con la cebolleta, el tomate, el zumo de limón y la pimienta.

CUBITOS A LAS HIERBAS
Coloque unas cuantas hojitas de menta o albahaca (o de cualquier otra hierba de hoja larga de su preferencia) en cubiteras, ya sea sueltas o en ramilletes. Cúbralas con agua y póngalas a congelar. Estos cubitos quedan muy atractivos en bebidas de verano—para las cuales son especialmente indicadas las flores de borraja.

ABAJO: Nachos con guacamole

BASTONCITOS RÁPIDOS DE QUESO KEFALOTYRI

CORTE 500 g de queso kefalotyri en bastoncitos de 1 cm de grosor. Mójelos en agua y páselos por una mezcla a base de 1 taza (125 g) de harina, 1 taza (100 g) de pan seco rallado, 2 cucharadas de pimentón dulce, 1 cucharadita de comino molido y 1 cucharada de perejil picado. Vuelva a mojar los bastoncitos y cúbralos con film transparente; refrigérelos hasta el momento de usarlos. Saltéelos en aceite muy caliente hasta que estén crujientes. No los fría demasiado, pues el queso se saldría por el rebozado. Utilice también queso gruyère o romano. Para 6–8 personas.

TARTITAS DE HIERBAS

Tiempo de preparación: 20 minutos
Tiempo total de cocción: 35 minutos
Para 18 unidades

18 rebanadas de pan blanco sin corteza
40 g de mantequilla ablandada

Relleno

2 huevos
2 cucharadas de leche
1/2 taza (125 ml) de crema de leche
2 cucharaditas de cebollino fresco picado
1 cucharadita de eneldo fresco picado
1 cucharadita de tomillo fresco picado
1 cucharada de perejil fresco picado
2 cucharadas de queso parmesano recién rallado

1 Precaliente el horno a 210°C. Unte dos moldes para 12 magdalenas cada uno con aceite o mantequilla fundida. Use un cortapastas redondo de 7 cm para cortar el pan en discos y aplánelos mediante un rodillo de amasar.
2 Unte ambos lados de los discos con mantequilla y colóquelos en los moldes. Hornéelos 10 minutos o hasta que estén algo dorados y crujientes. No los cueza demasiado.
3 Para el relleno: Baje la temperatura a 180°C. Mezcle los huevos con la leche, la crema y las hierbas en un bol, remuévalo todo bien y viértalo en los moldecitos; espolvoree con el parmesano. Hornee las tartitas unos 25 minutos o hasta que el relleno se dore y cuaje; sírvalas enseguida.

CHAMPIÑONES EN CROÛTE

Tiempo de preparación: 40 minutos
Tiempo total de cocción: 20–25 minutos
Para 48 unidades

8 rebanadas de pan blanco
90 g de mantequilla fundida
1 cucharada de aceite de oliva
1 diente de ajo majado
1/2 cebolla pequeña picada fina
375 g de champiñones botón pequeños, en láminas finas
sal y pimienta
1 cucharada de jerez seco
2 cucharaditas de fécula de maíz
1/3 taza (90 g) de crema agria
1 cucharada de perejil fresco picado muy fino
1 cucharadita de tomillo fresco picado muy fino
3 cucharadas de queso parmesano rallado

1 Ponga el horno a calentar a 180°C. Retire la corteza del pan y unte ambos lados del mismo con la mantequilla fundida. Corte las rebanadas por la mitad en sentido vertical, y cada mitad en tres partes horizontales. Coloque las croûtes en una bandeja forrada con aluminio; hornéelas de 5 a 10 minutos hasta quedar doradas y crujientes.

2 En una sartén grande con aceite, fría el ajo y la cebolla, removiendo hasta que ésta esté tierna. Añada los champiñones y fríalos 5 minutos a fuego medio hasta ablandarlos. Salpimiéntelos.

3 Agregue el jerez. Mezcle la fécula de maíz con la crema agria y añádala a las setas; remueva hasta que la mezcla hierva y espese. Retírela del fuego, vierta el perejil y el tomillo y déjela enfriar.

4 Unte las croûtes con la mezcla de setas, espolvoréelas con el queso parmesano y colóquelas en una fuente; caliéntelas 5 minutos en el horno.

TORTITAS DE PARMESANO RÁPIDAS

RALLE BIEN FINO 100 g de queso parmesano de primera calidad y mézclelo en un bol con 1 cucharada de perejil picado fino, otra cucharada de cebollino picado y 1/4 cucharadita de pimentón. En una sartén antiadherente un poco caliente, vierta una cucharada colmada de la mezcla de queso y forme con ella un disco (de unos 5 cm de diámetro). Fríalo hasta que el queso se derrita y burbujee y retire la sartén del fuego. En cuanto pare de burbujear y el queso esté algo más firme, pase la tortita a un papel de cocina con la ayuda de una espátula. Repita con el resto. Para 8 tortitas.

SETAS

Utilice siempre un paño húmedo para limpiar las setas, porque si las lava, se ablandarán. Guarde las setas frescas en una bolsa de papel dentro del frigorífico; si las deja en una bolsa o recipiente de plástico, las setas sudarán y se deteriorarán.

ARRIBA: Champiñones en croûte

LA FIESTA VEGETARIANA
La fresca y reluciente comida vegetariana resulta perfecta para fiestas. Elabore pizzas con pan lavash, úntelas con un puré a base de tomates secados al sol y aceitunas, caliéntelas y sírvalas en porciones; acompáñelas de refrescos decorados con cubitos a las finas hierbas. Presente fuentes repletas de hortalizas asadas o marinadas tales como pimientos, calabacines y berenjenas, las cuales saben muy bien (o incluso mejor) tanto a temperatura ambiente como calientes. Córtelas en trozos y acompáñelas de todo un surtido de panes variados.

ARRIBA: Sandwiches de berenjena

SANDWICHES DE BERENJENA

Tiempo de preparación: 30 minutos + 30 minutos en reposo
Tiempo total de cocción: 25–30 minutos
Para 4 personas

3 berenjenas medianas
aceite de oliva para freír
sal y pimienta negra machacada
comino molido (opcional)
2 pimientos rojos
10–12 tomates secados al sol
200 g de queso ricotta o queso de cabra
4 cucharadas de hojitas de albahaca frescas
hojas de albahaca frescas, adicionales

1 Corte las berenjenas longitudinalmente en rodajas de 1 cm de grosor y escoja las ocho rodajas más grandes para colocarlas sobre una tabla o bandeja. Refrigere la berenjena restante (vea la nota). Sale las ocho rodajas y déjelas reposar 30 minutos; aclárelas con agua y séquelas con papel de cocina.

2 Caliente una sartén grande a fuego medio y vierta en ella suficiente aceite como para cubrir el fondo de la misma. En cuanto el aceite esté caliente, fría las rodajas de berenjena en tandas de 2 a 3 minutos por cada lado, hasta que se doren. Déjelas escurrir sobre papel absorbente y sazónelas con sal y pimienta. Espolvoréelas con el comino, si lo desea.

3 Corte los pimientos longitudinalmente por la mitad, extráigales las semillas y las membranas y corte la pulpa en grandes trozos más bien planos. Áselos a la parrilla hasta que la piel ennegrezca y se arrugue. Páselos a una tabla de trinchar, cúbralos con un paño de cocina y déjelos enfriar. Pele los pimientos y corte la pulpa en tiras.

4 Corte los tomates secados al sol también en tiras. Prepare cuatro platos individuales con una rodaja de berenjena untada con queso ricotta o de cabra y una capa encima de tomates y pimientos; reserve alguno de éstos para decorar. Espolvoree por encima las hojitas de albahaca y cúbralo todo con una segunda rodaja de berenjena. Decore la superficie de la misma con tiras de pimiento y tomates secados al sol. Añada las hojitas de albahaca adicionales.

NOTA: Las rodajas de berenjena que hayan sobrado se conservan un máximo de dos días en el frigorífico. Píquelas muy finas y dórelas en aceite de oliva junto con un ajo majado; sazónelas con sal y pimienta. Utilícelas para untar tostadas o pan pita y sírvalas como tentempié, o bien añádalas a una sopa o un potaje.

FRUTOS DULCES Y PICANTES

Tiempo de preparación: 20 minutos
Tiempo total de cocción: 15 minutos
Para 6–8 personas

250 g de almendras blanqueadas
250 g de pacanas
3 cucharadas de azúcar
1 cucharadita de sal
1/2 cucharadita de pimienta negra molida
1 cucharadita de canela molida
una pizca de clavos molidos
1/2 cucharadita de curry en polvo
1/4 cucharadita de comino molido

1 Ponga el horno a calentar a 180°C. Esparza las almendras y las pacanas sobre una fuente de horno grande y hornéelas de 5 a 10 minutos o hasta que estén doradas y crujientes; retírelas del horno y déjelas enfriar.
2 Mezcle el azúcar, la sal, la pimienta y las especias en un bol pequeño y remuévalo todo bien.
3 Caliente una sartén grande y vierta en ella los frutos secos. Espolvoréelos con la mezcla de especias y fríalos 5 minutos a fuego medio, sin dejar de remover, hasta que empiecen a dorarse; el azúcar se derritirá y cubrirá los frutos secos. Agite la sartén a menudo para que éstos se doren por igual y use una cuchara de madera para evitar que se peguen. Retírelos del fuego y déjelos enfriar sobre una fuente untada con aceite.

TOSTADAS CON PESTO Y PARMESANO

Tiempo de preparación: 30 minutos
Tiempo total de cocción: 5 minutos
Para unas 40 unidades

1 barra de pan
16 tomates grandes secados al sol, cortados en tiras finas
150 g de queso parmesano fresco, en virutas

Pesto

1 taza (50 g) de hojas de albahaca frescas
2 cucharadas de cebollino fresco picado
4 cucharadas de piñones
2–3 dientes de ajo pelados
1/4 taza (60 ml) de aceite de oliva

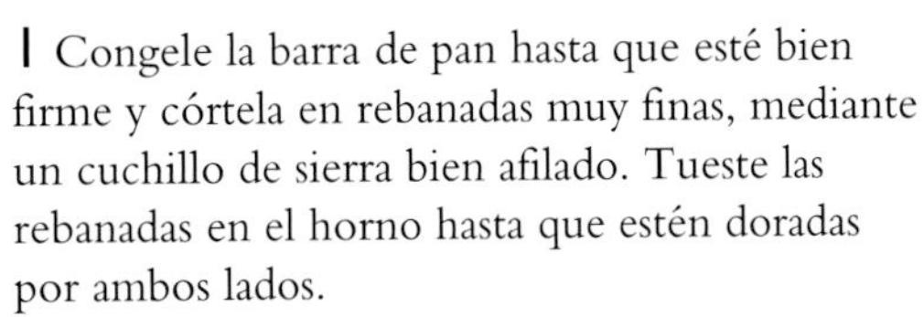

1 Congele la barra de pan hasta que esté bien firme y córtela en rebanadas muy finas, mediante un cuchillo de sierra bien afilado. Tueste las rebanadas en el horno hasta que estén doradas por ambos lados.
2 Para el pesto: Vierta las hojas de albahaca, el cebollino, los piñones, el ajo y el aceite de oliva en la picadora. Píquelo todo de 20 a 30 segundos a fin de obtener una mezcla bien fina.
3 Unte las tostadas con la mezcla de pesto y decórelas con tiras de tomate y virutas de queso parmesano.

A LA IZQUIERDA: Frutos dulces y picantes
ARRIBA: Tostadas con pesto y parmesano

TARTAS, PASTELES SALADOS Y PIZZAS

La elaboración de pasteles caseros a base de combinaciones de verduras frescas, pasta crujiente y, a menudo, una salsa cremosa, constituye una tradición familiar muy arraigada. Estas recetas, cuyo secreto reside en un amasado consistente, son muy indicadas para un picnic, una fiesta o una comida ligera familiar, y pueden ser tan variadas como un pastel de cebolla clásico o unas pizzettas de tomate picantes.

PASTELES PARA PICNICS
La mayoría de los pasteles de verduras tienen un sabor delicioso tanto servidos calientes como a temperatura ambiente y, en consecuencia, son la comida ideal para un picnic. Si los ha reservado en el frigorífico, puede calentarlos al horno antes de salir de casa y envolverlos en papel de aluminio para llevárselos.

ARRIBA: Empanadas de verduras con salsa de tomate

EMPANADAS DE VERDURAS CON SALSA DE TOMATE

Tiempo de preparación: 40 minutos
Tiempo total de cocción: 50 minutos
Para 12 unidades

1 patata
1 zanahoria
1 chirivía
100 g de calabaza
2 cucharaditas de aceite
1 cebolla picada fina
1/2 taza (125 ml) de caldo vegetal
1/3 taza (50 g) de guisantes frescos o congelados
1 cucharada de perejil fresco picado fino
3 láminas de pasta de hojaldre
1 huevo ligeramente batido

Salsa de tomate

1 cucharada de aceite
1 cebolla pequeña picada
1 diente de ajo majado
2 tomates, pelados y troceados
1/4 taza (60 ml) de vino tinto de buena calidad
1/4 taza (60 ml) de caldo vegetal
2 cucharadas de concentrado de tomate
1/2 cucharada de albahaca seca
1/2 cucharada de orégano seco

1 Precaliente el horno a 210°C. Unte una bandeja de horno con aceite o mantequilla fundida. Pele y corte la patata, la zanahoria, la chirivía y la calabaza en dados de 1 cm. Fría la cebolla en aceite caliente durante 2 minutos y a fuego medio, hasta que esté tierna. Añada los dados de verduras y el caldo vegetal y llévelo a ebullición. Baje el horno y, removiendo de vez en cuando, déjelo cocer hasta que las verduras estén tiernas y el líquido se haya evaporado; en total, unos 10 minutos. Añada los guisantes y el perejil y déjelo enfriar.
2 Con un plato, corte cada lámina en cuatro círculos de 12 cm y vierta encima 1 cucharada de la mezcla; rocíe los bordes con agua, doble la masa por la mitad y selle los bordes con un toque decorativo. Pinte las empanadas con huevo batido, colóquelas en la bandeja y hornéelas durante 25 minutos, hasta que estén hinchadas y doradas.
3 Para la salsa de tomate: Sofría la cebolla y el ajo a fuego medio hasta que estén tiernos. Añada los tomates, el vino y el caldo y llévelo a ebullición. Reduzca a fuego lento y cuézalo durante 15 minutos, removiendo de vez en cuando. Retírelo y déjelo enfriar. Tritúrelo con una batidora hasta que esté fino; viértalo en la sartén, añada el concentrado, albahaca y orégano, y remueva hasta que esté caliente. Sírvalo caliente o frío.

PASTEL DE ESPINACAS

Tiempo de preparación: 35 minutos
Tiempo total de cocción: 40 minutos
Para 6–8 personas

500 g de espinacas
1 cucharada de aceite
6 cebolletas picadas finas
125 g de queso feta desmenuzado
3/4 taza (90 g) de queso cheddar rallado
5 huevos ligeramente batidos
sal y pimienta negra recién molida
16 láminas de pasta filo
1/3 taza (80 ml) de aceite de oliva
1 huevo adicional un poco batido, para glasear
1 cucharada de semillas de amapola

1 Precaliente el horno a 210°C. Unte con aceite una fuente de horno de 30 x 25 cm. Lave bien las espinacas, córtelas muy finas y, sin añadirles agua, cuézalas tapadas en una olla a fuego lento durante 2 minutos o hasta que se marchiten. Déjelas enfriar, escurra el exceso de líquido y extiéndalas sobre una superficie.
2 Fría las cebolletas en aceite caliente durante 3 minutos, hasta que estén tiernas, y mézclelas luego en un cuenco con las espinacas, los quesos, los huevos, la sal y la pimienta hasta que los quesos estén distribuidos regularmente.
3 Extienda 1 lámina de la pasta en la fuente, dejando que sobresalgan los extremos, y úntela con aceite. Cubra la pasta restante con un paño de cocina limpio y húmedo para que no se seque. Repita la operación con las otras 7 láminas, sin dejar de untarlas con aceite.
4 Extienda el relleno sobre la pasta y doble los extremos hacia dentro. Unte las demás láminas con aceite y colóquelas sobre el pastel. Presionando los extremos sobre los bordes de la fuente, pinte la superficie con huevo y decore con semillas de amapola. Hornee de 35 a 40 minutos, hasta que la pasta esté dorada. Sirva enseguida.
NOTA: Si lo prefiere, puede utilizar semillas de sésamo en lugar de semillas de amapola.

PASTELITOS DE VERDURA

Tiempo de preparación: 40 minutos
Tiempo total de cocción: 45 minutos
Para 6 unidades

- 1 patata mediana, pelada y cortada en daditos
- 150 g de calabaza, pelada y en dados de 1 cm
- 1 zanahoria grande, pelada y en dados de 1 cm
- 150 g de ramilletes de brécol
- 1 cucharada de aceite
- 1 cebolla picada fina
- 1 pimiento rojo en dados de 1 cm
- 50 g de mantequilla
- 2 cucharadas de harina
- 1 1/2 tazas (375 ml) de leche
- 1 taza (125 g) de queso cheddar rallado
- 2 yemas de huevo
- sal y pimienta de Cayena
- 2 láminas de pasta de hojaldre preparadas
- 1 huevo ligeramente batido
- 1 cucharadita de semillas de amapola

1 Precaliente el horno a 210°C. Unte con aceite seis moldes individuales de la capacidad de 1 taza. Cueza al vapor o al microondas la zanahoria, la patata, la calabaza y el brécol hasta que estén tiernos. Escurra bien las verduras y viértalas en un cuenco. En una sartén con aceite caliente, cueza la cebolla y el pimiento rojo a fuego medio durante 2 minutos o hasta que estén tiernos; luego incorpórelos al cuenco.
2 En una sartén con la mantequilla caliente, añada la harina y déjelo cocer todo 2 minutos o hasta que esté un poco dorado. Agregue la leche de forma gradual, removiendo hasta formar una mezcla fina. Manténgalo 3 minutos a fuego medio, hasta que la mezcla arranque el hervor y se espese. Déjela hervir otro minuto, retírela del fuego y déjela enfriar un poco. Añada el queso y las yemas a la salsa y revuélvalo hasta que esté mezclado. Sazone a su gusto.
3 Añada la salsa a las verduras y mézclelo bien. Reparta el preparado en los moldes. Corte 6 círculos de la pasta para cubrir los moldes y ejerza presión sobre los bordes para sellarlos. Pinte con huevo batido y espolvoree con semillas de amapola. Hornee los pastelitos durante 30 minutos o hasta que estén dorados.
NOTA: Estos pastelitos saben mejor el mismo día de su cocción.

ARRIBA: Pastelitos de verdura

LOS SECRETOS DEL AMASADO

El secreto de una masa ligera y crujiente reside en asegurarse de que no está demasiado trabajada. Tanto si la ha elaborado a mano como con un robot de cocina, siempre que lo haya realizado rápidamente, será fácil trabajarla y extenderla. La cantidad de líquido que se requiere varía en función de la textura de la harina, que debe añadirse de forma gradual y en pequeñas cantidades hasta que la mezcla se espese. Amásela en una bola y, a continuación, envuélvala y resérvela en el frigorífico. Cueza siempre la masa en un horno precalentado y espere a que esté a la temperatura precisa.

ARRIBA: Pastel de acelgas

PASTEL DE ACELGAS

Tiempo de preparación: 40 minutos + refrigeración
Tiempo total de cocción: 45–50 minutos
Para 6–8 personas

Masa

2 tazas (250 g) de harina
1/2 taza (75 g) de harina integral
125 g de mantequilla desmenuzada
1/3 taza (80 ml) de agua helada

Relleno

800 g de acelgas
1/2 taza (65 g) de pistachos picados
3 cucharadas de pasas
1/3 taza (35 g) de queso parmesano recién rallado
1/2 taza (60 g) de queso cheddar rallado
4 huevos
2/3 taza (170 ml) de crema de leche
1/4 cucharadita de nuez moscada molida

1 Para la masa: Tamice las diferentes harinas en un cuenco y agregue la mantequilla. Trabájelo con las yemas de los dedos durante 2 minutos o hasta conseguir una mezcla fina y desmigada. Agregue el agua necesaria para que la masa quede consistente y vierta un poco más, si es preciso. Pásela a una tabla ligeramente enharinada y amásela hasta dejarla homogénea. Trabaje dos tercios de la masa y extiéndalos sobre un molde engrasado de 23 cm. Envuelva la masa restante en film transparente y refrigérela durante 20 minutos.

2 Para el relleno: Precaliente el horno a 180°C. Deseche los tallos de las acelgas, lave bien las hojas y córtelas en tiras finas. Cuézalas al vapor o al microondas durante 3 minutos o hasta que estén tiernas. Déjelas enfriar, escúrralas bien para eliminar el exceso de líquido y extiéndalas por separado para que se sequen.

3 Esparza los pistachos sobre la base de la masa. Mezcle las acelgas, las pasas y los quesos y extienda el preparado sobre los pistachos. Bata 3 huevos junto con la crema de leche y la nuez moscada, y viértalo sobre la mezcla de acelgas.

4 Extienda la masa restante y cubra con ella el pastel; luego recorte los bordes con un cuchillo afilado y presiónelos para sellarlos. Bata el último huevo y utilícelo para glasear el pastel. Decórelo con tiritas de la masa y hornéelo 45 minutos o hasta que esté dorado. Sírvalo caliente, acompañado de una ensalada de tomate.

NOTA: Este plato sabe mejor el mismo día de su preparación.

PASTEL A LA CAMPESINA

Tiempo de preparación: 40 minutos + refrigeración
Tiempo total de cocción: 1 hora
Para 6 personas

175 g de mantequilla
2 tazas (250 g) de harina
1/4 taza (60 ml) de agua helada
1 cucharada de aceite
1 cebolla picada fina
1 pimiento rojo pequeño, troceado
1 pimiento verde pequeño, troceado
150 g de calabaza troceada
1 patata pequeña troceada
100 g de brécol, en ramilletes
1 zanahoria troceada
1/4 taza (30 g) de harina
1 taza (250 ml) de leche
2 yemas de huevo
1/2 taza (60 g) de queso cheddar
1 huevo ligeramente batido, para glasear

1 Precaliente el horno a 180°C. Desmenuce 125 g de mantequilla. Tamice la harina en un cuenco grande y, con las yemas de los dedos, mézclela con la mantequilla hasta obtener una masa fina y desmigada. Agregue casi todo el agua y, mediante un cuchillo, mézclelo todo y forme una masa consistente; agregue agua, si es preciso. Pásela a una superficie ligeramente enharinada y trabájela hasta dejarla homogénea.
2 Divida la masa por la mitad, trabaje una porción y forre un molde hondo de bordes acanalados de 21 cm. Resérvelo 20 minutos en el frigorífico y amase el resto de pasta hasta formar un círculo de 25 cm de diámetro. Córtelo en tiras, disponga la mitad de ellas sobre una lámina de papel parafinado a intervalos de 1 cm y entrelácelas con el resto de tiras en forma de reja. Cúbralo con film transparente y resérvelo en el frigorífico hasta que esté consistente.
3 Cubra el molde forrado con una hoja de papel encerado y disponga encima una capa de arroz o legumbres secas. Hornéelo 10 minutos, retírelo del horno y deseche el papel y el arroz o las legumbres. Hornéelo otros 10 minutos o hasta que esté un poco dorado; déjelo enfriar.
4 En una sartén con aceite caliente, fría la cebolla unos 2 minutos o hasta que esté tierna. Añada los pimientos y, removiendo, déjelos cocer otros 3 minutos. Hierva o cueza al vapor las verduras restantes hasta que estén tiernas; escúrralas y déjelas enfriar. Mezcle la cebolla, los pimientos y el resto de verduras en un cuenco grande.
5 Caliente el resto de mantequilla en una sartén pequeña. Añada la harina y, sin dejar de remover, déjelo cocer todo unos 2 minutos. Vierta la leche de forma gradual y vaya removiendo la mezcla hasta que esté fina. Sin dejar de remover, cueza el preparado a fuego medio hasta que entre en ebullición y se espese. Déjelo hervir 1 minuto y luego retírelo del fuego. Añada las yemas de huevo y el queso y remuévalo hasta conseguir una masa homogénea. Mézclela con las verduras, viértalo en el molde y pinte los bordes con el huevo. Sírvase de una lámina de papel parafinado para colocar el enrejado de la pasta sobre las verduras; luego recórtele los extremos y píntelo con un poco de huevo batido, sellándolo así a la masa cocida. Pinte con huevo la superficie y hornee el pastel unos 30 minutos, hásta que esté dorado.

DECORACIÓN DE LOS PASTELES

Tradicionalmente sólo se decoraban los pasteles salados y no los dulces, de modo que los comensales podían escoger con facilidad ante una selección de ambas variedades. Mediante fragmentos de la masa, puede aportar un toque personal a los pastelitos para niños, escribiendo el nombre o las iniciales en la superficie.

ARRIBA: Pastel a la campesina

PATATAS

Estos alimentos, hoy tan prácticos, albergan una larga historia en la lucha contra el hambre y en la unión familiar; con sus diversas variedades y sus ilimitados modos de cocción, su permanencia parece asegurada.

PATATAS CRUJIENTES

Lave bien 8 patatas Sebago medianas, déjelas secar y córtelas en porciones gruesas. Úntelas con un poco de aceite de oliva y espolvoréelas con sal marina y pimentón dulce (o guindilla en polvo, para un sabor más picante). Hornéelas a 220°C durante 40 minutos, hasta que estén crujientes y doradas. Para 4 personas.

ÑOQUIS CLÁSICOS DE PATATA

Hierva 1,2 kg de patatas Desirée o Pontiac con piel en agua salada. Aclárelas y déjelas enfriar un poco antes de pelarlas y triturarlas. (No utilice un robot de cocina para triturarlas.) Distribuya el puré de patatas sobre una tabla ligeramente enharinada. Haga un hueco en el centro y agregue 2 yemas de huevo y 1 taza (125 g) de harina. Trabaje la mezcla para formar una masa maleable. Si resulta demasiado pegajosa, añada harina (la cantidad variará en función del tipo de patatas utilizadas). Con las manos enharinadas, divida la mezcla en 8 partes y moldéelas en bloques de 3 cm de ancho por 22 cm de largo; córtelos luego en tiras de 1 cm y páselas por los dientes de

un tenedor enharinado. Cueza los ñoquis en una olla con agua salada hirviendo—estarán en su punto cuando floten en la superficie. Sírvalos con su salsa de pasta favorita. Para 4 personas.

PATATAS AL ROMERO ASADAS AL HORNO

Pele y trocee 500 g de patatas Kipfler o de otra variedad nueva en dados de 1 cm y dispóngalas en una fuente de horno antiadherente; rocíelas luego con 1/4 taza (60 ml) de aceite de oliva, espolvoréelas a su gusto con sal y pimienta negra recién picada e incorpore 2 cucharadas de ramitas de romero fresco. Cuézalas 45 minutos al horno precalentado a 220°C y déles la vuelta con frecuencia hasta que estén crujientes y doradas. Para 4 personas.

ENSALADA DE PATATAS CALIENTE Y PICANTE

Pele y corte en rodajas 1 kg de patatas Pontiac. En 1/2 taza de aceite de oliva caliente, cueza a fuego medio las patatas, 2 cucharadas de concentrado de tomate, 1/2 cucharadita de cúrcuma y 1 cucharadita de guindilla troceada, hebras de azafrán y semillas de mostaza negra y de comino. Cuézalo a fuego medio 5 minutos y vierta 1 1/2 tazas de caldo vegetal y 2 hojas de laurel. Deje que hierva, baje el fuego, tápelo y déjelo cocer 30 minutos, hasta que esté tierno. Añada 3 cucharadas de menta fresca picada. Si lo desea, sírvalo con yogur natural. Para 4–6 personas.

PATATAS CON NATA ESPESA Y SALSA DE AGUACATES

Disponga 500 g de patatas nuevas en una fuente de horno antiadherente; rocíelas con 3 cucharadas de aceite de oliva y con un poco de sal marina. Hornéelas 40 minutos a 200°C, hasta que estén crujientes y doradas. Para la salsa de aguacate, mezcle 1 diente de ajo majado, 1 guindilla roja picada, 1 cebolla roja picada, 1 aguacate troceado, 1 cucharada de zumo de lima, 2 cucharadas de cilantro fresco picado, 1 melocotón troceado y 1 tomate triturado. Decore el plato con nata espesa y salsa de aguacates. Para 4 personas.

EN EL SENTIDO DE LAS AGUJAS DEL RELOJ, DESDE SUPERIOR IZQUIERDA: Patatas con nata espesa y salsa de aguacates; patatas crujientes; ensalada de patatas caliente y picante; patatas al romero asadas al horno; ñoquis clásicos de patatas

BOCCONCINI
Los bocconcini son pequeñas bolas de mozzarella fresca. En general se sirven con ensaladas a fin de conservar su delicada textura. Si los cuece, mántengalos poco tiempo en el fuego pues, de lo contrario, se secarán y adquirirán una textura correosa.

ARRIBA: Tarta de tomate y bocconcini

TARTA DE TOMATE Y BOCCONCINI

Tiempo de preparación: 30 minutos
+ refrigeración
Tiempo total de cocción: 50 minutos
Para 6 personas

1 1/2 tazas (185 g) de harina
100 g de mantequilla desmenuzada
1 huevo
2 cucharadas de agua fría
5–6 tomates de pera
sal
1 cucharada de aceite de oliva
8 bocconcini (220 g) en rodajas
6 cebolletas picadas
2 cucharadas de romero fresco picado
sal y pimienta, al gusto

1 Mezcle la harina y la mantequilla en un robot de cocina; tritúrelo 10 segundos, hasta que esté fino y desmigado. En un cuenco mezcle el huevo y el agua y, con el motor en marcha, viértalo de forma gradual al preparado con harina y tritúrelo hasta que esté bien mezclado. Páselo a una tabla enharinada y trabájelo hasta formar una masa homogénea. Cúbralo con film transparente y resérvelo 20 minutos en el frigorífico.
2 Precaliente el horno a 210°C. Extienda la masa sobre una tabla enharinada para que encaje en el interior de un molde de tarta desmontable de 23 cm. Una vez forrado, recorte la masa sobrante del borde y cúbrala con papel parafinado; extienda encima una capa de legumbres secas o arroz. Hornéelo 15 minutos y luego retire el papel y las legumbres o el arroz. Hornee la masa otros 10 minutos, hasta que esté un poco dorada y déjela enfriar. Reduzca la temperatura a 180°C.
3 Corte los tomates por la mitad y condiméntelos con sal y aceite. Dispóngalos boca arriba en una fuente y hornéelos 15 minutos; luego distribúyalos boca arriba sobre la masa y coloque las rodajas de bocconcini y las cebolletas entre ellos; esparza romero, sal y pimienta por encima. Hornéelo 10 minutos, retírelo del horno y déjelo enfriar 10 minutos antes de servir.

TARTALETAS DE CALABAZA AL CURRY

Tiempo de preparación: 30 minutos
+ 30 minutos de refrigeración
Tiempo total de cocción: 40 minutos
Para 8 unidades

Masa de requesón

1 1/2 tazas (185 g) de harina
125 g de requesón desmenuzado
125 g de mantequilla desmenuzada

Relleno

1 cucharada de aceite
2 cebollas picadas finas
3 dientes de ajo majados
1 cucharada de curry en polvo
3 huevos
1/2 taza (125 ml) de nata espesa
1 taza de calabaza cocida, hecha puré
(unos 350 g sin cocer)
2 cucharaditas de semillas de comino

1 Para la masa de requesón: Precaliente el horno a 210°C. Para la masa, tamice la harina en un cuenco y añada el requesón y la mantequilla. Con la puntas de los dedos, mezcle los ingredientes unos 2 minutos o hasta conseguir una bola homogénea.
2 Pase la masa a una superficie enharinada y trabájela 10 segundos, hasta que esté fina. Cúbrala con film transparente y refrigérela unos 30 minutos. Divida la masa en 8 partes iguales, extiéndalas y colóquelas en 8 moldes engrasados

de 10 cm de alto. Hornéelas 15 minutos, hasta que estén un poco doradas, y retírelas del horno. Reduzca la temperatura a 180°C.

3 Para el relleno: Fría en aceite caliente el ajo y las cebollas unos 5 minutos a fuego lento, hasta que estén tiernos. Añada el curry en polvo, cuézalo 1 minuto y viértalo en la base de los moldes.

4 Bata bien los huevos, la nata y la calabaza; viértalo sobre el preparado de cebolla y decórelo con semillas de comino. Hornéelo 20 minutos a 180°C, hasta que esté cocido.

TARTA DE ALBAHACA, PUERRO Y ORUGA

Tiempo de preparación: 30 minutos + refrigeración
Tiempo total de cocción: 1 hora y 10 minutos
Para 1 tarta de 23 cm

☆☆

150 g de oruga, sin los tallos
1 1/2 tazas (185 g) de harina
125 g de mantequilla desmenuzada
1–2 cucharadas de agua
1 cucharada de aceite
1 puerro, sólo la parte blanca, en rodajas finas
2 dientes de ajo majados
2 huevos
1/2 taza (125 ml) de leche
1/2 taza (125 ml) de crema de leche

1 Precaliente el horno a 210°C. Lave la oruga y escurra el exceso de agua; corte las hojas en tiras finas.

2 Mezcle con los dedos la mantequilla y la harina en un cuenco durante 2 minutos, hasta que la mezcla esté fina y desmigada. Añada el agua y mézclelo bien hasta formar una masa fina. Viértala sobre una superficie enharinada y amásela 10 segundos, hasta dejarla blanda. Cúbrala con film transparente y refrigérela 30 minutos.

3 Extienda la masa entre 2 hojas de film transparente, colóquela sobre la base y las paredes de un molde llano de 23 cm y cúbrala luego con una lámina de papel parafinado. Extienda legumbres secas o arroz sobre el papel y hornéelo 10 minutos; retírelo del horno y deseche las legumbres secas o el arroz. Hornee de nuevo la masa unos 5 minutos, hasta que esté un poco dorada. Reduzca la temperatura a 180°C.

4 En una sartén con aceite caliente, cueza el ajo y el puerro 5 minutos a fuego lento, hasta que el puerro esté tierno. Luego, añada la oruga y cuézalo 1 minuto. Retire la mezcla del fuego, déjela enfriar y extiéndala sobre la base del molde. Bata los huevos, la leche y la crema de leche hasta obtener una masa suave; viértala en el molde y hornee el preparado 50 minutos a 180°C, hasta que esté firme y dorado. Si lo desea, decore con albahaca y parmesano.

ORUGA
La oruga es una hierba con hojas de sabor picante. Mezclada con virutas de queso parmesano y con un aliño a base de aceite de oliva y limón, constituye una ensalada muy simple y deliciosa. Si encuentra que su sabor es demasiado fuerte, mézclela con otras variedades de lechuga.

ARRIBA: Tartitas de calabaza al curry
ABAJO: Tarta de albahaca, puerro y oruga

TARTA DE TOMATE Y ACEITUNAS

Tiempo de preparación: 30 minutos + 30 minutos de refrigeración
Tiempo total de cocción: 30–35 minutos
Para una tarta de 20 cm

Masa

2 tazas (250 g) de harina
90 g de mantequilla desmenuzada
1 yema de huevo
1 cucharada de agua

Relleno

2 cucharadas de aceite de oliva
1–2 cucharadas de mostaza francesa
15 g de mantequilla
6 tomates pequeños, pelados y troceados
3 cebollas grandes, en rodajas finas
1 cucharadita de azúcar
2 cucharadas de albahaca fresca picada
1 taza (125 g) de aceitunas sin hueso, troceadas
1 taza (220 g) de queso gruyère rallado

1 Precaliente el horno a 210°C. Unte un molde hondo de 20 cm con aceite o mantequilla fundida, enharine la base y las paredes de modo uniforme y deseche el exceso de harina.

2 **Para la masa:** Bata la harina y la mantequilla unos 30 segundos, hasta que la mezcla adquiera una textura fina y desmigada. Agregue el preparado con el agua y las yemas, y bátalo 30 segundos hasta que esté bien mezclado. Forme con ello una bola en una tabla enharinada y refrigérela 30 minutos cubierta con film transparente.

3 **Para el relleno:** Mezcle bien el aceite y la mostaza francesa hasta obtener una mezcla fina.

4 Extienda la masa para forrar el molde preparado y cúbrala con papel parafinado. Disponga encima una capa uniforme de legumbres secas y hornéelo 15 minutos; retírelo del horno, deseche el papel y las legumbres y deje enfriar la masa. Vierta la mostaza y la mezcla de aceite sobre la base de la masa. Fría los tomates y las cebollas en mantequilla caliente hasta que estén tiernos. Retírelo del fuego, escúrralo y vierta cucharadas de la mezcla sobre la base de la masa. Mezcle el azúcar, la albahaca y las aceitunas y espolvoréelo sobre la mezcla de tomate. Cúbralo con queso. Hornee la tarta unos 20 minutos, hasta que la masa esté crujiente y el queso dorado.

ACEITUNAS

La regla de oro que debe seguir al comprar aceitunas es adquirir las mejores que pueda permitirse. Dos de las mejores variedades son las kalamata, de origen griego y de color morado, y las niçoise, de origen francés, tamaño muy pequeño y color marrón oscuro. Si en una receta se especifica una variedad de aceitunas, es preferible que intente localizarla.

A LA DERECHA: Tarta de tomate y aceitunas

TARTA A LOS TRES QUESOS

Tiempo de preparación: 20 minutos
Tiempo total de cocción: 35 minutos
Para 6 personas

6 láminas de pasta filo
60 g de mantequilla fundida

Relleno
1/4 taza (30 g) de queso cheddar rallado
1/2 taza (60 g) de queso ahumado rallado
1/2 taza (65 g) de queso gruyère rallado
3 huevos ligeramente batidos
1/2 taza (125 ml) de leche
3/4 taza (185 ml) de crema de leche
1 cucharada de cebollino fresco picado
2 cucharadas de perejil fresco picado

1 Precaliente el horno a 180°C. Extienda las láminas de pasta filo sobre una tabla de cocina y cúbralas con un paño húmedo para que no se sequen. Unte una lámina con mantequilla fundida; luego coloque otra lámina sobre la primera y úntela. Repita la operación con todas las láminas.
2 Unte un molde de 23 cm con mantequilla fundida o aceite. Fórrelo con la masa, presionando los bordes hacia adentro.
3 Para el relleno: Mezcle bien todos los ingredientes en un cuenco. Vierta la mezcla en el molde y hornéelo durante 35 minutos o hasta que la tarta esté dorada y cocida.

TARTA DE CEBOLLA AL ESTILO SUIZO

Tiempo de preparación: 30 minutos
Tiempo total de cocción: 1 hora y 10 minutos
Para 4 personas

2 láminas de pasta quebrada congeladas
2 cucharadas de aceite
3 cebollas medianas en rodajas
1/2 taza (125 g) de crema agria
2 huevos
1/2 taza (65 g) de queso gruyère rallado fino
pimienta de Cayena

1 Precaliente el horno a 210°C. Descongele las láminas de pasta y colóquelas en un molde de 20 cm de paredes acanaladas, sobreponiéndolas donde sea necesario; recorte la masa sobrante del borde. Cubra la base del molde preparado con una lámina de papel parafinado y disponga encima una capa de arroz o legumbres secas. Hornéelo 10 minutos y luego retírelo del horno. Deseche el papel y el arroz o las legumbres y hornéelo 5 minutos o hasta que la masa esté un poco dorada. Reduzca la temperatura a 180°C.
2 En una sartén con aceite caliente sofría las cebollas 5 minutos a fuego lento, hasta que estén doradas y muy tiernas, removiendo con frecuencia. Vierta la mezcla sobre la base de la masa.
3 Bata la crema agria y los huevos hasta obtener una mezcla fina; añada el queso y mézclelo bien. Coloque el molde en una fuente de horno. Vierta la mezcla de huevo sobre la cebolla y espolvoree con pimienta de Cayena. Hornee 40 minutos, hasta que el relleno esté firme. Sírvalo caliente o frío.
NOTA: Puede cocer la pasta con un día de antelación, y las cebollas y el relleno, con unas horas de antelación; tápelo y refrigérelo. Componga la tarta y hornéela justo antes de servir.

COCCIÓN PREVIA
La cocción previa asegura que la masa esté crujiente y bien cocida. Tras forrar el molde con la masa, cubra la base y las paredes con papel parafinado; luego, disponga sobre la base una capa de arroz crudo o legumbres secas. Hornéelo el tiempo indicado y, a continuación, deseche el arroz, las legumbres y el papel. Hornee de nuevo la masa, hasta que se dore ligeramente, e incorpore el relleno siguiendo los pasos de la receta. Puede conservar el arroz o las legumbres (o garbanzos) en un tarro y utilizarlos en otra ocasión.

ARRIBA: Tarta de cebolla al estilo suizo

ARRIBA: Pizza de patata con queso de cabra y cebolla

PASTA LEVADA

La pasta debe hacerse con suficiente antelación para que pueda doblar su tamaño (este proceso se denomina "fermentación"). Coloque la pasta en un cuenco untado con aceite, tápelo con film transparente y refrigérelo durante un máximo de ocho horas. La pasta seguirá creciendo, pero a menor temperatura, lo hará a un ritmo inferior. No la deje crecer a una temperatura muy alta con la convicción de que el proceso será más rápido. De hacerlo, la pasta adquirirá un sabor amargo o incluso puede echarla a perder si la temperatura es demasiado elevada.

PIZZA DE PATATA CON QUESO DE CABRA Y CEBOLLA

Tiempo de preparación: 40 minutos + reposo
Tiempo total de cocción: 55 minutos
Para 4 personas

1/2 taza (125 ml) de leche tibia
50 g de levadura fresca
o 14 g de levadura en polvo
1/2 cucharadita de azúcar
sal
3/4 taza (165 g) de patatas chafadas
1 taza (125 g) de harina
2 cucharadas de perejil fresco picado
pimienta negra recién molida

Cobertura

2 cucharadas de aceite de oliva
1 kg de cebollas rojas, en rodajas finas
200 g de pimientos rojos asados, en tiras
1/2 taza (90 g) de aceitunas negras
50 g de queso de cabra en trocitos
pimienta negra machacada

1 Mezcle la leche y la levadura desmigada con azúcar y una pizca de sal en un cuenco pequeño. Cúbralo con film transparente y resérvelo 10 minutos en un lugar cálido, hasta que esté espumoso. Mezcle las patatas, la harina, el perejil, la sal, la pimienta y la mezcla con levadura en un cuenco, hasta formar una masa fina. Dispóngala sobre una superficie enharinada y amásela unos 10 minutos o hasta que esté fina y no se pegue al trabajarla.

2 Incorpore la masa en un cuenco un poco engrasado, grande y limpio. Cúbralo con film transparente y resérvelo en un lugar cálido hasta que la masa doble su tamaño (1–1 1/2 horas).

3 **Para la cobertura:** En una sartén de fondo pesado con aceite caliente, tape y cueza las cebollas a fuego lento de 20 a 30 minutos, hasta que estén doradas y brillantes, removiendo de vez en cuando. Retírelas del fuego.

4 Precaliente el horno a 210°C. Extienda la masa sobre un superficie enharinada y trabájela con cuidado otros 2 minutos. Unte una fuente de pizza o dos fuentes pequeñas con aceite abundante. Vierta la masa en la fuente y extiéndala bien. Cúbrala con cebolla, pimiento rojo, aceitunas y queso de cabra y espolvoréela con pimienta negra. Hornee la pizza de 20 a 25 minutos y sírvala enseguida.

NOTA: Puede preparar las cebollas caramelizadas con un día de antelación; si las cuece a fuego lento serán dulces; si se queman, serán amargas.

PIZZA ESPAÑOLA

Tiempo de preparación: 30 minutos + reposo
Tiempo total de cocción: 35 minutos
Para 4–6 personas

Base

7 g de levadura en polvo
1 cucharadita de azúcar
2 1/4 tazas (280 g) de harina
1 taza (250 ml) de agua tibia

Cobertura

10 hojas de espinacas picadas
1 cucharada de aceite de oliva
2 dientes de ajo majados
2 cebollas picadas
440 g de tomates en conserva, escurridos y triturados
1/4 cucharadita de pimienta molida
12 aceitunas negras sin hueso, troceadas

1 Precaliente el horno a 210°C. Unte un molde rectangular de 30 x 25 cm con mantequilla fundida o aceite.
2 Para la base: Mezcle la levadura, el azúcar y la harina en un cuenco. Agregue el agua tibia de forma gradual y mézclelo hasta conseguir una masa fina. Trabájela luego sobre una superficie ligeramente enharinada hasta dejarla blanda y elástica. A continuación, viértala en un cuenco untado con aceite, cúbrala con un paño de cocina y déjela crecer 15 minutos en un lugar cálido, hasta que la masa casi haya doblado su volumen.
3 Para la cobertura: Vierta las espinacas en una olla, tápela y cuézalas 3 minutos a fuego lento; escúrralas, déjelas enfriar y exprímalas con las manos para desechar el líquido; déjelas reposar.
4 En una sartén con aceite caliente, sofría el ajo y las cebollas de 5 a 6 minutos a fuego lento. Incorpore los tomates y la pimienta y déjelo cocer todo 5 minutos a fuego lento.
5 Ejerza presión sobre la masa, retírela del cuenco y trabájela 2 ó 3 minutos sobre una tabla un poco enharinada. Extiéndala y dispóngala en el molde. Esparza las espinacas por encima y cúbralas con la mezcla de tomate y las aceitunas.
6 Hornee la pizza de 25 a 30 minutos. Córtela en pequeñas porciones y sírvala caliente o fría.

MINIPIZZAS

Tiempo de preparación: 20 minutos
Tiempo total de cocción: 20–25 minutos
Para 4 personas

1 cucharada de aceite
1 pimiento verde pequeño, en tiras cortas y finas
150 g de champiñones en láminas finas
1 calabacín en rodajas finas
4 bases de mini pizzas
2/3 taza (160 g) de salsa napolitana preparada
410 g de alcachofas en conserva, escurridas y en cuartos
130 g de maíz en grano de lata, escurrido
1 taza (150 g) de queso mozzarella rallado

1 Precaliente el horno a 210°C. Unte 2 fuentes de horno con un poco de mantequilla fundida o aceite. En una sartén con aceite caliente, cueza a fuego medio el pimiento verde, los champiñones y el calabacín durante 3 minutos o hasta que esté todo tierno; déjelo enfriar.
2 Unte las bases con la salsa de pasta. Cúbralas con las verduras cocidas, las alcachofas y el maíz. Espolvoréelas con queso mozzarella rallado y distribúyalas en diversas fuentes.
3 Hornéelas de 15 a 20 minutos, hasta que el queso se haya fundido y las bases estén crujientes. Sirva las pizzas inmediatamente.

BASES DE PIZZA
Tradicionalmente, las bases de pizza se elaboran en la panadería a partir de la masa de pan que ha sobrado, aunque también pueden prepararse a partir de la masa de los bollos o de la pasta quebrada. Las variedades de pan pita, libanés, lavash y turco (pide) constituyen asimismo unas bases de pizza excelentes.

A LA IZQUIERDA: Pizza española

PIZZAS ITALIANAS
La pizza surgió en Nápoles, en el suroeste de Italia, donde los vendedores ambulantes competían unos con otros para atraer a los consumidores. La clásica pizza napolitana es de base crujiente y está cubierta con tomate y mozarella. En Roma, la pizza se elabora en recipientes grandes y rectangulares, se corta en porciones y su precio varía en función del peso. Sicilia es la cuna de la masa gruesa o pan pizza, de base más gruesa que la napolitana original y horneada en una fuente engrasada.

PÁGINA SIGUIENTE: Pizza de tomate con crema agria (arriba); Pizzetta Santa Fe

PIZZA DE TOMATE CON CREMA AGRIA

Tiempo de preparación: 30 minutos + 1 hora y 30 minutos en reposo
Tiempo total de cocción: 40 minutos
Para 4 personas

✯✯

1 cucharadita de levadura en polvo
1 cucharadita de azúcar
2/3 taza (170 ml) de agua tibia
2 tazas (250 g) de harina
una pizca de sal
1/2 taza (125 ml) de aceite de oliva

Cobertura

1/2 taza (125 g) de crema agria
90 g de queso ricotta
2 cucharadas de finas hierbas picadas (albahaca, tomillo al limón y salvia)
2 cucharadas de aceite
2 cebollas medianas, en rodajas finas
5 tomates maduros en rodajas
2 dientes de ajo troceados
45 g de aceitunas niçoise marinadas
10 ramitas de tomillo al limón fresco
pimienta negra recién machacada

1 Precaliente el horno a 200°C. Para la base, mezcle en un cuenco levadura, agua tibia y azúcar hasta su disolución. Déjelo reposar en un lugar cálido sin corriente de aire unos 5 minutos o hasta que la mezcla esté espumosa.
2 Introduzca la harina y la sal en una batidora y, con el motor encendido, añada el aceite de oliva y la mezcla de la levadura, y tritúrelo para formar una masa grumosa. Extiéndala sobre una tabla enharinada, amásela hasta que esté fina y colóquela en un cuenco untado con aceite; tápelo y déjelo enfriar 1 1/2 horas en un lugar cálido, hasta que haya doblado su volumen. Ejerza presión sobre la masa y retírela del cuenco. Amásela y extiéndala formando un círculo de 30 cm o cuatro círculos de 14 cm y colóquelos en una fuente de horno antiadherente.
3 Mezcle la crema agria, el queso ricotta y las hierbas y extienda la masa obtenida sobre las bases, dejando un margen de 1 cm en los bordes.
4 En una sartén con aceite caliente, sofría las cebollas 10 minutos o hasta que estén caramelizadas. Déjelas enfriar, distribúyalas sobre la mezcla con el ricotta y cúbralo con rodajas de tomate, ajo, aceitunas, tomillo al limón y pimienta negra. Hornéelo entre 15 y 30 minutos, según el tamaño, o hasta que la base esté crujiente y dorada.

PIZZETTA SANTA FE

Tiempo de preparación: 15 minutos
Tiempo total de cocción: 15 minutos
Para 6 personas

✯

6 bases de pizza pequeñas preparadas
3/4 taza (185 g) de salsa de tomate picante preparada
4 cebolletas en rodajas
1 pimiento rojo en rodajas
440 g de fríjoles en lata, escurridos y lavados
2 cucharadas de albahaca fresca picada
1/2 taza (75 g) de queso mozzarella rallado
1/4 taza (30 g) de queso cheddar rallado
1/2 taza (125 g) de crema agria
125 g de fritos de maíz

Guacamole

1 diente de ajo majado
1 cebolla roja pequeña, cortada fina
1 aguacate grande triturado
1 cucharadita de zumo de limón
1 cucharada de salsa de tomate preparada
2 cucharadas de crema agria

1 Precaliente el horno a 200°C. Unte las bases de pizza con la salsa de tomate picante.
2 Cúbralas con las cebolletas, el pimiento rojo, los fríjoles y la albahaca.
3 Espolvoree con mozzarella y cheddar rallados. Hornee las pizzas durante 15 minutos, hasta que las bases estén crujientes y el queso, dorado. Sírvalas cubiertas con fritos de maíz, salsa guacamole y crema agria.
4 Para la salsa guacamole: En un cuenco, mezcle bien el ajo, la cebolla, el aguacate, el zumo de limón, la salsa y la crema agria.

CRÊPES, FRITOS Y TORTILLAS

Versátiles por naturaleza, estos apetitosos platos constituyen el desayuno ideal para un sábado repleto de actividades o una deliciosa cena para compartir con los amigos tras una buena película. Independientemente de cuándo sirva la primera tanda de nidos de patata a las finas hierbas o una picante frittata de guindillas, puede estar seguro de que le van a pedir más.

SETAS

Los champiñones botón y los champiñones silvestres son las setas más empleadas en la cocina. Los botón, junto con los planos, poseen un sabor delicado que resulta ideal para rellenos y salsas o para los platos de pasta. Saltee o ase a la plancha los champiñones silvestres y potencie su sabor aliñándolos con los intensos aromas de la albahaca, la mostaza, el vino tinto, el queso parmesano, el ajo o el zumo de limón.

ARRIBA: Crêpes crujientes de setas (a la izquierda); tortitas de pimiento y aceitunas negras

CRÊPES CRUJIENTES DE SETAS

Tiempo de preparación: 25 minutos + 20 minutos en reposo
Tiempo total de cocción: 35 minutos
Para 12 unidades

3/4 taza (90 g) de harina
una pizca de sal
3 huevos ligeramente batidos
3/4 taza (185 ml) de leche
1 cucharada de aceite de oliva ligero
2 cucharadas de cebollino fresco picado
2 tazas (160 g) de pan recién rallado
aceite para freír

Relleno de setas

1 cucharada de aceite de oliva
1 cebolla mediana picada fina
400 g de setas picadas finas
1 cucharada de crema de leche
1/4 cucharadita de sal y 1/2 de pimienta
2 cucharadas de parmesano recién rallado

1 Tamice la harina junto con la sal en un cuenco, forme un hueco en el centro y vierta en él los huevos desleídos con la leche de manera gradual. Bátalo todo bien hasta ligar la mezcla y dejarla sin grumos. Añada el aceite y el cebollino, cubra el cuenco con film transparente y déjelo reposar todo unos 20 minutos. Reserve 1/3 de taza de la masa en una jarra y vierta 2 ó 3 cucharadas de la masa restante en una sartén de crêpes ligeramente engrasada; extiéndala bien sobre el fondo y déjela 1 minuto a fuego medio, hasta que la parte de abajo se dore. Déle la vuelta y, una vez dorada por la otra cara, ponga la crêpe en un plato y cúbrala con un paño de cocina para que se mantenga caliente. Repita la operación con el resto de la masa y engrase la sartén cuando lo considere necesario.

2 **Para el relleno de setas:** En una sartén con aceite caliente, fría la cebolla a fuego medio hasta que esté tierna y añádale entonces las setas. Déjelas cocer unos 2 ó 3 minutos, agregue la crema de leche, la sal, la pimienta y el queso, remuévalo todo y déjelo enfriar.

3 Coloque las crêpes, una por una, en una fuente y unte la mitad de cada crêpe con una cucharada de relleno, dejando 1 cm de margen. Pinte los bordes de la crêpe con la masa restante y pliegue la parte no untada de la misma sobre el

relleno. Repita esta operación con todas las crêpes, píntelas con un poco de la masa sobrante y espolvoréelas con el pan rallado. Cúbralas con otra capa de masa y pan rallado.
4 Caliente aceite en una sartén grande y fría las crêpes por ambos lados hasta que se doren; escúrralas sobre papel absorbente.
NOTA: Utilice pan seco para hacer el pan rallado y sirva las crêpes al natural, o bien napadas con salsa de tomate o salsa italiana especial para pasta.

TORTITAS DE PIMIENTO Y ACEITUNAS NEGRAS

Tiempo de preparación: 15 minutos + 20 minutos en reposo
Tiempo total de cocción: 15 minutos
Para 16 unidades

2 pimientos rojos medianos
1/2 taza (125 ml) de leche
1/2 taza (60 g) de harina de fuerza
1/2 cucharadita de sal
1/4 cucharadita de pimienta negra
3 huevos ligeramente batidos
2 cucharadas de aceitunas negras picadas
1 cucharada de albahaca fresca picada fina
aceite de oliva para freír

1 Corte los pimientos por la mitad, extráigales las semillas y aplánelos. Póngalos a asar 10 minutos bajo el grill del horno previamente calentado, con la piel hacia arriba, hasta que ésta se hinche y ennegrezca. Cúbralos con un paño y déjelos aparte; una vez fríos, pélelos y trocee la pulpa.
2 Mezcle el pimiento asado y la leche con la batidora eléctrica.
3 Tamice la harina y la sal en un cuenco, sazónelas con la pimienta negra y haga un hueco en el centro de los ingredientes. Agregue los huevos junto con la mezcla de leche y pimiento y remuévalo todo hasta obtener una masa homogénea. Añada las aceitunas y la albahaca, cubra el cuenco con film transparente y déjelo reposar todo 20 minutos.
4 En una sartén pequeña untada con aceite, fría 1 ó 2 cucharadas de masa a fuego medio-alto, dándole la vuelta para que se dore por ambos lados. Repita la operación con la masa restante. Sirva las tortitas con queso de cabra y espolvoreadas con finas hierbas frescas.

NIDOS DE PATATA A LAS FINAS HIERBAS

Tiempo de preparación: 10 minutos
Tiempo total de cocción: 12 minutos
Para 10–12 unidades

2 cucharadas de cebollino fresco picado
2 cucharadas de perejil o estragón fresco picado
sal y pimienta negra
3 patatas medianas (600 g) peladas
60 g de mantequilla sin sal
2 cucharadas de aceite de oliva

1 Mezcle el cebollino, el perejil o el estragón, la sal y la pimienta en un cuenco. Ralle las patatas, exprímalas para que suelten el exceso de agua y añádales la mezcla de hierbas.
2 Caliente la mitad de la mantequilla junto con el aceite en una sartén grande antiadherente a fuego medio, hasta que empiece a espumar. Fría una cucharada colmada de la mezcla de patata y hierbas durante 2 minutos. Déle la vuelta y fríala otros 2 ó 3 minutos o hasta que se dore. Escúrrala sobre papel absorbente, evitando que se enfríe. Vierta el resto de mantequilla y aceite en la sartén para freír la mezcla restante.
NOTA: Cubiertos con papel de aluminio y dentro del horno a 120°C, los nidos se mantendrán calientes hasta 1/2 hora. Como variante, sustituya una patata por zanahoria o chirivía y utilice eneldo, en lugar de estragón o perejil.

ESTRAGÓN
El estragón francés (*Artemisia dracunculus*) es el más adecuado para cultivar en casa. Su suave aroma se aviene tanto con tortillas como con patatas, pero su combinación más perfecta se obtiene con el pollo. El vinagre al estragón se utiliza igualmente como aliño para ensaladas. No confunda la variedad rusa de esta hierba (*Artemisia dracunculoides*) con la francesa —puesto que, si bien su parecido es destacable, la primera resulta totalmente insípida.

A LA IZQUIERDA: Nidos de patata a las finas hierbas

POLENTA

La polenta, también llamada harina de maíz, se elabora a base de maíz seco molido y su color es de un amarillo brillante. El nombre de polenta se aplica asimismo al plato que se cocina con dicha harina, consistente en una mezcla espesa, de textura similar a la de las gachas de avena, que se deja solidificar para luego untarla con aceite y freírla o asarla a la parrilla.

PÁGINA SIGUIENTE: Crêpes de polenta mexicanas con aguacate (superior); tortitas de patata y calabaza

CRÊPES DE POLENTA MEXICANAS CON AGUACATE

Tiempo de preparación: 30 minutos + 20 minutos de refrigeración
Tiempo total de cocción: 20 minutos
Para 4–6 personas

1/3 taza (50 g) de polenta amarilla
1/2 taza (60 g) de harina
1/4 cucharadita de levadura en polvo
1/4 cucharadita de sal
1 cucharadita de azúcar
1 taza (250 ml) de suero de leche
2 huevos
30 g de mantequilla derretida
aceite vegetal
2/3 taza (160 g) de crema agria, para servir

Relleno de aguacate

1 aguacate grande maduro
8 cebolletas picadas finas
2 tomates maduros sin semillas y picados
1 cucharadita de salsa de guindilla, o al gusto
2 cucharaditas de zumo de limón
1/4–1/2 cucharadita de sal
pimienta

1 Tamice en un bol la polenta, la harina, la levadura, la sal y el azúcar y haga un hueco en el centro. Vierta el suero de leche, los huevos y la mantequilla en una jarra, bátalos bien y agréguelos al cuenco. Bátalo todo hasta obtener una masa homogénea, cubra el cuenco con film transparente y déjelo reposar 20 minutos.
2 Para el relleno de aguacate: Corte el aguacate longitudinalmente por la mitad, extráigale el hueso y vierta la pulpa en un bol; hágala puré con la ayuda de un tenedor. Añádale luego la mitad de las cebolletas, los tomates, la salsa de guindillas, el zumo de limón, la sal y la pimienta. Mézclelo todo y póngalo 20 minutos a enfriar.
3 Unte una sartén pequeña con aceite y, en cuanto esté caliente, vierta la cantidad de masa suficiente para cubrir el fondo. Fría la crêpe a fuego medio, dándole la vuelta para que se dore por ambos lados. Pásela a una fuente y cúbrala con un paño, de modo que no se enfríe. Repita el proceso con la masa restante, untando la sartén si es necesario. Rellene las crêpes, dóblelas y sírvalas con crema agria y cebolleta por encima.

TORTITAS DE PATATA Y CALABAZA

Tiempo de preparación: 25 minutos
Tiempo total de cocción: 25 minutos
Para 10 unidades

250 g de patatas, cocidas y hechas puré
250 g de calabaza, cocida y hecha puré
30 g de mantequilla
3 cebolletas picadas finas
2 huevos ligeramente batidos
1/4 taza (30 g) de harina
2 cucharadas de harina de fuerza
1/4 cucharadita de nuez moscada en polvo
una pizca de pimienta de Cayena
1/4 cucharadita de sal
30 g de mantequilla, adicionales

1 Bata la calabaza y la patata junto con la mantequilla hasta obtener una masa bien fina. Pásela a un bol y agréguele las cebolletas y los huevos.
2 En un cuenco aparte, tamice las harinas, la sal y las especias, y mézclelas con la masa anterior.
3 Derrita la mantequilla adicional en una sartén antiadherente y fría en ella cucharadas colmadas de la mezcla obtenida durante 2 minutos. Déles la vuelta y fríalas otros 2 ó 3 minutos hasta que se doren; déjelas escurrir sobre papel absorbente.
4 Manténgalas calientes en el horno, mientras fríe el resto de la masa del mismo modo. Sírvalas al natural, o bien con yogur o mantequilla.

CRÊPES DE MAÍZ TAILANDESAS

COLOQUE LOS GRANOS de 2 mazorcas frescas de maíz en un bol junto con 2 cebolletas finamente picadas, 2 cucharadas de ramitas de cilantro picadas, 2 dientes de ajo majados, 2 cucharaditas de granos de pimienta verde en lata, escurridos y molidos, 2 cucharadas de fécula de maíz, 2 huevos batidos, 1 cucharada de salsa de pescado (opcional) y 2 cucharaditas de azúcar moreno. Mézclelo todo bien removiéndolo con una cuchara de madera. Vierta cucharadas de la masa en una sartén de fondo pesado con aceite bastante caliente. Fría las crêpes por tandas, dorándolas por ambos lados, y escúrralas sobre papel absorbente. Sírvalas enseguida. Para 4–6 personas.

BUÑUELOS DE MAÍZ

Tiempo de preparación: 20 minutos
Tiempo total de cocción: 20 minutos
Para 4–6 personas

1 1/4 tazas (155 g) de harina
1 1/2 cucharaditas de levadura en polvo
1/2 cucharadita de cilantro molido
1/4 cucharadita de comino molido
130 g de maíz en grano en lata, escurrido
130 g de puré de maíz en lata
1/2 taza (125 ml) de leche
2 huevos ligeramente batidos
2 cucharadas de cebollino fresco picado
sal y pimienta
1/2 taza (125 ml) de aceite de oliva

Salsa para mojar

1 cucharada de vinagre de vino tinto
3 cucharaditas de azúcar moreno
1 cucharadita de sambal oelek o salsa de guindilla
1 cucharada de cebollino fresco picado
1/2 cucharadita de salsa de soja

1 Tamice la harina, la levadura, el cilantro y el comino en un bol, forme un hueco en el centro y vierta todo el maíz, la leche, los huevos, el cebollino, la sal y la pimienta.
2 En una sartén grande antiadherente, sumerja cucharadas colmadas de la mezcla en el aceite caliente, separadas por unos 2 cm, y aplánelas. Fría los buñuelos 2 minutos a fuego medio-alto hasta dorarlos, déles la vuelta, retírelos y escúrralos sobre papel absorbente. Sírvalos con la salsa.
3 Para la salsa: Caliente el vinagre, el azúcar, el sambal oelek, el cebollino y la soja en un cazo pequeño hasta que el azúcar se disuelva.

ABAJO: Buñuelos de maíz

TORTITAS VEGETALES CON SALSA DE TOMATE

Tiempo de preparación: 30 minutos
Tiempo total de cocción: 30 minutos
Para 4 personas

2 patatas medianas peladas
1 zanahoria mediana pelada
2 calabacines medianos
125 g de boniato pelado
1 puerro pequeño
2 cucharadas de harina
3 huevos ligeramente batidos
aceite para freír

Salsa de tomate natural

1 cucharada de aceite
1 cebolla pequeña picada fina
1 diente de ajo majado
1/2 cucharadita de pimentón
3 tomates medianos maduros, pelados y picados finos
3 cucharadas de albahaca fresca rallada fina

1 Ralle las patatas, la zanahoria, los calabacines y el boniato bien finos, y corte la parte blanca del puerro en rodajitas. Escurra las hortalizas con las manos y póngalas junto con el puerro en un bol.
2 Espolvoree las hortalizas con harina, añada los huevos y revuélvalo todo bien. Caliente 5 mm de aceite en una sartén y sumerja 1/4 taza de la mezcla apilada en un montoncito. Aplane éste con un tenedor para formar un disco de 10 cm. Fría 2 ó 3 de estos discos durante 3 minutos por cada lado, a fuego medio, hasta que estén dorados y crujientes; escúrralos sobre papel absorbente. Proceda igual con la mezcla restante.
3 Para la salsa de tomate: En una sartén con aceite, fría la cebolla, el ajo y el pimentón unos 3 minutos, hasta ablandarlos. Añada los tomates, baje el fuego y cuézalo 10 minutos. Revuelva la salsa, agréguele la albahaca y sírvala caliente.

TOMATES VERDES FRITOS

Tiempo de preparación: 15 minutos
Tiempo total de cocción: 12 minutos
Para 4–6 personas

3/4 taza (90 g) de harina
1 cucharadita de sal
1/2 cucharadita de pimienta blanca
1/4 taza (35 g) de polenta
1 huevo
3/4 taza (185 ml) de leche
4 tomates verdes medianos (unos 500 g)
aceite para freír

1 Tamice la harina, la sal y la pimienta en un cuenco, añada la polenta y remuévalo todo bien. Forme un hueco en el centro.
2 Mezcle el huevo con la leche y viértalo poco a poco en la harina. Bátalo todo justo hasta ligarlo.
3 Corte los tomates en rodajas gruesas y caliente 1 cm de aceite en una sartén.
4 Sumerja los tomates en la masa anterior, escúrralos un poco y fríalos 1 minuto por cada lado. Déles la vuelta una sola vez mediante unas tenacillas, escúrralos sobre papel absorbente y sírvalos enseguida.
NOTA: Puede utilizar también tomates rojos.

BUÑUELOS DE PATATA A LAS FINAS HIERBAS

Tiempo de preparación: 25 minutos
Tiempo total de cocción: 8 minutos
Para 4–6 personas

4 tazas (620 g) de patata pelada y rallada fina
1 1/2 tazas (185 g) de boniato pelado y rallado
3 cucharadas de cebollino fresco picado
1 cucharada de orégano fresco picado
2 cucharadas de perejil fresco picado
2 huevos ligeramente batidos
1/4 taza (30 g) de harina
1 cucharada de aceite de oliva
1 taza (250 g) de crema agria ligera
ramitas de eneldo fresco para decorar

1 En un cuenco mezcle la patata, el boniato, el cebollino, el orégano, el perejil, los huevos y la harina tamizada, y remuévalo todo mediante una cuchara de madera.
2 En una sartén de fondo pesado con aceite, fría cucharadas colmadas de la mezcla anterior a fuego medio, 4 minutos por cada lado, hasta que se doren. Sirva los buñuelos calientes y decorados con crema agria y ramitas de eneldo.

TOMATES VERDES
No se trata de una variedad concreta de tomates, sino de tomates rojos sin madurar. Se hicieron populares durante los años de la Depresión en el sur profundo de los Estados Unidos de América, donde constituían un ligero y sabroso almuerzo estival. Es fácil confundirlos con los tomatillos: pequeños frutos verdes muy parecidos al tomate. Los tomates verdes saben tan bien fritos, como en conserva o en forma de salsa picante.

ARRIBA: Tomates verdes fritos

CHIPS VEGETALES

Como muestran estas creativas e insólitas sugerencias, las chips son siempre bien recibidas, ya sean finas como el papel, gruesas, onduladas —o sin patata.

CHIPS DE REMOLACHA

Mediante un pelador de verduras o un cuchillo afilado, corte 500 g de remolacha pelada en rodajas finas como el papel. Caliente 3 tazas (750 ml) de aceite en una sartén y fría las chips en tandas, hasta que estén crujientes y doradas. Escúrralas sobre papel absorbente y, mientras fríe el resto, déjelas en el horno a 180°C para que no se enfríen. Sírvalas con una salsa a base de mayonesa de huevo entero y finas hierbas al gusto.

DISCOS DE BONIATO CRUJIENTES

Pele 500 g de boniato y córtelo en rodajas finas mediante un pelador de verduras o un cuchillo afilado. Caliente 3 tazas (750 ml) de aceite en una sartén y fría las rodajas hasta que estén crujientes y doradas. Déjelas escurrir sobre papel absorbente e introdúzcalas en el horno a 180°C, para mantenerlas calientes mientras fríe el resto. Sirva los discos de boniato acompañados de una salsa a base de mayonesa, zumo de lima y curry en polvo.

CINTAS DE CALABACÍN

Mediante un pelador de verduras afilado, corte 500 g de calabacines grandes en sentido longitudinal, con el fin de formar cintas. Sumerja éstas en un bol con 4 huevos ligeramente batidos y páselas luego por una mezcla a base de 1 taza (100 g) de pan rallado y 1 cucharada de finas hierbas frescas picadas. Fría las cintas de calabacín por tandas en una sartén con 3 tazas (750 ml) de aceite caliente, hasta que se doren. Déjelas escurrir sobre papel absorbente e introdúzcalas en el horno a 180°C para que se mantengan calientes mientras termina de freír el resto de las cintas. Estas cintas de calabacín resultan deliciosas acompañadas de una salsa para mojar preparada a base de tomates secados al sol picados y yogur natural.

CHIPS DE PATATA DORADAS

Corte 500 g de patatas viejas lavadas en forma de media luna algo gruesas. En una sartén con 3 tazas (750 ml) de aceite caliente, fría las patatas por tandas hasta que estén ligeramente doradas y escúrralas sobre papel de cocina. Repita la operación con el resto y, antes de servirlas, vuelva a freírlas hasta que estén crujientes y doradas. Pruébelas aliñadas con sal marina y vinagre de malta.

CHIPS DE CALABAZA

Pele 500 g de calabaza vinatera y córtela en rodajas onduladas. En una sartén con 3 tazas (750 ml) de aceite, fría la calabaza por tandas, hasta que esté dorada y crujiente. Escúrrala sobre papel de cocina y manténgala caliente dentro del horno a 180°C, mientras termina de freír el resto.

CINTAS DE ZANAHORIA

Pele 500 g de zanahorias a lo largo con un pelador de verduras afilado. Lave y seque 1 taza (50 g) de hojas grandes de albahaca. En una sartén con 3 tazas (750 ml) de aceite caliente, fría las cintas y las hojas de albahaca en tandas, hasta que estén crujientes. Escúrralas sobre papel de cocina y manténgalas calientes dentro del horno a 180°C, mientras fríe el resto. Sírvalas con salsa de guindilla dulce, zumo de lima y cilantro picado.

EN EL SENTIDO DE LAS AGUJAS DEL RELOJ, DESDE SUPERIOR IZQUIERDA: Chips de patata doradas; cintas de calabacín; chips de remolacha; chips de calabaza; cintas de zanahoria; discos de boniato crujientes

FRITTATA
Recién hecha, la frittata supone un buen almuerzo, así como un plato ideal para picnics, ya que puede transportarse fácilmente y comerse sólo con tenedor o incluso con los dedos. Prepárela con un dia de antelación y refrigérela hasta el momento de consumirla—déjela un rato a temperatura ambiente antes de servirla.

ARRIBA: Frittata de puerros, calabacín y queso

FRITTATA DE PUERROS, CALABACÍN Y QUESO

Tiempo de preparación: 20 minutos
Tiempo total de cocción: 40 minutos
Para 4 personas

2 cucharadas de aceite de oliva
3 puerros, cortados en rodajas finas
2 calabacines medianos, cortados en forma de bastoncitos
1 diente de ajo majado
sal y pimienta
5 huevos ligeramente batidos
4 cucharadas de parmesano recién rallado
4 cucharadas de queso suizo en daditos

1 En una sartén pequeña con 1 cucharada de aceite de oliva, fría los puerros a fuego lento, sin dejar de remover, hasta que se ablanden un poco. Cúbralos y déjelos 10 minutos. Añada los calabacines y el ajo, y fríalos 10 minutos más. Páselo todo a un cuenco y déjelo enfriar; agregue la sal, la pimienta, el huevo y los quesos.
2 Caliente el aceite restante y vierta la mezcla de huevo en la sartén. Aplane la superficie de la frittata y fríala durante 15 minutos a fuego lento, hasta que esté casi cuajada.
3 Póngala de 3 a 5 minutos en el horno a fin de dorar la superficie, déjela reposar 5 minutos antes de cortarla en porciones y sírvala con ensalada.

FRITOS DE PATATA CON SALSA DE GUINDILLA

PELE Y RALLE 4 patatas grandes en un colador. Aclárelas con agua fría y séquelas con papel de cocina de modo que suelten toda la humedad. Colóquelas en un cuenco junto con 3 cebolletas picadas, 2 dientes de ajo majados, 3 cucharadas de cilantro bien picado, 2 huevos poco batidos y $\frac{1}{3}$ taza (40 g) de harina. Remuévalo bien y salpiméntelo al gusto. Caliente una cucharada de aceite de oliva y otra de mantequilla en una sartén. Vierta 3 cucharadas de la mezcla anterior, aplánelas y fríalas en tandas de 3 ó 4 minutos por cada lado, a fuego medio, hasta que se doren. Déjelas escurrir sobre papel de cocina y cúbralas con queso mascarpone. Mezcle un poco de salsa de guindilla dulce con zumo de lima fresco, ralladura de lima y una pizca de azúcar moreno; rocíe con ello los fritos. Para 4 personas.

FRITTATA DE HORTALIZAS VARIADAS

Tiempo de preparación: 25 minutos
Tiempo total de cocción: 18 minutos
Para 2–4 personas

1/4 taza (60 ml) de aceite de oliva
1 cebolla picada fina
1 zanahoria pequeña rallada
1 calabacín pequeño rallado
1 taza (125 g) de calabaza rallada
4 cucharadas de queso jarlsberg o cheddar cortado en daditos
1/2 cucharadita de sal
1/2 cucharadita de pimienta negra molida
5 huevos

1 Vierta 2 cucharadas del aceite en una sartén y fría la cebolla a fuego medio durante 5 minutos o hasta que esté tierna. Añada la zanahoria, el calabacín y la calabaza; tape la sartén y déjelo cocer todo otros 3 minutos a fuego lento.
2 Pase las hortalizas a un bol para que se enfríen, agrégueles el queso, la sal, la pimienta y los huevos batidos.
3 Vierta el aceite restante en una sartén pequeña y en cuanto esté caliente, incorpore la mezcla de huevo; agite la sartén para que la mezcla se extienda uniformemente. Baje el fuego al mínimo y déjela cocer 3 minutos o hasta que esté casi cuajada. Incline la sartén y levante los bordes de la frittata durante la cocción a fin de que el huevo crudo se extienda. Corte la frittata en porciones y sírvala inmediatamente.

FRITTATA DE GUINDILLAS Y CILANTRO

Tiempo de preparación: 25 minutos
Tiempo total de cocción: 30 minutos
Para 6 personas

3 patatas medianas peladas y en daditos
2 guindillas alargadas medianas
2 cucharadas de aceite de oliva
1 cebolla mediana picada fina
1 guindilla roja pequeña picada fina
1 cucharada de hojas de cilantro
5 huevos ligeramente batidos

1 Cueza las patatas en una olla grande con agua hirviendo hasta que estén tiernas y escúrralas. Extraiga las semillas de las guindillas y corte la pulpa en rodajitas. Vierta la mitad del aceite en una sartén antiadherente y fría en él las guindillas a fuego medio unos 2 minutos o hasta que estén tiernas. Retírelas del fuego y resérvelas. Fría en el aceite restante la cebolla y la guindilla roja 3 minutos a fuego medio, hasta que estén tiernas.
2 Agregue la patata y remuévalo todo bien; retírelo del fuego y resérvelo. Vierta de nuevo la mitad de las guindillas alargadas en la sartén y esparza por encima las hojas de cilantro. Cúbralas con una capa de la mezcla de patata, otra capa de guindillas y una última capa de patata.
3 Vierta los huevos en la sartén y agítela para que se extiendan uniformemente. Déjelos 8 minutos a fuego moderado hasta que estén prácticamente cocidos. Páselos al horno y déjelos 5 minutos bajo el grill para que se dore la superficie. Coloque la frittata en una fuente, cara abajo, y córtela en porciones. Sírvala caliente o fría, decorada con finas hierbas frescas.

ARRIBA: Frittata de guindillas y cilantro

HUEVOS

Muchos vegetarianos consumen huevos y productos lácteos, con lo cual aportan al cuerpo una cantidad importante de calcio y proteínas. Los huevos llamados de granja son producidos en granjas donde las gallinas pueden moverse libremente y alimentarse de forma natural, en lugar de permanecer cerradas en baterías. Los consumidores de este tipo de huevos son personas preocupadas tanto por su salud como por el trato justo con los animales.

TORTILLA CREMOSA

Tiempo de preparación: 5 minutos
Tiempo total de cocción: 5 minutos
Para 2 personas

3 huevos
1/4 taza (60 ml) de crema de leche
sal y pimienta
20 g de mantequilla

1 Vierta los huevos, la crema de leche, la sal y la pimienta en un bol y bátalo a mano 2 minutos.
2 Derrita la mantequilla en una pequeña sartén antiadherente a fuego medio y, en cuanto empiece a espumar, vierta toda la mezcla anterior de una sola vez. Remuévala con una cuchara de madera durante unos 15 segundos.
3 Deje cocer la mezcla hasta que esté prácticamente hecha, inclinando la sartén y levantando los bordes de la tortilla de vez en cuando para que el huevo crudo se reparta sobre la base. Cuando la tortilla esté casi hecha, pliéguela por la mitad con la ayuda de un cuchillo de hoja plana, de modo que el centro de la misma permanezca cremoso y jugoso. En lugar de plegarla, también puede cubrir la tortilla con una tapadera y dejarla 2 minutos para que termine de cocerse. Sírvala con finas hierbas y rodajas de aguacate al gusto.

ROLLITOS DE TORTILLA

Tiempo de preparación: 15 minutos
Tiempo total de cocción: 10 minutos
Para 5 unidades

4 huevos
2 cucharadas de agua
2 cucharaditas de salsa de soja
2 cucharaditas de aceite de cacahuete

1 Vierta los huevos, el agua y la salsa en un bol, y bátalo todo a mano durante 2 minutos.
2 Unte con aceite el fondo de una sartén pequeña antiadherente y póngala a fuego fuerte. Vierta en ella una quinta parte de la mezcla de huevo y agite la sartén para que la mezcla se extienda uniformemente. Déjela 20 segundos hasta que el huevo esté prácticamente cocido y retire la sartén del fuego. Con la ayuda de un cuchillo de hoja plana, enrolle la tortilla sobre sí misma, pásela a una fuente precalentada y cúbrala con un paño de cocina.
3 Repita la operación con la mezcla de huevo restante, usando siempre la misma medida.
NOTA: Si desea más sabor, antes de enrollar la tortilla, úntela con salsa pesto, pasta de aceitunas o el tipo de relleno que usted prefiera. Sirva el rollo de tortilla cortado en rodajitas.

ARRIBA: Tortilla cremosa (a la izquierda); rollitos de tortilla

TORTILLAS
Las tortillas pueden presentarse en infinidad de formas distintas y cada país posee su variedad tradicional. Mientras que los franceses pliegan las tortillas para poder rellenarlas de ingredientes tanto dulces como salados, los italianos cocinan su frittata, un plato mucho más consistente que se cuece por ambos lados y se sirve en porciones. De hecho, ésta última es lo más parecido a nuestra tortilla de patatas, con la única diferencia que las frittatas suelen contener una mayor variedad de ingredientes.

TORTILLA-SOUFFLÉ DE QUESO

Tiempo de preparación: 10 minutos
Tiempo total de cocción: 5 minutos
Para 2–4 personas

5 huevos (yemas y claras separadas)
2 cucharaditas de agua
2 cucharaditas de zumo de limón
sal y pimienta
20 g de mantequilla
2/3 taza (85 g) de queso cheddar rallado grueso

1 Vierta las yemas de huevo, el agua, el zumo, la sal y la pimienta en un bol pequeño. Con la batidora eléctrica ajustada a la máxima potencia, bata la mezcla durante 2 minutos, hasta que adquiera una textura pálida y cremosa.
2 Coloque las claras de huevo en un bol pequeño y seco, y bátalas a mano o con la batidora, hasta dejarlas a punto de nieve. Incorpórelas luego a la mezcla anterior con la ayuda de una cuchara de metal. Ponga el horno a calentar a temperatura máxima.
3 Vierta la mantequilla en una sartén honda antiadherente y póngala a fuego fuerte. En cuanto empiece a espumar, vierta la mezcla de la tortilla en la sartén e incline ésta para que el huevo se reparta uniformemente. Déjela cocer 1 minuto a fuego fuerte, sin remover, retírela y esparza el queso por encima.
4 Coloque la tortilla bajo el grill del horno y déjela unos 2 ó 3 minutos, hasta que esté esponjosa y dorada. Córtela en porciones y sírvala enseguida, ya que podría bajarse rápidamente. Condiméntela con finas hierbas al gusto.
NOTA: Esta tortilla sabe deliciosa acompañada de champiñones salteados o asados a la parrilla, o bien con mitades de tomate cubiertas de queso y gratinadas al horno.

ARRIBA: Tortilla-soufflé de queso

ARRIBA: *Tiras de tortilla en salsa de tomate*
A LA DERECHA: *Tortilla cremosa de calabacín*

TIRAS DE TORTILLA EN SALSA DE TOMATE NATURAL

Tiempo de preparación: 25 minutos
Tiempo total de cocción: 12 minutos
Para 2 personas

Salsa de tomate

3 tomates maduros, pelados y troceados
1/2 cucharadita de sal
1/2 cucharadita de pimienta
1 cucharadita de azúcar
2 cucharadas de albahaca fresca picada

4 huevos
2 cucharaditas de salsa de soja
1/4 cucharadita de pimienta blanca
1 cucharada de agua
aceite de oliva ligero

1 Para la salsa de tomate: Cueza los tomates en una cazuela con sal, pimienta y azúcar durante 5 minutos, hasta que el líquido se evapore y la mezcla se espese. Sazone con la albahaca.
2 Bata los huevos a mano en un bol junto con la salsa de soja, la pimienta y el agua.
3 Vierta la cantidad suficiente de la mezcla de huevo en una sartén pequeña untada con aceite de modo que cubra justo el fondo de la misma. Déjela cocer unos instantes y pásela a un plato. Vuelva a untar la sartén y repita la operación hasta obtener 3 tortillas más bien finas.
4 Coloque las tortillas unas encima de las otras, enróllelas y córtelas en tiras no muy gruesas mediante un cuchillo afilado.
5 Vuelva a calentar la salsa, añada las tiras de tortilla y caliéntelas a fuego lento, removiéndolas de modo que queden bien napadas con el tomate. Sírvalas, si lo desea, con más albahaca picada y pimienta al gusto.
NOTA: Sirva las tiras de tortilla acompañadas de una ensalada o como guarnición de pollo asado. También puede añadirlas a las sopas, a los salteados o a las ensaladas variadas.

TORTILLA CREMOSA DE CALABACÍN

Tiempo de preparación: 5–10 minutos
Tiempo total de cocción: 12 minutos
Para 2 personas

2 calabacines medianos
2 cucharadas de aceite de oliva
60 g de mantequilla
1 diente de ajo picado fino
5 huevos
2 cucharadas de crema de leche
1/2 cucharadita de sal
1/4 cucharadita de pimienta
2 cucharadas de queso parmesano recién rallado

1 Corte las puntas de los calabacines y trocéelos en rodajas bien finas. Vierta la mitad del aceite y la mantequilla en una sartén y espere a que la mantequilla se derrita. Fría entonces los calabacines, removiéndolos unos 2 ó 3 minutos, hasta que adquieran un tono dorado. Condiméntelos con el ajo, remuévalo todo bien y déjelos cocer otros 30 segundos. Retírelos mediante una espumadera y seque la sartén con papel de cocina.
2 Bata los huevos junto con la crema de leche, la sal y la pimienta. Caliente de nuevo la sartén con el resto del aceite y la mantequilla y cuando esté bien caliente, vierta los huevos, removiéndolos con el reverso de un tenedor. Déjelos cocer 1 minuto, inclinando la sartén y levantando los bordes de la tortilla para que el huevo crudo se esparza por debajo.
3 Cuando la mezcla esté prácticamente cocida, reparta los calabacines por la superficie de la tortilla. Baje el fuego y déjela cocer 5 minutos, hasta que los bordes se vean cuajados. Retire la sartén del fuego, espolvoree la tortilla con el queso rallado y cúbrala con una tapadera para dejarla reposar 2 minutos dentro de la misma sartén. Pásela a un plato y córtela en porciones. Sírvala con ensalada.
NOTA: El queso le sabrá mucho mejor, si lo compra al corte y lo ralla en casa.

TORTILLA DE PATATAS

Tiempo de preparación: 20 minutos
Tiempo total de cocción: 40 minutos
Para 4–6 personas

1 kg de patatas peladas
sal
2 cebollas rojas grandes
50 g de mantequilla
2 cucharadas de aceite de oliva
1 diente de ajo majado
2 cucharadas de perejil fresco picado fino
4 huevos ligeramente batidos

1 Corte las patatas en daditos y viértalas en una olla grande junto con la sal; cúbralas con agua. Llévelas a ebullición y déjelas cocer unos 3 minutos, sin tapar. Retire la olla del fuego, tápela y deje reposar las patatas unos 8 minutos, hasta que estén tiernas; escúrralas.
2 Corte las cebollas más bien gruesas. En una sartén con aceite y mantequilla, fría la cebolla y el ajo durante 8 minutos a fuego medio, removiéndolos de vez en cuando. Agregue las patatas, fríalo todo otros 5 minutos y páselo luego a un bol mediante una espumadera. Añada el perejil y los huevos batidos y mézclelo todo bien.
3 Vierta la mezcla en la sartén untada con aceite, baje el fuego al mínimo y deje cocer la tortilla 10 minutos, tapada, hasta que se dore por la parte de abajo. También puede dorar la superficie dejándola bajo el grill del horno, si lo desea.
NOTA: La tortilla de patatas resulta deliciosa acompañada de aceitunas, lechuga y aros de cebolla roja. Decórela con finas hierbas frescas.

TORTILLA RÁPIDA DE SETAS A LAS HIERBAS

DERRITA 20 g de mantequilla en una sartén mediana antiadherente y fría en ella 6 champiñones cortados en láminas a fuego medio, hasta que estén tiernos y dorados. Mezcle 1 diente de ajo majado, 2 huevos, 1 cucharada de leche y un poco de parmesano recién rallado y viértalo sobre las setas, junto con 3 ó 4 cucharadas de albahaca y cebollino fresco picado. Sazónelo todo con sal y pimienta y déjelo cocer 4 minutos hasta que la tortilla esté hecha. Déjela bajo el grill del horno para que termine de cocerse y sírvala inmediatamente. Decórela con una cucharada de crema agria. Para 1 persona.

CEBOLLAS ROJAS
Por su sabor, más suave que el de las otras variantes, las cebollas de piel roja resultan ideales para servir en ensalada. No obstante, al cocerlas, pierden su atractivo color. Todas las cebollas, una vez cortadas, desprenden un olor desagradable —si tiene que picarlas con cierto tiempo de antelación, fríalas con mantequilla y guárdelas en el frigorífico.

ARRIBA: Tortilla de patatas

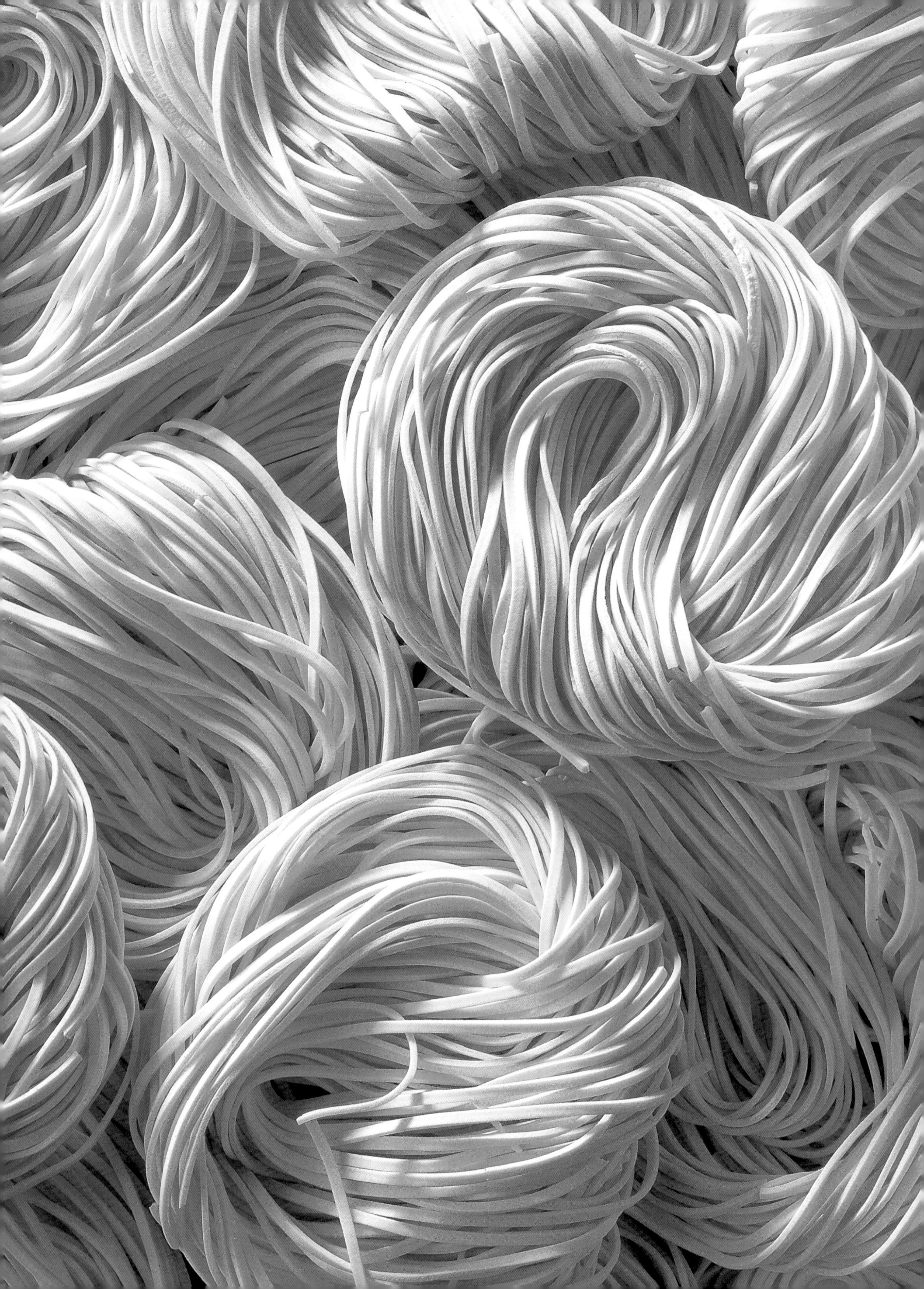

PASTA Y ESPAGUETIS

Los italianos han saboreado espaguetis y macarrones desde la antigua Roma, pero no fue hasta las décadas pasadas cuando la pasta se introdujo en nuestras cocinas en forma de todo tipo de variedades que podían transformarse en diversos guisos tentadores mediante la salsa y la presentación. Desde los picantes fideos orientales a los espaguetis con oruga, presentamos aquí una introducción a las incontables posibilidades de la pasta.

RAVIOLIS

Para conseguir una textura suave, la masa de los raviolis debería ser lo más fina posible, aunque lo suficientemente gruesa para permanecer intacta durante la preparación y la cocción. Sabrá determinar el tamaño adecuado tras prepararlos una o dos veces.

ARRIBA: Raviolis de calabaza

RAVIOLIS DE CALABAZA

Tiempo de preparación: 50 minutos
+ 30 minutos en reposo
Tiempo total de cocción: 1 hora y 15 minutos
Para 6 personas

500 g de calabaza pelada y troceada
1 3/4 taza de harina
3 huevos ligeramente batidos
1/4 cucharadita de nuez moscada molida
15 hojas de salvia
15 hojas frescas de perejil de hoja plana
sal y pimienta
125 g de mantequilla fundida
60 g de queso parmesano recién rallado

1 Precaliente el horno a 180°C. Coloque la calabaza en una bandeja con aceite y hornéela durante una hora o hasta que esté en su punto; déjela enfriar. Bata la harina y los huevos 30 segundos o hasta formar una masa. Vuelque la mezcla sobre una superficie ligeramente enharinada y amásela unos 3 minutos o hasta obtener una pasta muy blanda y elástica. Cúbrala con un paño limpio y déjela reposar 30 minutos.

2 Coloque la calabaza en un cuenco con la nuez moscada y cháfela con un tenedor. A continuación, trabaje la mitad de la masa para formar un rectángulo de unos 2 mm de grosor. Repita la operación con el resto de la masa y forme un rectángulo un poco mayor que el primero.

3 En el primer rectángulo, distribuya en filas rectas y a intervalos de unos 5 cm cucharadas colmadas de la mezcla obtenida con la calabaza. Alise ligeramente los montoncitos de la mezcla y coloque una hoja entera de salvia o perejil encima de cada uno de ellos.

4 Humedezca la pasta que rodea los montoncitos del relleno con un poco de agua. Coloque encima el segundo rectángulo de la masa y, para sellarlo con el primero, ejerza una ligera presión sobre los espacios entre el relleno. A continuación, con un cuchillo o un cortapastas, divida la pasta en cuadraditos. Vierta los raviolis en pequeñas cantidades en una olla con agua hirviendo, y déjelos cocer durante 4 minutos o hasta que estén al dente; luego escúrralos bien. Para servir, condimente la pasta con sal y pimienta y mézclela con mantequilla fundida y queso parmesano.

NOTA: Los raviolis pueden elaborarse con unas horas de antelación. Para que no se peguen, refrigérelos en capas separadas con papel encerado. Cuézalos justo antes de servir.

TAGLIATELLE CON ACEITUNAS VERDES Y BERENJENA

Tiempo de preparación: 20 minutos
Tiempo total de cocción: 20 minutos
Para 4 personas

500 g de tagliatelle o fettuccine
1 taza (175 g) de aceitunas verdes
1 berenjena grande
2 cucharadas de aceite de oliva
2 dientes de ajo majados
1/2 taza (125 ml) de zumo de limón
sal y pimienta
2 cucharadas de perejil fresco picado
1/2 taza (50 g) de queso parmesano rallado

1 Vierta la pasta en una olla con agua hirviendo rápidamente y déjela cocer hasta que esté al dente. Escúrrala y viértala de nuevo en la olla. Mientras la pasta cuece, trocee la pulpa de las aceitunas y corte la berenjena en daditos.
2 Caliente el aceite en una sartén de fondo pesado, agregue el ajo y remuévalo unos 30 segundos. A continuación, añada la berenjena y fríala a fuego medio, removiendo con frecuencia, durante 6 minutos o hasta que esté tierna.
3 Agregue las aceitunas, el zumo de limón, la sal y la pimienta a la sartén. Vierta la salsa obtenida sobre la pasta y revuelva bien la mezcla. Esparza perejil y queso parmesano por encima y sírvalo en platos precalentados.
NOTA: Si lo prefiere, sale la berenjena para eliminar jugos amargos. Espolvoréela con abundante sal y déjela reposar unos 30 minutos. Lávela y escúrrala bien antes de utilizarla.

FETTUCCINE CON CALABACÍN

Tiempo de preparación: 20 minutos
Tiempo total de cocción: 15 minutos
Para 4–6 personas

500 g de fettuccine
60 g de mantequilla
2 dientes de ajo majados
500 g de calabacines rallados
3/4 taza (75 g) de queso parmesano rallado
1 taza (250 ml) de aceite de oliva
16 hojas de albahaca de tamaño medio

1 Cueza la pasta en una olla con agua hirviendo rápidamente hasta que esté al dente; escúrrala y viértala de nuevo en la olla. Mientras la pasta cuece, derrita la mantequilla en una sartén a fuego medio, hasta que empiece a formar burbujas. Añada el ajo y déjelo cocer 1 minuto. Agregue los calabacines y, sin dejar de remover, fríalos de 1 a 2 minutos, hasta que estén tiernos.
2 Vierta la salsa de calabacín y el queso parmesano sobre la pasta y remuévalo bien.
3 Para que la albahaca esté crujiente, fría dos hojitas en una sartén pequeña durante 1 minuto o hasta que estén crujientes. Retírelas con una espumadera y escúrralas sobre papel de cocina. Repita la operación con la albahaca restante. Sírvalo en platos entibiados decorados con albahaca.

TALLARINES
Existen varias anchuras de tallarines. Los tagliatelle y los fettuccine son muy parecidos -tradicionalmente, los tagliatelle son más anchos- y pueden intercambiarse en las recetas. Los pappardelle son aún más anchos y los tagliolini constituyen la variedad más estrecha.

A LA IZQUIERDA: Tagliatelle con aceitunas verdes y berenjena
ARRIBA: Fettuccine con calabacín

RICOTTA
Es una variedad de queso italiano sin madurar, obtenido a partir del suero restante de la elaboración de los quesos grasos. La albúmina del suero coagula al calentarse. Este queso tiene un sabor suave y delicado, y es muy adecuado para cocinar pasta. Puede endulzarse con azúcar y a menudo se utiliza en tartas de fruta o puddings. Su textura es ideal para elaborar exquisitos pasteles de queso.

ARRIBA: Pasta con ricotta, guindilla y hierbas

PASTA CON RICOTTA, GUINDILLA Y HIERBAS

Tiempo de preparación: 25 minutos
Tiempo total de cocción: 25 minutos
Para 4 personas

500 g de espirales o penne
1/4 taza (60 ml) de aceite de oliva
3 dientes de ajo majados
2 cucharaditas de guindilla roja fresca picada
1 taza (20 g) de perejil de hoja plana troceado
1/2 taza (25 g) de hojas de albahaca fresca troceadas
1/2 taza (15 g) de hojas de orégano fresco troceadas
sal y pimienta
200 g de queso ricotta fresco en daditos

1 Vierta la pasta en una olla con agua hirviendo rápidamente y déjela cocer hasta que esté al dente. Escúrrala y viértala de nuevo en la olla. Cuando la pasta esté casi en su punto, cueza el ajo y las guindillas en una sartén con aceite caliente y remueválo 1 minuto a fuego lento.
2 Nape la pasta con la preparación obtenida, aderezada con perejil, albahaca, orégano, sal y pimienta. Añada con cuidado los dados de queso ricotta y sírvalo inmediatamente.

FETTUCCINE ALFREDO

Tiempo de preparación: 10 minutos
Tiempo total de cocción: 15 minutos
Para 4–6 personas

500 g de fettuccine
100 g de mantequilla
1 1/2 taza (150 g) de queso parmesano recién rallado
1 1/4 taza (315 ml) de crema de leche
3 cucharadas de perejil fresco picado
sal y pimienta

1 Vierta la pasta en una olla con agua hirviendo rápidamente y déjela cocer hasta que esté al dente. Escúrrala y viértala de nuevo en la olla.
2 Mientras cuece la pasta, caliente la mantequilla en una sartén a fuego medio. Incorpore el queso parmesano y la crema de leche, y déjelo cocer removiendo con frecuencia.
3 Agregue perejil, sal y pimienta y remuévalo todo para mezclarlo. Vierta la salsa sobre la pasta y mézclelo bien. Sirva el plato enseguida.
NOTA: Como primer plato, esta receta es suficiente para ocho personas. Si lo desea, espolvoréelo con queso parmesano rallado.

BUCATINI
Los bucatini son un tipo de espaguetis estrechos y vacíos como una pajita para beber. También existe una modalidad un poco más ancha denominada bucatoni.

BUCATINI A LA JARDINERA

Tiempo de preparación: 20 minutos
Tiempo total de cocción: 25 minutos
Para 4–6 personas

2 cucharadas de aceite de oliva
250 g de champiñones
1 berenjena mediana
2 dientes de ajo majados
825 g de tomates en conserva
500 g de bucatini o espaguetis
sal y pimienta
3 cucharadas de perejil fresco picado

1 Caliente el aceite de oliva en una cazuela mediana de fondo pesado. Limpie los champiñones con papel de cocina y córtelos en láminas. Trocee la berenjena en daditos.
2 Incorpore a la sartén los champiñones, la berenjena en dados y el ajo, y déjelo cocer 4 minutos sin dejar de remover. Agregue los tomates triturados sin escurrir, tape la cazuela y cuézalo durante 15 minutos a fuego lento.
3 Mientras cuece la salsa, vierta la pasta en una olla con agua hirviendo rápidamente y déjela cocer hasta que esté al dente. A continuación, escúrrala bien y viértala de nuevo en la olla. Condimente la salsa con sal y pimienta. Añada el perejil picado a la cazuela y remuévalo bien. Distribuya la salsa sobre la pasta hasta que esté bien mezclada. Sírvalo inmediatamente en platos precalentados.
NOTA: Si la pasta está en su punto antes de servirla, para evitar que se pegue, agréguele un poco de aceite de oliva después de escurrirla y remuévala bien.

PASTA RÁPIDA CON TOMATE Y FINAS HIERBAS

VIERTA 1½ taza (135 g) de lazos o penne en una olla con agua hirviendo rápidamente y deje cocer a fuego medio unos 5 minutos o hasta que esté casi en su punto. Apague el fuego y mantenga la olla tapada (la pasta continuará cociéndose). Mezcle 3 cucharadas de aceite de oliva y 3 de vinagre balsámico, un poco de zumo de limón y de azúcar moreno, 1 ó 2 dientes de ajo picados, sal y pimienta negra recién molida. Escurra la pasta, vierta por encima la mezcla obtenida y añada un tomate maduro triturado, unas rodajas de pepino y una taza (60 g) con perejil, albahaca, cilantro y tomillo al limón triturados. Mézclelo bien y sírvalo enseguida con queso parmesano rallado. Resulta delicioso con verduras frescas escaldadas, como espárragos, brécol, guisantes, tirabeques o judías. Para 2–4 personas.

ARRIBA: Bucatini a la jardinera

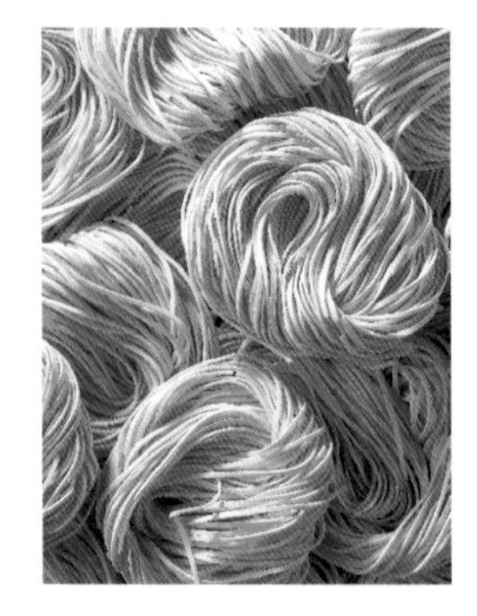

ARRIBA: Tagliatelle con espárragos y hierbas

TAGLIATELLE CON ESPÁRRAGOS Y HIERBAS

Tiempo de preparación: 15 minutos
Tiempo total de cocción: 15 minutos
Para 4–6 personas

500 g de tagliatelle
155 g de espárragos
40 g de mantequilla
1 cucharada de perejil fresco picado
1 cucharada de albahaca fresca picada
1 1/4 taza (315 ml) de crema de leche
sal y pimienta
1/2 taza (50 g) de queso parmesano rallado

1 En una olla con agua hirviendo rápidamente, deje cocer la pasta hasta que esté al dente. Escúrrala e introdúzcala en la olla. Mientras cuece la pasta, corte los espárragos en trocitos.
2 Caliente la mantequilla en una cazuela mediana, incorpore los espárragos y remueva a fuego medio durante 2 minutos o hasta que estén tiernos. Agregue el perejil y la albahaca picados, la crema de leche, sal y pimienta, y deje cocer durante 2 minutos.
3 Incorpore en la cazuela el queso parmesano y remuévalo todo hasta conseguir una mezcla consistente. Vierta la pasta en la cazuela y remueva con cuidado para distribuir los ingredientes de manera uniforme. Espolvoree con parmesano y sirva en fuentes entibiadas. Como primer plato, esta receta es suficiente para ocho personas.

TAGLIATELLE AL QUESO AZUL

Tiempo de preparación: 15 minutos
Tiempo total de cocción: 20 minutos
Para 6 personas

30 g de mantequilla
2 calabacines en rodajas
1 diente de ajo majado
100 ml de vino blanco
100 g de queso azul desmenuzado
300 ml de crema de leche
una pizca de pimienta negra
500 g de tagliatelle blancos o verdes
2–3 cucharadas de queso parmesano rallado
perejil fresco picado, para decorar

1 En una sartén con mantequilla caliente, deje cocer el ajo y los calabacines hasta que estén tiernos. A continuación, agregue el vino, el queso, la crema de leche y la pimienta, y cueza a fuego lento durante 10 minutos.
2 Cueza la pasta en agua hirviendo de 6 a 8 minutos, hasta que esté en su punto. Escúrrala, aclárela con agua caliente y vuelva a escurrirla.
3 Introduzca de nuevo la pasta en la olla. Incorpore la salsa por encima y remueva unos minutos a fuego lento. Sirva el plato espolvoreado con queso parmesano y perejil.

PASTA RÁPIDA CON CHAMPIÑONES Y MASCARPONE

CUEZA en una sartén con 30 g de mantequilla caliente y a fuego medio 10 champiñones silvestres o planos en láminas, hasta que estén dorados y tiernos. Agregue 1 ó 2 dientes de ajo majados y 125 g de mascarpone, y manténgalo a fuego lento hasta que el queso esté fundido y suave. Si la mezcla es demasiado espesa, añada un poco de crema de leche. Sazone con sal, pimienta y perejil fresco picado y mézclelo con 250 g de pasta caliente recién cocida y escurrida; sírvalo enseguida. Para 2 personas.

ESPAGUETIS CON SALSA DE TOMATE NATURAL

Tiempo de preparación: 15 minutos + refrigeración
Tiempo total de cocción: 10–15 minutos
Para 4 personas

4 cebolletas
4 tomates maduros firmes
8 aceitunas verdes rellenas
2 cucharadas de alcaparras
2 dientes de ajo majados
1/2 cucharadita de orégano seco
4 cucharadas de perejil fresco picado
1/3 taza (80 ml) de aceite de oliva
500 g de espaguetis finos

1 Corte las cebolletas y los tomates en trocitos. Trocee las aceitunas y las alcaparras. A continuación, introduzca y mezcle todos los ingredientes, excepto la pasta, en un recipiente. Tápelo y déjelo en el frigorífico un mínimo de 2 horas.
2 Vierta la pasta en una olla con agua hirviendo rápidamente y déjela cocer hasta que esté en su punto. Escúrrala y viértala de nuevo en la olla.
3 Vierta y mezcle bien la salsa fría sobre la pasta caliente. Si lo desea, añada 1/2 taza (30 g) de hojas de albahaca frescas.

TORTELLINI DE QUESO CON SALSA DE NUECES

Tiempo de preparación: 15 minutos
Tiempo total de cocción: 15 minutos
Para 4–6 personas

☆

500 g de tortellini o raviolis frescos o secos rellenos con queso ricotta
100 g de nueces
60 g de mantequilla
2/3 taza (100 g) de piñones
2 cucharadas de perejil fresco picado
2 cucharaditas de tomillo fresco
sal y pimienta
1/4 taza (60 g) de queso fresco ricotta
1/4 taza (60 ml) de crema de leche

1 Vierta la pasta en una olla con agua hirviendo rápidamente y déjela cocer hasta que esté al dente. Escúrrala y viértala de nuevo en la olla.
2 Trocee las nueces. Mientras cuece la pasta, dore las nueces y los piñones en una sartén a fuego medio con mantequilla derretida durante unos 5 minutos. Añada perejil, tomillo, sal y pimienta.
3 Bata el queso ricotta con la crema de leche. Vierta la salsa de nueces sobre la pasta y remueva bien. Decore el plato con un poco de la crema ricotta y sírvalo inmediatamente.
NOTA: Para mayor sabor, utilice siempre hierbas frescas en la elaboración de salsas para pasta.

TOMILLO

El tomillo (*Thymus vulgaris*) es una planta de hojas pequeñas y gruesas que tiene una cierta afinidad con la berenjena, el calabacín y el pimiento. El tomillo al limón (*Thymus citriodorus*) proporciona un sabor delicioso a los preparados para el relleno. Crece con facilidad en lugares soleados o incluso en jardines muy pequeños. Su cultivo merece la pena, ya que desecado o congelado al natural ofrece una calidad muy superior a los productos comerciales. Para secarlo, cuélguelo en un lugar cálido, separe las hojas y consérvelas en un recipiente hermético.

ARRIBA: Espaguetis con salsa de tomate natural
ABAJO: Tortellini de queso con salsa de nueces

ESPAGUETIS CON SALSA PRIMAVERA

Tiempo de preparación: 25 minutos
Tiempo total de cocción: 15 minutos
Para 4–6 personas

500 g de espaguetis
155 g de espárragos frescos
1 taza (175 g) de habas congeladas
40 g de mantequilla
1 tallo de apio en rodajas
1 taza (155 g) de guisantes verdes congelados
1 1/4 taza (315 ml) de crema de leche
1/2 taza (50 g) de queso parmesano recién rallado
sal y pimienta

1 Vierta los espaguetis en una olla con agua hirviendo rápidamente y déjelos cocer hasta que estén al dente. Escúrralos y viértalos de nuevo en la olla.
2 Mientras cuecen los espaguetis, corte los espárragos en trocitos e introdúzcalos en medio cazo de agua hirviendo durante 2 minutos. Retírelos del cazo con una espumadera y sumérjalos en agua fría.
3 Introduzca las habas en un cazo con agua hirviendo. Extráigalas y aclárelas en agua fría. Escúrralas, deje que se enfríen y pélelas.
4 Caliente la mantequilla en una sartén de fondo pesado. Agregue el apio y déjelo cocer durante 2 minutos. A continuación, añada los guisantes y la crema de leche y mantenga la preparación en el fuego durante 3 minutos más. Incorpore los espárragos, las habas, el queso parmesano, la sal y la pimienta y déjelo hervir durante 1 minuto. Vierta la salsa obtenida sobre los espaguetis y mézclelo bien. Sirva la pasta enseguida en platos individuales entibiados.
NOTA: Utilice diversas hortalizas, como puerro, calabacín, tirabeques y, si lo desea, aliñe con eneldo picado fresco o albahaca.

QUESO PARMESANO
El queso parmesano (*parmigiano-reggiano*) pertenece a un grupo de quesos italianos conocido como quesos *grana*. Constituye un ingrediente esencial de muchos de los mejores platos característicos del norte de Italia. Al comprarlo, asegúrese de que es de color pajizo y de aspecto frágil. Su olor debe ser siempre fresco y su sabor, nunca dulce. El parmesano rallado envasado es un pobre sustituto del producto fresco.

ABAJO: Espaguetis con salsa primavera

TORTELLINI CON SALSA DE CHAMPIÑONES

Tiempo de preparación: 40 minutos + 30 minutos en reposo
Tiempo total de cocción: 35–40 minutos
Para 4 personas

Pasta

2 tazas (250 g) de harina
una pizca de sal
3 huevos
1 cucharada de aceite de oliva
1/4 taza (60 ml) de agua

Relleno

125 g de espinacas descongeladas y escurridas
1/2 taza de 125 g de queso ricotta
2 cucharadas de queso parmesano rallado
1 huevo batido
sal y pimienta negra recién molida

Salsa

1 cucharada de aceite de oliva
1 diente de ajo majado
125 g de champiñones en láminas
1 taza (250 ml) de crema de leche
3 cucharadas de queso parmesano rallado
sal y pimienta negra recién molida

1 Para la pasta: Tamice harina y sal sobre una tabla y haga un hueco en el centro. En un recipiente bata los huevos, el aceite y 1 cucharada de agua y, de forma gradual, agregue la masa a la mezcla obtenida con la harina; a continuación, amase la mezcla hasta formar una bola.

Agregue agua si es necesario. Vuelque la mezcla sobre una superficie ligeramente enharinada y amásela hasta obtener una pasta blanda y elástica. Coloque la masa en una fuente untada con un poco de aceite. Luego cúbrala con film transparente y déjela reposar durante 30 minutos.

2 Para el relleno: En un recipiente mezcle las espinacas escurridas, los quesos riccota y parmesano, los huevos, la sal y la pimienta, y déjelo reposar.

3 Para la salsa: En una sartén con aceite caliente, fría el ajo a fuego lento durante 30 segundos. Añada los champiñones y cuézalo todo durante 3 minutos. Agregue la crema de leche y deje reposar la mezcla.

4 Trabaje la masa sobre una superficie un poco enharinada hasta formar una capa fina. Utilice un cuchillo enharinado para cortar la masa en círculos de 5 cm y, en el centro de cada uno de ellos, distribuya 1/2 cucharada del relleno. Humedezca el borde de los círculos con un poco de agua; luego dóblelos por la mitad para formar semicírculos y ejerza presión en los bordes para sellarlos bien. Enrolle las unidades alrededor del dedo índice, como si formara anillos, y presione bien los extremos de la masa.

5 Vierta los tortellini en una olla con agua hirviendo y déjelos cocer unos 8 minutos, hasta que estén al dente. Escúrralos bien, viértalos de nuevo en la olla y manténgalos calientes.

6 Ponga de nuevo la salsa a fuego medio y llévela a ebullición. Baje el fuego y manténgalo durante 3 minutos más. Agregue el queso parmesano, la sal y la pimienta y revuélvalo bien. Vierta la salsa sobre los tortellini y remueva hasta que esté todo bien mezclado. Distribuya la preparación en platos entibiados.

ESPAGUETIS SIRACUSANOS

Tiempo de preparación: 20 minutos
Tiempo total de cocción: 25 minutos
Para 4–6 personas

✯

- 1 pimiento verde grande
- 2 cucharadas de aceite de oliva
- 2 dientes de ajo majados
- 850 g de tomate en conserva
- 1/2 taza (125 ml) de agua
- 2 calabacines medianos troceados
- 1 cucharada de alcaparras picadas
- 3 cucharadas de aceitunas negras sin hueso
- 2 cucharadas de hojas de albahaca picadas
- sal y pimienta
- 500 g de espaguetis
- 1/2 taza (50 g) de queso parmesano rallado fresco, para servir

1 Pele el pimiento, extraiga las semillas y córtelo en juliana. En aceite caliente, fría el ajo a fuego lento unos 30 segundos y añada el pimiento cortado, los tomates picados sin escurrir, el agua, los calabacines, las alcaparras y las aceitunas; removiendo de vez en cuando, cuézalo 20 minutos.

2 Aliñe con albahaca, sal y pimienta y remuévalo. Vierta la pasta en una olla con agua hirviendo, cuézala hasta que esté al dente y escúrrala. Sirva el plato con la salsa y el queso parmesano.

ALCAPARRAS

En vinagre, estos capullos verdes tienen un sabor picante exquisito. Se utilizan como condimento y son parte esencial de la cocina italiana y provenzal. Para dar un sabor más picante a la mayonesa, puede añadirle dos cucharadas de alcaparras picadas, lo que de hecho constituye la base de la salsa tártara.

ARRIBA: Tortellini con salsa de champiñones
ABAJO: Espaguetis siracusanos

JUDÍAS VERDES

Existen numerosas variedades de judías verdes, de textura crujiente y color claro. No adquiera las que son blandas o demasiado maduras y cuya vaina parece fuerte: las judías deberían literalmente romperse al doblarse. En la mayoría, se deben cortar las puntas y, en algunas, incluso las hebras.

ARRIBA: Fettucine con champiñones a la crema y salsa de judías

FETTUCCINE CON CHAMPIÑONES A LA CREMA Y SALSA DE JUDÍAS

Tiempo de preparación: 20 minutos
Tiempo total de cocción: 20 minutos
Para 4 personas

2/3 tazas (100 g) de piñones
280 g de fettuccine
250 g de judías verdes
2 cucharadas de aceite
1 cebolla picada
2 dientes de ajo majados
250 g de champiñones en láminas finas
1/2 taza (125 ml) de vino blanco
300 ml de crema de leche
1/2 taza (125 ml) de caldo vegetal
1 huevo
3 cucharadas de albahaca fresca picada
1/4 taza (40 g) de tomates secados al sol, cortados en tiras finas
sal y pimienta negra recién molida
50 g de queso parmesano rallado

1 Dore los piñones en una sartén a fuego medio y resérvelos. Mientras tanto, vierta los fettucine en una olla con agua hirviendo y déjelos cocer hasta que estén al dente. Escúrralos y no deje que se enfríen.

2 Corte las puntas de las judías y trocéelas en tiras finas. En una sartén de fondo pesado con aceite caliente, fría la cebolla y el ajo a fuego medio durante 3 minutos o hasta que estén tiernos. Añada los champiñones y déjelos cocer durante 1 minuto, removiendo con regularidad. Agregue el vino, la crema de leche y el caldo. Llévelo a ebullición, baje el fuego y déjelo cocer durante 10 minutos.

3 En un cuenco pequeño, bata ligeramente el huevo y, sin dejar de remover, agregue un poco del jugo de la cocción. Lentamente, incorpore en la sartén la mezcla obtenida sin dejar de remover durante 30 segundos. Mantenga bajo el fuego, puesto que si hierve, la preparación se cuajará. Agregue las judías, la albahaca, los piñones y los tomates y mezcle bien hasta que esté todo caliente. Para más sabor, aliñe el preparado con sal y pimienta. Sirva la pasta en platos entibiados y distribuya la salsa por encima. Decore el plato con queso parmesano rallado.

SÉMOLA

La sémola es trigo en un estado entre grano y harina. Con la sémola más fina se elaboran los ñoquis italianos, mientras que la semifina se utiliza en una amplia variedad de postres, desde los puddings de leche o fruta hasta los pasteles dulces.

ÑOQUIS DE SÉMOLA

Tiempo de preparación: 20 minutos + 1 hora de refrigeración
Tiempo total de cocción: 40 minutos
Para 4 personas

3 tazas (750 ml) de leche
1/2 cucharadita de nuez moscada molida
sal y pimienta negra recién molida
2/3 taza (85 g) de sémola
1 huevo batido
1 1/2 tazas (150 g) de queso parmesano rallado
60 g de mantequilla fundida
1/2 taza (125 ml) de crema de leche espesa
1/2 taza (75 g) de queso mozzarella rallado

1 Extienda una capa de papel parafinado sobre un molde para postres de 28 x 18 x 3 cm. Deje cocer la leche, la mitad de la nuez moscada, la sal y la pimienta en un cazo; luego baje el fuego e incorpore la sémola de forma gradual. Déjelo cocer, removiendo con frecuencia, de 5 a 10 minutos o hasta que la sémola esté muy espesa, y luego retírelo del fuego. Incorpore el huevo y una taza de queso parmesano y remueva bien para mezclarlo. Vierta la masa obtenida en el molde para postres y remueva bien. Déjelo enfriar 1 hora, hasta obtener una masa compacta.

2 Precaliente el horno a 180°C. Corte en círculos la mezcla de la sémola mediante un cortapastas enharinado de 4 cm. Disponga los círculos en una fuente engrasada poco profunda.

3 Vierta por encima la mantequilla fundida y la crema de leche. Espolvoree con una mezcla obtenida del resto de la nuez moscada y de los quesos parmesano y mozzarella. Hornee el plato de 20 a 25 minutos o hasta que esté dorado y sírvalo con una ensalada mixta.

PASTA RÁPIDA CON SALSA DE PAN RALLADO

TRITURE 5 rebanadas de pan integral en un robot de cocina durante 30 segundos para obtener migas finas. Vierta 500 g de espirales o farfalle en una olla con agua hirviendo, y cuézalas hasta que estén al dente. Escúrralas bien y no deje que se enfríen. Mientras cuece la pasta, caliente a fuego lento 1/4 taza (60 ml) de aceite de oliva en una sartén, agregue las migas de pan y 3 ajos majados, y cuézalo todo 3 minutos, hasta que esté crujiente y dorado. En un cuenco, mezcle la pasta caliente, el pan rallado, 2 cucharadas de perejil picado y 1/2 taza (45 g) de pecorino rallado. Aliñe con pimienta negra molida, remueva y sirva enseguida. Si lo desea, sazónelo con hierbas frescas. Para 4–6 personas.

ARRIBA: Ñoquis de sémola

CHAMPIÑONES

Fuente importante de vitaminas y fibra, el sabor único de estos hongos cultivados combina tanto con platos modernos ligeros como con comidas tradicionales más sustanciosas.

CHAMPIÑONES RELLENOS AL PESTO

Mezcle 2 tazas (60 g) de albahaca fresca, 3 dientes de ajo majados, ½ taza (80 g) de piñones tostados, ½ taza (50 g) de queso parmesano rallado y bátalo todo hasta conseguir una masa fina. Incorpore gradualmente ⅓ taza (80 ml) de aceite de oliva y continue batiendo hasta que los ingredientes estén bien mezclados.

Corte los tallos de 14 champiñones pequeños (para picar) y unte los sombrerillos con aceite de nuez de macadamia. Cuézalos boca abajo a la parrilla o a la barbacoa, hasta que estén un poco dorados y luego déles la vuelta. Adórnelos con una cucharada del pesto obtenido y sírvalos enseguida. Con esta receta se obtiene el relleno para 14 champiñones.

TARTA DE SETAS DORADAS

Precaliente el horno a 200°C. Extienda una capa de pasta de hojaldre en una fuente de horno antiadherente. En una sartén con 2 cucharadas de aceite caliente, sofría unos 10 minutos 2 cebollas en rodajas finas con 1 cucharada de vinagre hasta que estén doradas. Retírelas del fuego y déjelas enfriar sobre papel de cocina. Agregue 60 g de mantequilla y

350 g de setas variadas en la sartén y cuézalas unos 5 minutos, hasta que estén tiernas; escúrralas, déjelas enfriar sobre papel de cocina y alíñelas a su gusto con sal y pimienta. Cueza 10 minutos el hojaldre y luego disponga con cuidado la cebolla por encima, dejando un margen de 2 cm en los bordes; luego cúbralo con las setas y condimente con hojas de mejorana y ¼ taza (25 g) de parmesano rallado. Déjelo 10 minutos más o hasta que esté dorado. Para 4 personas.

SALSA DE YOGUR CON CHAMPIÑONES

En una sartén con 1 cucharada de aceite, fría durante 3 minutos 2 dientes de ajo majados y 4 cebolletas picadas. Agregue 220 g de champiñones botón troceados y cuézalos durante 5 minutos, hasta que estén dorados. Retire la mezcla, escúrrala y viértala en un cuenco. Añada 200 g de yogur natural espeso, 1 cucharada de comino molido y 2 cucharadas de tomillo al limón. Es una salsa ideal para acompañar crudités, grissines, fritos de maíz o rebanadas de pan blanco.

CHAMPIÑONES MARINADOS

En una cazuela, cueza 1 taza de vinagre de sidra, ½ taza de zumo de naranja, 1 cucharada de semillas de coriandro, 2 ramitas de romero y 1 hoja de laurel hasta que arranque el hervor. Agregue 500 g de champiñones y rehóguelos en la mezcla unos 3 minutos, retírelos del fuego e introdúzcalos en un recipiente esterilizado. Deje hervir el líquido hasta que se reduzca a la mitad, sustituya el romero y el laurel por especias frescas y añada ⅓ taza de aceite de oliva. Vierta el líquido sobre los champiñones y selle la preparación con una capa de aceite de oliva. Puede conservarse un mes en el frigorífico.

RELLENO DE SETAS SILVESTRES

Fría 1 cebolla picada en 60 g de mantequilla durante 3 minutos, hasta que esté dorada. Añada 220 g de setas variadas y cuézalas 5 minutos. Vierta la mezcla en un cuenco, agregue 2 tazas de costrones, 3 cucharadas de finas hierbas picadas, ½ taza de arroz integral cocido, ¼ taza de leche, 1 huevo batido, y mézclelo bien. Es ideal para el relleno de patatas, berenjenas, pimientos asados, tortillas y crêpes.

EN EL SENTIDO DE LAS AGUJAS DEL RELOJ, DESDE SUPERIOR IZQUIERDA: Champiñones marinados; salsa de yogur con champiñones; champiñones rellenos al pesto; tarta de setas doradas; relleno de setas silvestres

LA HISTORIA DE LA PASTA

Antiguamente se creía que Marco Polo había introducido la pasta en Italia desde China en 1295, una gran ofensa a los antiguos italianos que la habían saboreado desde la época de la Roma Imperial. Parece ser que el mismo Cicerón sentía una predilección especial por una variedad de pasta fina en forma de cinta llamada *laganum* y conocida en la actualidad como tagliatelle. Asimismo, en la Edad Media, Tasso narra como un posadero inventó los tortellini a imagen del ombligo de Venus. Por lo tanto, si usted es un amante de la pasta, puede estar seguro de que se encuentra en buena compañía.

ARRIBA: Pasta con hortalizas al horno DERECHA: Penne con tomate y pesto cremoso

PASTA CON HORTALIZAS AL HORNO

Tiempo de preparación: 20 minutos
Tiempo total de cocción: 45–50 minutos
Para 4 personas

- 1 cucharada de aceite de oliva
- 1 cebolla grande picada en trocitos
- 1 diente de ajo majado
- 3 calabacines medianos cortados
- 100 g de champiñones botón en láminas
- 2 tazas (500 g) de preparado de salsa de tomate
- 1 taza (155 g) de guisantes congelados
- sal y pimienta
- 1 1/2 tazas (135 g) de pasta seca (penne o espirales)
- 4 cucharadas de queso parmesano rallado

1 Precaliente el horno a 150°C. En una sartén con aceite caliente, fría la cebolla y el ajo a fuego lento durante 4 minutos o hasta que las cebollas estén tiernas. Añada los calabacines y los champiñones, y déjelos cocer durante 3 minutos. Agregue la salsa y los guisantes, cuézalo durante otros 3 minutos y alíñelo con sal y pimienta. Retire la preparación del fuego y déjela reposar.

2 Vierta la pasta en una olla con agua hirviendo rápidamente y déjela cocer de 10 a 12 minutos, hasta que esté al dente. Escúrrala bien y viértala encima de las hortalizas en la sartén.

3 Vierta la mezcla en una fuente, espolvoree con parmesano y tápela; hornee de 20 a 30 minutos.

NOTA: En función del sabor y de los ingredientes de que disponga, puede condimentar el plato y el combinado de hortalizas con finas hierbas.

PENNE CON TOMATE Y PESTO CREMOSO

Tiempo de preparación: 5 minutos
Tiempo total de cocción: 20 minutos
Para 4 personas

- 375 g de penne
- 2 cucharaditas de aceite
- 200 g de champiñones en láminas
- 3/4 taza (185 g) de crema agria
- 1/2 taza (125 g) de pesto preparado
- 1/4 taza (40 g) de tomates secados al sol, triturados
- pimienta negra recién molida

1 En una olla con agua hirviendo, deje cocer la pasta hasta que esté al dente y luego escúrrala.

2 Caliente aceite en una cazuela y cueza los champiñones unos 4 minutos, hasta que estén tiernos y dorados. Agregue la crema, el pesto, los tomates y la pimienta; remuévalo bien y déjelo cocer 2 minutos, hasta que la salsa esté caliente.

3 Vierta la pasta en la cazuela y, sin dejar de remover, déjela cocer durante 1 minuto, hasta que esté caliente. Decore el plato con tomate en rodajas y albahaca picada.

NOTA: Puede adquirir el pesto en supermercados y en establecimientos especializados.

ÑOQUIS DE PATATA CON SALSA DE TOMATE

Tiempo de preparación: 35 minutos
Tiempo total de cocción: 45–50 minutos
Para 4 personas

500 g de patatas peladas y trituradas
2 tazas (250 g) de harina tamizada
1/4 taza (25 g) de queso parmesano recién rallado
30 g de mantequilla o margarina fundida
sal y pimienta negra recién molida
queso parmesano recién rallado, para servir

Salsa de tomate

1 kg de tomates pelados y triturados
2 dientes de ajo majados
1/2 taza (125 ml) de vino tinto
3 cucharadas de albahaca fresca picada
sal y pimienta negra recién molida

1 En una olla con agua hirviendo, cueza las patatas de 15 a 20 minutos, hasta que estén tiernas. Escúrralas bien y tritúrelas hasta formar una masa fina. Colóquela en un cuenco y déjela enfriar un poco. Luego añada la harina, el queso parmesano, la mantequilla, la sal y la pimienta y remueva la preparación con un cuchillo de hoja plana, imitando el movimiento realizado al cortar, para formar una masa compacta. Sobre una superficie enharinada, amase un poco la mezcla hasta que esté fina; no trabaje la masa excesivamente o los ñoquis resultarán demasiado duros.

2 Tome cucharadas colmadas de masa, déles forma ovalada y cháfelas por un lado con la parte posterior de un tenedor. Cueza pequeñas cantidades de ñoquis en una olla con agua hirviendo de 3 a 5 minutos; una vez cocidos, flotarán en la superficie. Escúrralos bien y manténgalos calientes mientras se cuece el resto. Sírvalos en platos entibiados y condimente con la salsa de tomate y el queso parmesano rallado.

3 **Para la salsa de tomate:** En una cazuela, mezcle los tomates, el ajo, el vino, la sal y la pimienta, y llévelo a ebullición. Baje el fuego y déjelo cocer entre 15 y 20 minutos, hasta que la salsa se espese un poco.

ALBAHACA

La albahaca (*Ocymum basilicum*) es una especia de sabor picante y aroma inconfundibles que se suele utilizar fresca. Para preservar su sabor, debe añadirse al final de la cocción. Si desea picar las hojas, hágalo en el último momento, puesto que ennegrecerán una vez cortadas.

ARRIBA: Ñoquis de patata con salsa de tomate

ARRIBA: Tagliatelle con salsa de tomate y nueces

COCCIÓN DE LA PASTA
Para una perfecta cocción, utilice 4 litros de agua por cada 500 g de pasta seca y una olla muy grande. Con una gran cantidad de agua, la pasta crece y no se pega El hecho de añadir sal y aceite es una cuestión de gusto personal.

TAGLIATELLE CON SALSA DE TOMATE Y NUECES

Tiempo de preparación: 20 minutos
Tiempo total de cocción: 50 minutos
Para 4–6 personas

4 tomates maduros
2 cucharadas de aceite
1 cebolla mediana picada fina
1 tallo de apio cortado en trocitos
1 zanahoria mediana rallada
2 cucharadas de perejil fresco picado
1 cucharadita de vinagre de vino tinto
1/4 taza (60 ml) de vino blanco
sal y pimienta
3/4 taza (75 g) de nueces troceadas
500 g de tagliatelle
4 cucharadas de queso parmesano recién rallado, para servir

1 Con un cuchillo afilado marque una pequeña cruz en la base de cada tomate; colóquelos en un cuenco y cúbralos con agua hirviendo durante 2 minutos. A continuación, escúrralos, deje que se enfríen, pélelos desde la cruz, deseche la piel y trocee la pulpa.
2 En una sartén de fondo pesado con aceite caliente, sofría la cebolla y el apio a fuego lento durante 5 minutos removiendo con frecuencia. Agregue los tomates, la zanahoria, el perejil y la mezcla del vino y el vinagre. Baje el fuego y déjelo cocer durante 25 minutos. Condimente a su gusto con sal y pimienta.
3 Cinco minutos antes de que la salsa esté en su punto, introduzca las nueces en una sartén mediana con el resto del aceite caliente y manténgalas a fuego lento durante 5 minutos.
4 Mientras cuece la salsa, vierta la pasta en una olla con agua hirviendo rápidamente y déjela cocer hasta que esté al dente. Escúrrala e introdúzcala de nuevo en la olla. Vierta la salsa encima de la pasta y remuévalo bien. Sirva el plato cubierto con nueces y espolvoree queso parmesano por encima.
NOTA: A menudo, los italianos utilizan tomates de pera para elaborar las salsas; prúebelos, si dispone de ellos. Dado su pequeño tamaño, para esta receta necesitará de 6 a 8 unidades.

FETTUCINE A LAS HIERBAS

Tiempo de preparación: 5 minutos
Tiempo total de cocción: 18 minutos
Para 4 personas

500 g de fettucine
60 g de mantequilla
2 dientes de ajo majados
2 cucharadas de salvia fresca picada fina
2 cucharadas de albahaca fresca picada fina
2 cucharadas de orégano fresco picado fino
2 cucharaditas de pimienta negra machacada
4 cucharadas de queso parmesano fresco rallado

1 Vierta la pasta en una olla con agua hirviendo rápidamente, déjela cocer hasta que esté al dente y escúrrala bien.
2 Coloque de nuevo la olla en el fuego y derrita la mantequilla a fuego medio durante 2 minutos o hasta que espumee. Agregue el ajo, la salvia, la albahaca, el orégano y la pimienta negra.
3 Vierta de nuevo la pasta en la olla y remueva para mezclarlo todo bien. Sin dejar de remover, deje cocer durante 2 minutos o hasta que esté caliente. Espolvoree el plato con queso parmesano y sirva inmediatamente.

PASTA CON PESTO DE TOMATE SECADO AL SOL

Tiempo de preparación: 15 minutos
Tiempo total de cocción: 12 minutos
Para 6 personas

150 g de tomates secados al sol, en aceite de oliva
1/2 taza (50 g) de queso parmesano rallado
1/3 taza (50 g) de piñones
1/2 taza (25 g) de hojas de albahaca frescas
1/3 taza (80 ml) de aceite de oliva
500 g de espirales
155 g de espárragos troceados
250 g de tomates "cherry" en mitades

1 Escurra los tomates secados al sol y, mediante una picadora, tritúrelos junto con el queso, los piñones y el perejil hasta conseguir una masa fina. Con el motor en marcha, agregue el aceite.
2 Cueza la pasta en una olla con agua hirviendo hasta que esté en su punto. Escúrrala bien y colóquela en una fuente de servir grande.
3 Vierta la mezcla de tomate sobre la pasta caliente y revuélvalo bien. Introduzca los espárragos en un recipiente resistente al calor y sumérjalos en agua hirviendo durante 2 minutos. Escúrralos y mézclelos bien con la pasta y los tomates "cherry".

PASTA AL PESTO

Tiempo de preparación: 10 minutos
Tiempo total de cocción: 10 minutos
Para 4 personas

400 g de tagliatelle de espinacas
2 tazas (100 g) de hojas de albahaca fresca
4 dientes de ajo pelados y majados
1/3 taza (50 g) de piñones
1 taza (100 g) de queso parmesano rallado
3/4 taza (185 ml) de aceite de oliva
sal y pimienta

1 En una olla con agua hirviendo, cueza los tagliatelle hasta que estén en su punto. Escúrralos y viértalos de nuevo en la olla. Mientras cuece la pasta, con una picadora, triture la albahaca, el ajo y los piñones hasta obtener una masa fina; agregue el queso y remueva hasta que esté todo bien mezclado.
2 Con el motor en marcha, vierta el aceite de oliva a través del tubo de alimentación de la picadora. Incorpore el pesto necesario en la pasta para obtener una masa consistente. Condimente el plato y, si lo desea, decórelo con hojas frescas de albahaca.
NOTA: Para variar, dore 40 g de piñones en una sartén e incorpórelos a la pasta antes de servir.

CÓMO PELAR TOMATES

1 Con un cuchillo afilado marque una cruz en la base de cada tomate y sumérjalos en agua hirviendo durante 2 minutos.

2 Escurra los tomates y déjelos enfriar. Pélelos en sentido descendente desde la cruz, y deseche la piel.

3 Para extraer las semillas, corte los tomates por la mitad en sentido horizontal y utilice una cuchara para sacarlas.

ARRIBA: Pasta al pesto

SALSA WORCESTERSHIRE
La salsa Worcestershire es una salsa picante que se utiliza en pequeñas cantidades para condimentar una gran variedad de platos. Proviene de una antigua receta india, y contiene vinagre, salsa de soja, melaza, guindillas y diversos frutos tropicales y especias. Existe una versión más suave elaborada con vino blanco.

ARRIBA: Raviolis rellenos de ricotta con salsa de tomate natural (a la izquierda); ensalada de pasta y verduras

RAVIOLIS RELLENOS DE RICOTTA CON SALSA DE TOMATE NATURAL

Tiempo de preparación: 35 minutos + 30 minutos en reposo
Tiempo total de cocción: 45–50 minutos
Para 4–6 personas

Masa de los ravioli

1 taza (125 g) de harina
1 huevo
1 cucharada de aceite
1 cucharadita de agua

Relleno

500 g de queso ricotta
1 cucharada de perejil de hoja plana fresco
1 yema de huevo

Salsa

1 cucharada de aceite
1 cebolla picada
2 dientes de ajo majados
1 zanahoria picada
1 kg de tomates maduros, pelados y triturados
50 g de concentrado de tomate
1 cucharadita de azúcar moreno
1/2 taza (125 ml) de caldo vegetal
1 cucharada de salsa Worcestershire
1/2 taza (30 g) de albahaca fresca picada

1 Para los raviolis: Tamice la harina en un cuenco, haga un hueco en el centro e incorpore el huevo, el aceite y el agua de forma gradual. Extienda la mezcla sobre una superficie enharinada y amásela hasta que esté suave y elástica. Cúbrala y déjela en reposo unos 30 minutos. Mientras tanto, prepare el relleno y la salsa.
2 Para el relleno: Mezcle el queso ricotta, el perejil y la yema de huevo.
3 Para la salsa: En una sartén de fondo pesado con aceite hirviendo, sofría la cebolla, el ajo y la zanahoria de 5 a 7 minutos. Añada los tomates y el concentrado, el azúcar, el caldo vegetal, la salsa Worcestershire y la albahaca. Déjelo hervir, baje el fuego, tápelo y cuézalo 30 minutos. Deje que se enfríe y páselo unos segundos por la batidora; manténgalo caliente.
4 Divida la masa en dos partes, déles forma circular y forme una capa oblonga y alargada. Reparta montones del relleno sobre una lámina, en línea recta y a intervalos de 5 cm, y humedezca con agua el espacio entre ellos. Coloque encima la segunda lámina de la pasta y presione entre los montones del relleno. Sepárelos cortando la pasta con un cortapastas o un cuchillo.
5 Cueza los raviolis en agua hirviendo de 8 a 10 minutos, hasta que estén en su punto. Extráigalos con una espumadera, colóquelos en una fuente de servir y distribuya la salsa por encima.

ENSALADA DE PASTA Y VERDURAS

Tiempo de preparación: 15 minutos
Tiempo total de cocción: 10 minutos
Para 4–6 personas, como acompañamiento

250 g de lazos de pasta
250 g de brécol en ramilletes
250 g de judías cortadas en diagonal
125 g de tirabeques, sin las puntas
250 g de tomates "cherry"
1/3 taza (80 ml) de aceite de oliva
1/4 taza (60 ml) de vinagre de vino blanco
2 cucharaditas de mostaza en polvo
1 cucharadita de cúrcuma
pimienta negra recién molida
brotes de tirabeques o hierbas, para decorar

1 En una olla con agua hirviendo cueza la pasta hasta que esté al dente. Escúrrala bien, aclárela con agua fría y resérvela.
2 Sumerja el brécol, las judías y los tirabeques en agua hirviendo; aclárelos enseguida con agua fría y déjelos reposar. Lave los tomates, córtelos por la mitad y resérvelos.
3 En un cuenco, mezcle el aceite de oliva, el vinagre de vino blanco, la mostaza, la cúrcuma y la pimienta negra y bátalo todo con una cuchara.
4 Vierta la pasta, las verduras y la salsa obtenida en un cuenco y revuélvalo hasta que esté bien mezclado. Sírvalo en una fuente, decorado con brotes o con sus hierbas favoritas.

ESPAGUETIS RÁPIDOS CON ORUGA Y GUINDILLA

VIERTA 500 g de espaguetis o espaguetinis en una olla con agua hirviendo y cuézalos hasta que estén al dente. Escúrralos y viértalos de nuevo en la olla. Cinco minutos antes de que la pasta esté en su punto, sofría 2 cucharadas de guindilla picada en 2 cucharaditas de aceite de oliva, a fuego lento y durante 1 minuto, sin dejar de remover. Añada 450 g de oruga picada y, removiendo con frecuencia, cuézala de 2 a 3 minutos, hasta que esté tierna. Sazónelo con sal y 1 cucharada de zumo de limón. Revuelva la pasta con esta mezcla y sírvalo. Para 4–6 personas.

RAVIOLIS A LAS HIERBAS

Tiempo de preparación: 15 minutos
Tiempo total de cocción: 4–6 minutos
Para 6 personas

2 cucharadas de aceite de oliva
1 diente de ajo, por la mitad
800 g de raviolis rellenos de queso ricotta
60 g de mantequilla desmenuzada
2 cucharadas de perejil fresco picado
1/3 taza (20 g) de albahaca fresca picada
2 cucharadas de cebollino fresco picado

1 Mezcle el aceite y el ajo en un cuenco pequeño y resérvelo. En una olla con agua hirviendo, deje cocer los raviolis hasta que estén en su punto.
2 Escurra la pasta y viértala de nuevo en la olla. Incorpore el aceite sin el ajo, la mantequilla y las hierbas y revuélvalo bien. También puede utilizar coriandro fresco en lugar de perejil. Condimente con sal, pimienta y queso parmesano.

SALVIA
Antiguamente se creía que la salvia (*Salvia officinalis*) era fuente de vida y de sabiduría. Hoy en día, las flores son un elegante elemento de decoración, mientras que las hojas se utilizan en rellenos y en muchas recetas de verduras. Al adquirirla, tenga en cuenta que las hojas frescas tienen un sabor más suave y completo que las secas. Las hojas también se utilizan para elaborar té aromático, célebre por sus propiedades calmantes.

ARRIBA: Raviolis a las hierbas

ARRIBA: Fideos agridulces con hortalizas

COCINAR CON ANTELACIÓN

Si cocina para mucha gente, cueza la pasta en tandas y colóquela en una fuente de horno. Incorpore un poco de aceite, cúbrala con un paño húmedo y manténgala en el horno a baja temperatura para que no se enfríe. También puede recalentar la pasta en el microondas.

FIDEOS AGRIDULCES CON HORTALIZAS

Tiempo de preparación: 15 minutos
Tiempo total de cocción: 15 minutos
Para 4–6 personas

☆

- 200 g de fideos al huevo
- 4 mazorcas de maíz dulce enano
- 1/4 taza (60 ml) de aceite
- 1 pimiento verde en juliana
- 1 pimiento rojo en juliana
- 2 tallos de apio, cortados en diagonal
- 1 zanahoria, cortada en diagonal
- 250 g de champiñones botón en láminas
- 3 cucharaditas de fécula de maíz
- 2 cucharadas de vinagre de vino tinto
- 1 cucharadita de guindilla fresca picada
- 2 cucharaditas de concentrado de tomate
- 2 cubitos de caldo vegetal desmenuzados
- 1 cucharadita de aceite de sésamo
- 450 g de piña en conserva, sin escurrir
- 3 cebolletas, cortadas en diagonal

1 En una olla con agua hirviendo cueza los fideos durante 3 minutos y escúrralos. Corte las mazorcas en diagonal. En un wok con aceite caliente, saltee los pimientos, el apio, la zanahoria y los champiñones a fuego fuerte unos 5 minutos.

2 Agregue las mazorcas y los fideos, y deje cocer a fuego lento unos 2 minutos. Disuelva bien la fécula de maíz con el vinagre; añada la guindilla, el concentrado de tomate, los cubitos de caldo, el aceite y la piña y remuévalo.

3 Vierta la mezcla obtenida con la piña en el wok y deje cocer a fuego medio unos 5 minutos, hasta que hierva y se espese la salsa; añada las cebolletas y sírvalo.

TORTILLA RÁPIDA DE FIDEOS Y QUESO

VIERTA en un cuenco 85 g de fideos instantáneos y el contenido de un sobre aromático. Cúbralo con agua hirviendo, déjelo reposar de 2 a 3 minutos o hasta que los fideos estén tiernos y escúrralos bien. Derrita de 20 a 30 g de mantequilla en una sartén antiadherente y fría un poco de pimiento rojo troceado y cebolla en rodajas de 1 a 2 minutos. Incorpore los fideos, déjelos cocer un poco y vierta 3 huevos batidos por encima. Cuézalo a fuego medio de 3 a 5 minutos, removiendo de vez en cuando para que no se pegue. Cuando la tortilla esté casi en su punto, espolvoréela con unas 4 cucharadas de queso cheddar y finas hierbas picadas. Hornéela hasta que esté dorada y bien cocida y espolvoréela con pimienta recién molida. Para 2-4 personas.

FIDEOS SATAY CON GUINDILLA

Tiempo de preparación: 10 minutos
Tiempo total de cocción: 10 minutos
Para 4–6 personas

500 g de fideos frescos al huevo
1 cucharada de aceite
1 cucharadita de aceite de sésamo
4 cucharadas de cacahuetes sin cáscara, pelados
2 guindillas rojas pequeñas
4 berenjenas en rodajas
200 g de tirabeques
100 g de brotes de soja
3 cucharadas de mantequilla de cacahuete
1 cucharada de salsa hoisin
1/3 taza (80 ml) de leche de coco
2 cucharadas de zumo de lima
1 cucharada de salsa de guindillas tailandesa

1 Cueza los fideos en una olla con agua hirviendo unos 3 minutos. En un wok o una sartén con los dos tipos de aceite caliente, tueste los cacahuetes a fuego vivo durante 1 minuto, hasta que estén dorados. Incorpore las guindillas, las berenjenas y los tirabeques y deje cocer 2 minutos a fuego vivo. Reduzca a fuego medio, incorpore los fideos y los brotes y revuélvalo 1 minuto.
2 Mezcle la mantequilla de cacahuete, la salsa de soja, la leche de coco, el zumo de lima y la salsa de guindillas hasta obtener una masa fina. Incorpore los fideos y revuélvalo todo a fuego medio hasta que esté caliente y bien mezclado.

FIDEOS DE ARROZ VEGETARIANOS

Tiempo de preparación: 20 minutos + remojo
Tiempo total de cocción: 10 minutos
Para 4–6 personas

8 setas chinas secas
250 g de fideos de arroz
2 cucharadas de aceite
3 dientes de ajo majados
4 cm de jengibre fresco rallado
100 g de tofu frito, en dados de 2,5 cm
1 zanahoria mediana, pelada y en tiras finas
100 g de judías verdes, cortadas en trozos de 3 cm de largo
1/2 pimiento rojo en tiras finas
2 cucharadas de salsa Golden Mountain
1 cucharada de salsa de pescado (opcional)
2 cucharaditas de azúcar moreno
100 g de brotes de soja
1 taza (75 g) de col en juliana
50 g adicionales de brotes de soja sin los extremos dañados, para decorar
salsa de guindillas dulce tailandesa, para servir

1 Ponga las setas a remojo en agua caliente unos 20 minutos y, a continuación, escúrralas y córtelas en láminas. Vierta agua hirviendo sobre los fideos, póngalos en remojo de 1 a 4 minutos o hasta que estén en su punto y escúrralos bien.
2 Caliente el wok o una sartén grande. Incorpore el aceite y, cuando esté caliente, saltee el ajo, el jengibre y el tofu durante 1 minuto. Añada la zanahoria, las judías, el pimiento rojo y las setas, y déjelo cocer durante 2 minutos.
3 Añada las salsas y el azúcar y revuélvalo bien. Tápelo y cuézalo 1 minuto al vapor. Añada los fideos, los brotes de soja y la col y remueva la mezcla. Tápela y cuézala al vapor 30 segundos.
4 Coloque los fideos en una fuente de servir, decore el plato con brotes de soja y sírvalo enseguida con salsa de guindilla.
NOTA: La salsa Golden Mountain se encuentra disponible en tiendas de alimentación asiáticas.

FIDEOS CHINOS
Para cocinar fideos chinos, lleve a ebullición una gran cantidad de agua, sin necesidad de añadir sal o aceite. A los chinos no les gustan sus fideos *al dente*, sino un poco más cocidos. Para finalizar la cocción, aclare los fideos en agua fría y, para que no se peguen, revuélvalos en un poco de aceite.

ARRIBA: Fideos de arroz vegetarianos

CEBOLLETAS

Si desea cebolletas frescas, no adquiera las que son blandas o viscosas, sino las de tallo crujiente y de color verde claro. Las más grandes suelen tener un sabor demasiado fuerte para comerlas crudas en las ensaladas. Si desea prepararlas con antelación, lávelas, envuélvalas en papel de cocina húmedo y colóquelas en la nevera dentro de una bolsa de plástico. Así, se conservarán crujientes una semana.

ESPAGUETIS AL CURRY

Tiempo de preparación: 25 minutos
Tiempo total de cocción: 10 minutos
Para 4 personas

250 g de espaguetis gruesos frescos
1/4 taza (60 ml) de aceite
2 dientes de ajo en rodajas
1 cebolla, en rodajas finas
1 pimiento rojo, en tiras finas y largas
1 pepino pequeño, con piel y cortado en tiras finas de 4 cm
2 cucharaditas de curry suave
1/2 taza (125 ml) de caldo vegetal
2 cucharaditas de jerez seco
1 cucharada de salsa de soja
1/2 cucharadita de azúcar
3 cebolletas, cortadas en diagonal

1 En una olla con agua hirviendo, cueza los espaguetis al dente; escúrralos bien.
2 En un wok o una sartén con aceite caliente, sofría el ajo, la cebolla y el pimiento rojo a fuego medio durante 3 minutos. Incorpore el pepino y el curry y manténgalo a fuego medio durante 3 minutos más.
3 Agregue el caldo vegetal, el jerez, la salsa de soja y el azúcar, y vaya removiendo hasta que la mezcla arranque el hervor. A continuación, incorpore los espaguetis y las cebolletas a la mezcla, y deje cocer todo a fuego lento durante 3 minutos o hasta que los ingredientes estén calientes y bien mezclados.

SALTEADO DE FIDEOS CON GUINDILLAS Y ANACARDOS

Tiempo de preparación: 15 minutos
Tiempo total de cocción: 10 minutos
Para 4 personas

200 g de fideos finos cortados
1/4 taza (60 ml) de aceite
2 cucharadas de aceite de guindilla
3 guindillas rojas en tiras
1/2 taza (80 g) de anacardos tostados sin sal
1 pimiento rojo en rodajas finas
2 tallos de apio, cortados en diagonal
225 g de mazorcas de maíz dulce enano en conserva, escurridas
100 g de brotes de soja
2 cucharadas de cebolletas picadas
1 cucharada de salsa de soja
2 cucharadas de salsa de guindillas tailandesa

1 Cueza los fideos en una olla con agua casi hirviendo hasta que estén al dente y escúrralos.
2 En un wok o una sartén con aceite caliente, fría las guindillas a fuego medio durante 1 minuto. Incorpore luego los anacardos y remuévalos durante 1 minuto o hasta que estén dorados.
3 Deje cocer las verduras en la olla a fuego medio durante 3 minutos o hasta que estén tiernas. Agregue los fideos y las salsas mezcladas; remuévalo todo hasta que los fideos estén calientes y bien mezclados. El plato está listo para servirse.

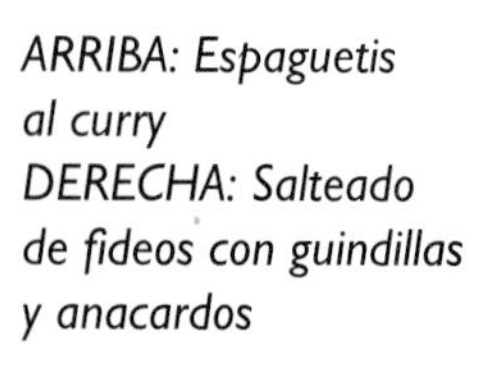

ARRIBA: Espaguetis al curry
DERECHA: Salteado de fideos con guindillas y anacardos

ESPAGUETIS A LAS HIERBAS CON VERDURAS

Tiempo de preparación: 20 minutos
Tiempo total de cocción: 25 minutos
Para 4–6 personas

30 g de mantequilla
1 cebolla en rodajas
1 guindilla roja pequeña, sin semillas y en tiras
1 tallo de apio en rodajas
1 zanahoria cortada en diagonal
2 tomates pelados
1 cucharada de salsa preparada Taco
2 cucharadas de concentrado de tomate
1/2 taza (125 ml) de vino tinto
1 hoja de laurel
1/2 taza (125 ml) de caldo vegetal
2 cucharaditas de albahaca fresca picada
2 cucharaditas de perejil fresco picado
375 g de fideos de arroz frescos

1 En un cazuela con mantequilla y aceite calientes, fría la cebolla, la guindilla, el ajo y la zanahoria 5 minutos a fuego medio. Corte los tomates en daditos y extraiga las semillas. Añada la salsa preparada, el concentrado de tomate, el vino, el laurel y el caldo y déjelo cocer. Reduzca el fuego, tape la mezcla y, removiendo, cuézalo 15 minutos. Añada las hierbas y mezclélas bien.
2 Cueza la pasta en agua hirviendo; cuando esté al dente, escúrrala y sírvala mezclada con la salsa.

FIDEOS CON SALSA DE JUDÍAS NEGRAS

Tiempo de preparación: 10 minutos
Tiempo total de cocción: 10–15 minutos
Para 4 personas

375 g de fideos frescos al huevo
1 cucharadita de aceite de oliva
1 cucharadita de aceite de sésamo
1 cucharada de jengibre fresco rallado
4 dientes de ajo majados
1 cucharada de judías negras saladas troceadas (utilice la variedad asiática)
2 cucharadas de salsa hoisin
1 cucharada de salsa de judías negras
1 cucharada de azúcar
1/2 taza (125 ml) de caldo vegetal
230 g de brotes de bambú en conserva, escurridos
3 cebolletas en tiras largas

1 En una olla con agua hirviendo, cueza los fideos hasta que estén al dente y escúrralos.
2 En un wok o cazuela con aceite caliente, fría el jengibre y el ajo 2 minutos a fuego lento, añada las judías negras y deje cocer 2 minutos más.
3 Añada las salsas, el azúcar y el caldo en el wok y deje cocer 5 minutos hasta que la mezcla se reduzca y espese un poco. Agregue el bambú, las cebolletas y la pasta y remueva hasta que todo esté caliente y bien mezclado. Sirva enseguida.

JUDÍAS NEGRAS

Las judías negras utilizadas en las recetas asiáticas son judías de soja fermentadas y salteadas. Resultan suaves y un poco pulposas y, a menudo, se trocean o trituran para que desprendan su sabor picante. No las confunda con las judías negras secas utilizadas en la cocina sudamericana.

ARRIBA: Espaguetis a las hierbas con verduras (a la izquierda); fideos con salsa de judías negras

CEREALES Y LEGUMBRES

De entre una entera cornucopia de fabulosas formas—del cuscús a las lentejas rojas, de los garbanzos al mijo—estos saludables alimentos básicos resultan tan deliciosos como nutritivos. Ya sea combinándolos entre ellos, o con frutos secos, constituyen una dieta rica en proteínas. Asimismo, representan para el cocinero una fuente inagotable de posibles recetas, inspiradas todas ellas en los mejores platos nacionales del mundo entero.

ARROZ ARBORIO
De grano largo y redondeado y suave color perla, este tipo de arroz es tan duro y blanquecino por dentro que, una vez cocido, el interior resulta visible y algo resistente al masticar. Con un aroma y un sabor realmente peculiares, es este arroz, y no los condimentos, lo que hace del risotto del norte de Italia un plato único.

ARRIBA: Curry de garbanzos

CURRY DE GARBANZOS

Tiempo de preparación: 15 minutos
Tiempo total de cocción: 40–45 minutos
Para 4 personas

2 cebollas
4 dientes de ajo
1 cucharada de aceite o ghee
1 cucharadita de guindilla en polvo
1 cucharadita de sal
1 cucharadita de cúrcuma
1 cucharadita de pimentón
1 cucharada de comino en polvo
1 cucharada de cilantro molido
2 latas de 440 g de garbanzos escurridos
440 g de tomates en lata troceados
1 cucharadita de garam masala

1 Vierta el aceite o ghee en un cazo mediano y fría la cebolla en rodajas y el ajo majado a fuego medio, removiéndolos hasta que estén tiernos.
2 Sazónelos con la guindilla en polvo, la sal, la cúrcuma, el pimentón, el comino y el cilantro, y remuévalo todo durante 1 minuto.
3 Agregue los garbanzos y los tomates sin escurrir y revuélvalo todo bien. Déjelo cocer tapado y a fuego lento unos 20 minutos, removiendo de vez en cuando. Añada el garam masala, tape y déjelo cocer otros 10 minutos.
NOTA: Este curry constituye una apetitosa comida, si lo envuelve en pan chapati o naan.

RISOTTO DE CHAMPIÑONES

Tiempo de preparación: 10 minutos
Tiempo total de cocción: 30–35 minutos
Para 4 personas

4 tazas (1 litro) de caldo vegetal
1 taza (250 ml) de vino blanco
1 cucharada de aceite
30 g de mantequilla
2 puerros cortados en rodajas finas
250 g de champiñones silvestres, en láminas
2 tazas (440 g) de arroz arborio
250 g de champiñones botón, en láminas
2 cucharadas de perejil fresco picado
1/2 taza (50 g) de parmesano rallado

1 Ponga a hervir el caldo junto con el vino en una olla, baje el fuego y déjelo cocer lentamente.
2 En una cazuela grande con aceite y

mantequilla, fría los puerros durante 5 minutos hasta que se doren. Añada los champiñones silvestres y cuézalos 3 minutos. Agregue el arroz y remuévalo todo hasta que los granos presenten un tono translúcido. Vierta 1 taza (250 ml) del caldo caliente sobre el arroz y remuévalo a fuego medio hasta que éste lo embeba. Vaya añadiendo más caldo, ½ taza cada vez, y remueva después de cada adición hasta que el líquido sea absorbido; reserve la última ½ taza.

3 Agregue los champiñones botón y el caldo reservado y déjelo cocer todo sin dejar de remover, hasta que el arroz absorba todo el líquido y esté bien tierno. Aderécelo con el perejil y el parmesano, remuévalo y salpiméntelo.

CUSCÚS DE HORTALIZAS

Tiempo de preparación: 40 minutos
Tiempo total de cocción: 30 minutos
Para 4–6 personas

- 2 cebollas pequeñas, en rodajas finas
- 3 cucharadas de aceite de oliva
- 1 cucharadita de cúrcuma
- ½ cucharadita de guindilla en polvo
- 2 cucharaditas de jengibre fresco rallado
- 1 ramita de canela
- 2 zanahorias medianas, en rodajas gruesas
- 2 chirivías medianas, en rodajas gruesas
- 1 ½ tazas (375 ml) de caldo vegetal
- 315 g de calabaza, cortada en daditos
- 250 g de coliflor, cortada en ramilletes
- 2 calabacines medianos, cortados en rodajas gruesas
- 425 g de garbanzos en lata, escurridos
- una pizca de hebras de azafrán
- 2 cucharadas de cilantro fresco picado
- 2 cucharadas de perejil de hoja plana picado
- 1 ¼ tazas (230 g) de cuscús instantáneo
- 1 taza (250 ml) de agua hirviendo
- 30 g de mantequilla

1 Vierta 2 cucharadas del aceite en una cazuela grande y fría las cebollas a fuego medio durante 3 minutos, removiéndolas de vez en cuando, hasta que estén tiernas. Añada la cúrcuma, la guindilla en polvo y el jengibre y cuézalo todo un minuto más sin dejar de remover.

2 Agregue la ramita de canela, la zanahoria, la chirivía y el caldo a la cazuela. Remuévalo todo bien, tápelo y llévelo a ebullición; baje el fuego y déjelo cocer 5 minutos hasta que las hortalizas estén prácticamente tiernas.

3 Añada la calabaza, la coliflor y los calabacines y cuézalo 10 minutos más a fuego lento. Vierta los garbanzos, el azafrán, el cilantro y el perejil; cuézalo, sin tapar, otros 5 minutos y retire la canela.

4 Ponga el cuscús en un bol con agua hirviendo y déjelo en remojo 2 minutos; vierta el aceite y la mantequilla restantes y remuévalo con un tenedor para esponjarlo. Sirva las hortalizas sobre un lecho de cuscús.

NOTA: Cueza las verduras con un día de antelación y refrigérelas, pero es mejor que prepare el cuscús (en venta en supermercados y tiendas de productos naturales) justo antes de servir.

SOPA DE LENTEJAS

FRÍA UNA cebolla picada en un poco de aceite hasta que esté tierna. Añádale 1 taza (250 g) de lentejas rojas, 425 g de tomates en lata triturados y 4 tazas (1 litro) de caldo vegetal; llévelo a ebullición, baje el fuego y cuézalo 20 minutos. Sazone la sopa con albahaca picada y sírvala decorada con una cucharada de crema agria. Para 4 personas.

CUSCÚS

El cuscús consiste en diminutas bolitas elaboradas con el grano y la harina de la sémola y constituye un alimento básico de la cocina norteafricana, donde lo tradicional es cocerlo al vapor sobre un puchero de estofado. Los cuscús que pueden adquirirse normalmente son una variedad "instantánea" que sólo requieren un par de minutos a remojo en agua hirviendo y un poco de aceite y mantequilla para estar listos. El nombre de cuscús se aplica igualmente al plato compuesto de estofado servido sobre un lecho de granos de sémola.

ARRIBA: Cuscús de hortalizas

FALAFEL

Los falafel se han hecho tan populares en Israel que casi han llegado a convertirse en su plato nacional. Envueltas en pan pita, con ensalada y algún tipo de salsa picante, o bien con ensalada y una salsa a base de yogur y hierbas, estas sabrosas y crujientes albóndigas hechas con garbanzos molidos constituyen una comida o tentempié de lo más saludable.

ARRIBA: Falafel con salsa de tomate

FALAFEL CON SALSA DE TOMATE

Tiempo de preparación: 40 minutos + 30 minutos en reposo + 4 horas a remojo
Tiempo total de cocción: 20–25 minutos
Para 6 personas

2 tazas (440 g) de garbanzos
3 tazas (750 ml) de agua
1 cebolla pequeña picada fina
2 dientes de ajo majados
2 cucharadas de perejil fresco picado
1 cucharada de cilantro fresco picado
2 cucharaditas de comino molido
1 cucharada de agua, adicional
1/2 cucharadita de levadura
aceite abundante para freír

Salsa de tomate

2 tomates medianos pelados y picados finos
1/4 de pepino mediano picado fino
1/2 pimiento verde picado fino
2 cucharadas de perejil fresco picado
1 cucharadita de azúcar
2 cucharaditas de salsa de guindilla
1/2 cucharadita de pimienta negra molida
el zumo y la ralladura de 1 limón

1 Ponga los garbanzos a remojar 4 horas o toda la noche. Escúrralos y páselos por la picadora unos 30 segundos, hasta dejarlos bien molidos.
2 Añádales la cebolla, el ajo, el perejil, el cilantro, el comino, el agua adicional y la levadura; píquelo todo 10 segundos más a fin de obtener una pasta grumosa. Tápela y déjela reposar 30 minutos.
3 **Para la salsa de tomate:** Vierta todos los ingredientes en un bol, mézclelos bien y reserve.
4 Moldee cucharadas colmadas de la mezcla de falafel en bolitas, apretándolas con las manos para que suelten todo el agua. En una sartén honda de fondo pesado con aceite moderadamente caliente, introduzca las bolas de falafel mediante una cuchara. Fríalas en tandas de 5 unidades entre 3 y 4 minutos cada una. Tan pronto estén doradas, retírelas cuidadosamente de la sartén con ayuda de una espumadera; déjelas escurrir sobre papel absorbente.
5 Sirva los falafel fríos o calientes sobre un lecho de salsa de tomate, o bien envueltos en pan pita con salsa de tomate y hummus.
NOTA: Si la pasta de las falafel resulta demasiado húmeda para trabajar, añádale un poco de harina.

LENTEJAS DULCES Y PICANTES

Tiempo de preparación: 10 minutos + toda la noche en remojo
Tiempo total de cocción: 35 minutos
Para 6 personas

3/4 taza de lentejas verdinas, dejadas en remojo 1 noche
1 cebolla pequeña picada fina
1/2 cucharadita de comino molido
1/2 cucharadita de canela en polvo
4 clavos de especia
1 taza (250 ml) de zumo de naranja
3/4 taza (185 ml) de agua

1 Escurra las lentejas y viértalas en una olla mediana junto con la cebolla, el comino, la canela, los clavos, el zumo de naranja y el agua; llévelo todo a ebullición. Baje el fuego y déjelo cocer lentamente y sin tapar unos 30 minutos, removiendo de vez en cuando, hasta que las lentejas estén tiernas y hayan embebido todo el líquido.
2 Retire los clavos y sirva las lentejas frías o calientes, como acompañamiento de su plato mexicano preferido.

FRITOS DE RISOTTO CON CHAMPIÑONES

Tiempo de preparación: 20 minutos
+ 1 hora y 15 minutos de refrigeración
Tiempo total de cocción: 35–40 minutos
Para 4 personas

3 $^1/_4$ tazas (810 ml) de caldo vegetal
1 cucharada de aceite de oliva
20 g de mantequilla
1 cebolla pequeña picada fina
1 taza (220 g) de arroz de grano corto
150 g de champiñones botón, en laminitas
$^1/_3$ taza (35 g) de parmesano recién rallado
aceite para freír

1 Ponga a hervir el caldo en una olla pequeña, baje el fuego, tápelo y déjelo cocer lentamente hasta que lo necesite. En una sartén de fondo pesado con aceite y mantequilla, fría la cebolla a fuego medio unos 3 minutos, removiéndola hasta que esté tierna. Agregue el arroz y déjelo cocer otros 2 minutos. Añada luego los champiñones y déjelos 3 minutos hasta que se ablanden.
2 Vierta $^1/_2$ taza de caldo cada cierto tiempo y no deje de remover hasta que se absorba. Repita el proceso, removiendo constantemente, hasta que el arroz esté tierno y cremoso y haya embebido todo el caldo (tardará unos 20 minutos). Vierta el parmesano y retírelo del fuego.
3 Pase la mezcla a un bol para que se enfríe y refrigérela 1 hora como mínimo. Con las manos humedecidas, forme discos planos con $^1/_4$ de taza de la mezcla cada uno y refrigérelos 15 minutos.

4 En una sartén antiadherente con 2,5 cm de aceite caliente, fría los fritos de 3 a 4 minutos por cada lado hasta que estén crujientes y dorados; escúrralos sobre papel absorbente.

PILAF DE CEBOLLA Y PARMESANO

Tiempo de preparación: 5 minutos
Tiempo total de cocción: 20–30 minutos
Para 6 personas

60 g de mantequilla
3 cebollas picadas
2 dientes de ajo majados
2 tazas (440 g) de arroz basmati
5 tazas (1,25 litros) de caldo vegetal
1 $^1/_2$ tazas (240 g) de guisantes pelados
$^1/_2$ taza (50 g) de parmesano recién rallado
$^1/_2$ taza (30 g) de perejil fresco picado

1 En un cazo grande con mantequilla, fría la cebolla y el ajo a fuego lento durante 5 minutos sin dejar de remover, hasta que estén tiernos y dorados. Vierta el arroz y el caldo, y llévelo todo a ebullición. Remuévalo una sola vez, baje el fuego al mínimo y déjelo cocer sin tapar unos 5 minutos o hasta que casi no quede líquido.
2 Agregue los guisantes, tape el cazo, y cuézalo 10 minutos a fuego muy lento hasta que el arroz esté tierno. Sírvalo con parmesano y perejil.

CALDO VEGETAL

Los platos cocinados con caldo vegetal saben siempre mucho mejor que hechos sólo con agua. Para preparar el caldo, es necesario limpiar bien las hortalizas pero no pelarlas. Se utilizan sobretodo hortalizas aromáticas, como el puerro, la cebolla, la zanahoria y el apio, mientras que las que contienen mayor cantidad de fécula, como los guisantes y las patatas no resultan tan apropiadas, porque suelen "enturbiar" el caldo. Deberían excluirse las hortalizas de sabor más intenso, como la berenjena, la col o el nabo. El líquido obtenido en la cocción de hortalizas de sabor no demasiado fuerte constituye un caldo muy nutritivo e ideal para la elaboración de salsas, sopas y cocidos.

A LA IZQUIERDA: Pilaf de cebolla y parmesano
ARRIBA: Fritos de risotto con champiñones

CRÊPES DE ARROZ SILVESTRE CON TOFU Y SETAS

Tiempo de preparación: 25 minutos + reposo
Tiempo total de cocción: 1 hora aprox.
Para 6–12 personas

- 6 huevos ligeramente batidos
- 3 tazas (750 ml) de leche
- 185 g de mantequilla derretida
- 1 1/2 tazas (185 g) de harina
- 1/2 cucharadita de levadura
- 2 cucharadas de salsa kecap manis
- 2 cucharadas de cilantro fresco picado
- 2 cucharadas de aceite de oliva
- 2 cucharadas de jengibre fresco rallado
- 1 guindilla roja fresca picada fina
- 2 cebolletas picadas finas
- 1/2 taza (95 g) de arroz salvaje hervido
- 1 cucharadita de aceite de sésamo
- 1 cucharada de aceite
- 125 g de tofu cortado en dados
- 315 g de setas frescas variadas
- 2 cucharaditas de miso blanco
- 2 cucharadas de salsa de soja
- 1 cucharada de zumo de lima
- 2 dientes de ajo majados

1 Mezcle los huevos, la leche y 125 g de mantequilla en un cuenco y bátalo todo bien.
2 Tamice la harina junto con la levadura en un bol y viértalas gradualmente en la mezcla anterior. Añada la kecap manis y el cilantro, bátalo todo bien fino, cúbralo y refrigérelo 1 hora.
3 Caliente, mientras tanto, el aceite en un wok y saltee en él el jengibre, la guindilla y las cebolletas, removiéndolos a fuego fuerte durante 3 minutos. Retírelos del fuego y páselos a un cuenco junto con el arroz; cúbralo y resérvelo.
4 Añada la mezcla de arroz a la masa para crêpes y mézclelas bien. Vierta 1/4 taza de la mezcla obtenida en una sartén junto con la mantequilla restante y agite la sartén para que la mezcla se extienda por todo el fondo. Fría la crêpe 2 minutos o hasta que empiece a burbujear y déle la vuelta para dorarla por la otra cara. Repita la operación con el resto de la mezcla.
5 Caliente los aceites en un wok y saltee el tofu unos 5 minutos a fuego fuerte, sin dejar de remover, hasta dorarlo. Añada las setas, el miso, la salsa de soja y el zumo de lima, y saltéelos 4 minutos para calentarlos. Agregue el ajo y revuélvalo 1 minuto. Sirva 2 crêpes rellenas por persona como entrante, o bien 4 como plato principal.
NOTA: La kecap manis es una salsa de soja espesa, oscura, dulce y aromática. Suele condimentarse con ajo, anís estrellado, hojas de salam y galanga, y endulzarse con jarabe de palma.

Utilice cualquier tipo de setas, por ejemplo, champiñones botón, setas de ostra o enoki.

TOFU

El tofu ha sufrido desde siempre un problema de imagen. Aunque se sabe que es muy nutritivo, muy poca gente lo consume. De hecho, el tofu resulta bastante insípido por sí solo, pero es perfecto para hacerlo en marinada o condimentado con ajo, jengibre, salsa de soja y guindilla. Marinado y doradito por fuera, tanto puede ser que le guste como que no. Si ya probó el tofu alguna vez y no le gustó, vuelva a probarlo... quizás se sorprenda.

ARRIBA: Crêpes de arroz silvestre con tofu y setas

CHAMPIÑONES RELLENOS DE QUINOA PICANTE

Tiempo de preparación: 20 minutos
Tiempo total de cocción: 40 minutos
Para 4 personas

1 taza (200 g) de quinoa
2 tazas (500 ml) de caldo vegetal
1 hoja de laurel
1 anís estrellado
2 cucharadas de aceite
3 cebollas cortadas en rodajas finas
1 cucharada de comino molido
1 cucharadita de garam masala
155 g de queso feta troceado
1 cucharada de menta fresca picada
2 cucharaditas de zumo de limón
4 champiñones silvestres grandes
2 cucharadas de aceite de oliva adicionales

1 Lave la quinoa con agua fría unos 5 minutos, hasta que el agua salga limpia, y escúrrala.
2 Viértala, junto con el caldo vegetal, la hoja de laurel y el anís estrellado en una olla de fondo pesado, y llévelo todo a ebullición. Baje el fuego y déjelo cocer lentamente durante 15 minutos o hasta que la quinoa esté transparente. Retírelo del fuego y déjelo reposar 5 minutos, a fin de que la quinoa embeba todo el líquido. Retire la hoja de laurel y el anís.
3 En una sartén grande antiadherente con aceite, fría las cebollas a fuego medio durante 10 minutos o hasta que empiecen a caramelizarse.
4 Añada el comino, el garam marsala, el queso feta y la quinoa y déjelo cocer 3 minutos para que se caliente todo. Retírelo del fuego, vierta la menta y el zumo de limón y remueva.
5 Corte el pie a las setas, píquelos bien finos y añádalos a la mezcla de quinoa. Unte las setas con aceite y colóquelas boca abajo sobre una parrilla o barbacoa precalentada. Déjelas hasta que se doren (el tiempo variará según el tamaño de las setas); déles la vuelta y rellénelas con la mezcla de quinoa. Déjelas otros 5 minutos hasta que estén bien tiernas; sírvalas con ensalada.
NOTA: La quinoa es un cereal que se cultiva en los Andes peruanos. Muy apreciado por los vegetarianos y conocido como 'supercereal' por su alto contenido proteico, la quinoa era utilizada por los incas en sus ceremonias religiosas como elemento sagrado. Se vende en establecimientos especializados y de productos naturales.

ENSALADA DE JUDÍAS NEGRAS Y AGUACATE

Tiempo de preparación: 15 minutos
+ toda la noche a remojo en agua fría
Tiempo total de cocción: 1 1/2 horas aprox.
Para 4 personas

250 g de judías negras secas
1 cebolla roja picada
4 tomates de pera picados
1 pimiento rojo picado
375 g de maíz en grano escurrido
90 g de cilantro fresco, picado grueso
2 aguacates pelados y picados
1 mango pelado y picado
150 g de hojas de oruga sueltas

Aliño

1 diente de ajo majado
1 guindilla roja pequeña, picada fina
2 cucharadas de zumo de limón
1/4 taza (60 ml) de aceite de oliva

1 Tras una noche a remojo, aclare las judías con agua y escúrralas. Viértalas en una olla grande de fondo pesado, cúbralas con agua y llévelas a ebullición. Baje el fuego y cuézalas 1 1/2 horas, hasta que estén tiernas. Escúrralas y déjelas enfriar.
2 Vierta las judías junto con el resto de ingredientes en un bol y mézclelos bien.
3 Para el aliño: Bata todos los ingredientes en un bol, viértalos sobre la ensalada y revuelva.

JUDÍAS NEGRAS
Este tipo de judías pueden adquirirse secas en tiendas de productos naturales. Constituyen una parte esencial de la dieta de los pueblos de América Central, América del Sur, México y el Caribe. No deben confundirse con las judías saladas o fermentadas de origen chino.

ARRIBA: Ensalada de judías negras y aguacate

ALBÓNDIGAS DE LENTEJAS

Tiempo de preparación: 20 minutos
Tiempo total de cocción: 15–20 minutos
Para unas 30 unidades

1 taza (250 g) de lentejas rojas
4 cebolletas picadas
2 dientes de ajo majados
1 cucharadita de comino molido
1 taza (80 g) de pan recién rallado
1 taza (125 g) de queso cheddar rallado
1 calabacín grande rallado
1 taza (150 g) de polenta (harina de maíz)
aceite abundante, para freír

1 Vierta las lentejas en una olla mediana y sumérjalas en agua. Llévelas a ebullición, baje el fuego, tápelas y déjelas cocer durante 10 minutos hasta que estén tiernas. Escúrralas y aclárelas bien bajo el chorro de agua fría.
2 Vierta la mitad de las lentejas, las cebolletas y el ajo en el robot de cocina y píquelo todo durante 10 segundos, a fin de obtener una masa pulposa. Pásela a un bol grande y añádale las lentejas restantes, el comino, el pan rallado, el queso y el calabacín; remuévalo todo bien.
3 Tome cucharadas de masa, moldéelas en forma de bolitas y páselas por la polenta.
4 En una sartén de fondo pesado, introduzca las albóndigas por tandas en el aceite moderadamente caliente y fríalas durante 1 minuto hasta que estén doradas y crujientes. Use unas tenazas o una espumadera para retirarlas cuidadosamente y déjelas escurrir sobre papel absorbente. Sírvalas bien calientes.
NOTA: Estas albóndigas saben deliciosas acompañadas de chutney o yogur para mojar.

ARROZ CON ESPINACAS

Tiempo de preparación: 5 minutos
Tiempo total de cocción: 50 minutos
Para 4 personas

90 g de mantequilla
1 taza (200 g) de arroz de grano largo
2 tazas (500 ml) de caldo vegetal
sal y pimienta negra recién molida
2 cucharadas de aceite de oliva
2 cebollas grandes picadas finas
250 g de espinacas trituradas, descongeladas
4 cebolletas picadas

1 En una cacerola mediana de fondo pesado con mantequilla, fría el arroz a fuego lento durante 10 minutos, removiendo hasta que se dore.
2 Vierta el caldo, la sal y la pimienta y llévelo a ebullición sin dejar de remover. Baje el fuego, tápelo y cuézalo 20 minutos. Tápelo y resérvelo.
3 En una cazuela con aceite, fría las cebollas a fuego medio unos 5 minutos, sin dejar de remover. Agregue las espinacas, baje el fuego y cuézalo todo, bien tapado, de 5 a 10 minutos para calentar las espinacas. Vierta las cebolletas y remuévalo todo 1 minuto.
4 Mezcle las espinacas con el arroz; caliéntelo.

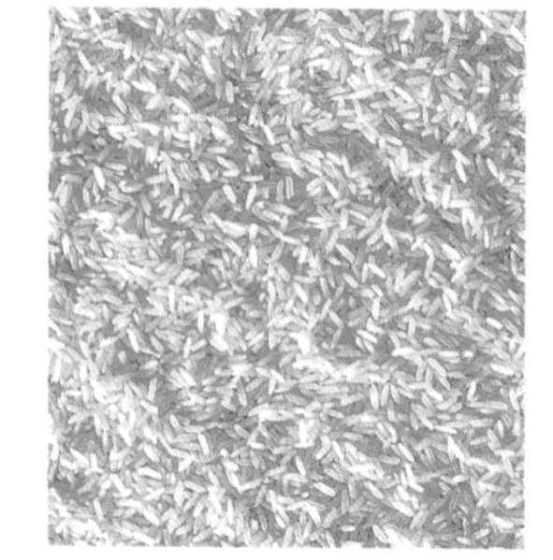

ARRIBA: Arroz con espinacas
A LA DERECHA: Albóndigas de lentejas

DHAL INDIO CON TOSTADAS DE PAN PITA

Tiempo de preparación: 15 minutos
Tiempo total de cocción: 20–25 minutos
Para 4–6 personas

1 1/4 tazas (310 g) de lentejas rojas
2 cucharadas de ghee (mantequilla clarificada)
1 cebolla mediana picada fina
2 dientes de ajo majados
1 cucharadita de jengibre fresco rallado
1 cucharadita de cúrcuma en polvo
1 cucharadita de garam masala
2 tazas (500 ml) de agua

Tostadas de pan pita

4 panes pita redondos
2–3 cucharadas de aceite de oliva

1 Vierta las lentejas en un bol grande y cúbralas con agua. Retire las partículas que floten en la superficie y escurra bien las lentejas.
2 Derrita el ghee en una cacerola mediana y fría en él la cebolla durante 3 minutos, hasta que esté tierna. Agregue el ajo, el jengibre y las especias y cuézalo todo otro minuto, sin dejar de remover.
3 Vierta las lentejas y el agua y póngalas a hervir. Baje el fuego y déjelas cocer unos 15 minutos, removiendo de vez en cuando, hasta que hayan embebido todo el líquido. Ponga atención hacia el final de la cocción, ya que se podrían pegar un poco al fondo de la cacerola.
4 Pase las lentejas a una fuente y sírvalas calientes o a temperatura ambiente, acompañadas de pan naan, o bien pan pita al natural o tostado.
5 Para las tostadas de pan pita: Ponga el horno a calentar a 180°C. Corte el pan pita en forma de medias lunas, úntelas ligeramente con aceite y colóquelas en una bandeja de horno; tuéstelas de 5 a 7 minutos, hasta que estén crujientes y algo doradas.
NOTA: Si no puede disponer de ghee, utilice aceite en su lugar. No obstante, puede elaborar ghee en casa de la manera siguiente: derrita un poco de mantequilla, retire la espuma blanca que se forma en la superficie y vierta la mantequilla líquida en otro recipiente. Deseche la espuma blanca.

PILAF VEGETAL

Tiempo de preparación: 20 minutos
Tiempo total de cocción: 35–40 minutos
Para 4 personas

1/4 taza (60 ml) de aceite de oliva
1 cebolla mediana en aros
2 dientes de ajo majados
2 cucharaditas de comino molido
2 cucharaditas de pimentón
1/2 cucharadita de pimienta de Jamaica
1 1/2 tazas (300 g) de arroz de grano largo
1 1/2 tazas (375 ml) de caldo vegetal
3/4 taza (185 ml) de vino blanco
3 tomates medianos, pelados y picados
155 g de champiñones botón, en laminitas
2 calabacines medianos, en rodajas
155 g de brécol, cortado en ramilletes

1 En una olla grande de fondo pesado con aceite, fría la cebolla unos 10 minutos a fuego medio hasta que se dore. Agregue el ajo y las especias y déjelas 1 minuto hasta que desprendan su aroma.
2 Eche el arroz en la olla y remuévalo bien. Vierta el caldo vegetal, el vino, los tomates y las setas y llévelo todo a ebullición. Baje el fuego al mínimo y tape la olla herméticamente. Déjelo cocer a fuego lento durante 15 minutos.
3 Añada los calabacines y el brécol, vuelva a taparlo y cuézalo de 5 a 7 minutos más, hasta que las hortalizas estén tiernas. Sírvalo enseguida.

LENTEJAS
Adquiera siempre las lentejas de aspecto brillante y lustroso, sin rastro de polvo o humedad. Tampoco es aconsejable comprar grandes cantidades ya que con el tiempo se secan y endurecen, en cuyo caso también tardan más en cocerse y es más probable que se partan durante la cocción. Las lentejas resultan ideales para preparar sopas y purés y son las legumbres más fáciles de cocinar—las rojas no precisan dejarlas en remojo y las de color verde, sólo unas pocas horas. Antes de cocer las lentejas, compruebe que no haya piedrecitas mezcladas entre ellas.

ARRIBA: Pilaf vegetal

POLENTA

Heredada de la antigua Roma o quizás descubierta en el Nuevo Mundo, y con un nombre intercambiable con el de harina de maíz, este alimento básico similar a la harina adopta una nueva identidad culinaria.

POLENTA BÁSICA

Ponga a hervir 4 tazas (1 litro) de agua o caldo. Baje el fuego y añada, batiendo, 1 taza (150 g) de polenta gruesa. Bátala durante 5 minutos y use después una cuchara de madera para remover hasta que la cuchara se sostenga derecha y la polenta se desprenda de las paredes de la olla. Agregue 2 cucharadas de mantequilla derretida y salpimiente.

FRITTATA DE POLENTA MEDITERRÁNEA

Elabore la polenta según la receta básica y pase la mezcla obtenida a un bol. Añádale ½ taza (50 g) de queso parmesano rallado, 4 corazones de alcachofa marinados y picados finos, 90 g de tomates secados al sol, picados, 60 g de aceitunas niçoise, sin hueso y picadas, y 1 cucharada de hojas de orégano frescas. Use una cuchara para pasar la mezcla a un molde redondo desmontable de 30 cm; extienda la masa uniformemente, prénsela con el reverso de la cuchara y déjela enfriar. Desmolde la frittata, úntela con un poco de aceite y póngala a gratinar hasta que esté crujiente y dorada. Córtela en porciones y sírvala caliente o a temperatura ambiente.
Para 6–8 personas.

POLENTA A LA BRASA

Elabore la polenta según la receta básica y mézclela con ¼ taza (25 g) de queso parmesano rallado fino y 1 cucharada de albahaca fresca picada. Extienda la masa sobre una bandeja para pizzas, a fin de obtener un disco de 2 cm de grosor. Déjela enfriar y córtela en porciones. Úntela con aceite y ásela a la brasa o a la barbacoa unos 3 minutos por cada lado, hasta que los bordes estén crujientes. Sírvala caliente para picar. Para 4–6 personas.

POLENTA CON MERMELADA DE GUINDILLA

Sirva las porciones a la brasa junto con una buena cucharada de queso mascarpone, hojas de oruga aliñadas con vinagre balsámico y mermelada de guindilla casera (pág. 245), o bien su conserva de tomate preferida. Para 4–6 personas.

PALITOS DE POLENTA CON ALCACHOFA, PIMIENTO Y FETA

Elabore la polenta según la receta básica y viértala en un molde cuadrado de 18 cm ligeramente untado. Déjela enfriar y córtela en palitos de 3 cm de grosor. Úntelos con aceite y póngalos bajo el grill del horno hasta que estén crujientes y dorados. Sírvalos con cuartos de alcachofa marinada (tallos incluidos), una porción de queso feta y tiras rojas y amarillas de pimiento asado. Para 4–6 personas.

PIZZA DE POLENTA

Elabore la polenta según la receta básica y añádale ½ taza (50 g) de queso parmesano finamente rallado. Extienda la mezcla sobre el fondo de una bandeja para pizzas de 30 cm y déjela enfriar. Unte la polenta con aceite, introdúzcala en el horno a 200°C y déjela cocer 10 minutos. Retírela y extienda 3 cucharadas de salsa pesto por encima, dejando 1 cm de margen. Esparza laminitas de champiñones botón, tomates "cherry", o en forma de lágrima, cortados por la mitad y 1 pimiento verde en tiras. Esparza 125 g de queso mozzarella rallado por encima y déjelo en el horno unos 20 minutos, hasta que el queso se dore. Para 4 personas.

EN EL SENTIDO DE LAS AGUJAS DEL RELOJ, DESDE SUPERIOR IZQUIERDA: Polenta con mermelada de guindilla; polenta a la brasa; palitos de polenta con alcachofa, pimiento y feta; pizza de polenta; polenta básica; frittata de polenta mediterránea

ARRIBA: Tortitas de risotto con tomate y queso

TORTITAS DE RISOTTO CON TOMATE Y QUESO

Tiempo de preparación: 30 minutos
+ 1 hora y 15 minutos de refrigeración
Tiempo total de cocción: 30–40 minutos
Para 6 personas

3 1/4 tazas (810 ml) de caldo vegetal
1 cucharada de aceite de oliva
20 g de mantequilla
1 cebolla pequeña picada fina
1 1/4 tazas (275 g) de arroz de grano corto
1/3 taza (35 g) de queso parmesano rallado fino
30 g de queso mozzarella, cortado en dados de 1 cm
30 g de tomates secados al sol picados
aceite abundante, para freír
70 g de hojas de ensalada variadas, para servir

1 Ponga a hervir el caldo en una olla pequeña, baje el fuego, tápelo y cuézalo a fuego lento. Vierta el aceite y la mantequilla en una cazuela mediana de fondo pesado, dore en ella la cebolla unos 3 minutos a fuego medio y añádale el arroz. Baje el fuego al mínimo y remueva otros 3 minutos o hasta que el arroz empiece a dorarse. Vierta un cuarto del caldo en la cazuela y remuévalo 5 minutos hasta que se absorba.
2 Repita el proceso con el caldo restante, sin dejar de remover, hasta que el arroz esté tierno. Agregue el parmesano. Retire todo del fuego y páselo a un bol para enfriarlo; refrigere 1 hora.
3 Con las manos humedecidas, tome 2 cucharadas de la mezcla de arroz para moldearlas en forma de bola. Practique un agujero en cada bola para insertar un dado de mozzarella y un par de trocitos de tomate desecado. Cubra el agujero y dé a la bola forma de disco. Repita la operación con la mezcla restante y refrigérela 15 minutos.
4 En una sartén mediana de fondo pesado, sumerja tandas de tortitas en el aceite moderadamente caliente y fríalas de 1 a 2 minutos hasta que estén bien doradas. Retírelas mediante una espumadera y escúrralas sobre papel absorbente. Sirva las tortitas con una fresca ensalada verde.

JUDÍAS ADZUKI SALTEADAS

Tiempo de preparación: 15 minutos
+ toda la noche en remojo
Tiempo total de cocción: 1 hora y 15 minutos
Para 4 personas

1 taza (220 g) de judías adzuki
1 cucharadita de aceite de sésamo
1 cucharada de aceite
1 diente de ajo majado
1 cucharada de jengibre fresco rallado
3 cebolletas cortadas en rodajitas
185 g de tofu firme cortado en trocitos
125 g de setas chinas, separadas del pie
1 pimiento rojo en rodajas
1 zanahoria grande en rodajas
100 g de maíz dulce enano
500 g de hojas sueltas de bok choy enano
1 cucharada de salsa de ostras
1 cucharada de salsa hoisin
1/4 taza (60 ml) de salsa de soja con poca sal
1 cucharada de salsa de guindilla dulce
1 cucharada de zumo de lima
2 cucharadas de cilantro fresco picado

1 Ponga a remojar las judías adzuki toda la noche en agua fría; aclárelas y escúrralas bien. Viértalas en una olla grande de fondo pesado, écheles agua hasta cubrirlas y llévelas a ebullición. Baje el fuego, cuézalas 1 hora o hasta que estén tiernas y escúrralas.
2 Caliente los aceites en un wok y agregue el ajo, el jengibre y las cebolletas; saltéelo todo a fuego fuerte unos 2 minutos. Añada el tofu, saltéelo 5 minutos, hasta que se dore y, a continuación, añada las setas, el pimiento, la zanahoria, el maíz y el bok choy. Saltéelo 3 minutos más.
3 Vierta las judías escurridas junto con todas las salsas, el zumo de lima y el cilantro; cuézalas 2 minutos, removiéndolas constantemente. Sírvalas acompañadas de arroz cocido al vapor.
NOTA: Las judías adzuki, también llamadas judías rojas, son muy populares en Japón. Pertenecen a la familia de la soja y se digieren fácilmente. Cocidas, hechas puré y mezcladas con grasa y azúcar para formar la pasta de judías rojas, constituyen la base de multitud de dulces asiáticos.

HAMBURGUESAS DE GARBANZOS Y LENTEJAS CON CREMA DE AJO Y CILANTRO

Tiempo de preparación: 30 minutos + refrigeración
Tiempo total de cocción: unos 30 minutos
Para 10 unidades

1 taza (250 g) de lentejas rojas
1 cucharada de aceite
2 cebollas cortadas en aros
1 cucharada de especias tandoori
425 g de garbanzos de lata, escurridos
1 cucharada de jengibre fresco rallado
1 huevo
3 cucharadas de perejil fresco picado
2 cucharadas de cilantro fresco picado
2 1/4 tazas (180 g) de pan seco rallado
harina para rebozar

Crema de ajo y cilantro

1/2 taza (125 g) de crema agria
1/2 taza (125 ml) de crema de leche
1 diente de ajo majado
2 cucharadas de cilantro fresco picado
2 cucharadas de perejil fresco picado

1 Prepare y caliente la barbacoa. Ponga a hervir agua en una olla grande, vierta en ella las lentejas y déjelas cocer 10 minutos, sin tapar, hasta que estén tiernas; escúrralas bien. Fría las cebollas en una sartén con aceite hasta que estén tiernas, añada las especias tandoori y remueva bien hasta que la mezcla resulte aromática. Déjela enfriar.
2 Vierta los garbanzos junto con la mitad de las lentejas, el jengibre, el huevo y la mezcla de cebolla en el robot de cocina y píquelo todo durante 20 segundos, a fin de obtener una masa bien fina; pásela a un bol. Agréguele las lentejas restantes, el perejil, el cilantro y el pan rallado, y remuévala. Divida la mezcla en 10 porciones.
3 Moldee las porciones en forma de hamburguesas redondas. (Si la mezcla resulta demasiado blanda, refrigérela 15 minutos.) Enharine las hamburguesas, sacúdalas para que suelten el exceso de harina y colóquelas sobre una plancha o barbacoa ligeramente engrasada. Áselas durante de 3 a 4 minutos por cada lado, hasta dorarlas.
4 **Para la crema de ajo y cilantro:** Mezcle la crema agria, la crema de leche, el ajo y las especias en un bol y revuélvalo todo bien.
NOTA: Prepare las hamburguesas hasta con 2 días de antelación y guárdelas, tapadas, en el frigorífico. La crema puede hacerla hasta 3 días antes, guardarla en un recipiente cerrado y refrigerarla. Fría las hamburguesas en una sartén con aceite en lugar de asarlas, si lo prefiere.

CILANTRO
La planta del cilantro (*Coriandrum sativum*) resulta muy práctica, por ser toda ella comestible. En la cocina tailandesa se utilizan las hojas, los tallos y las raíces; en México, las hojas, y en Oriente Medio, las semillas secas, ya sean enteras o molidas.

ARRIBA: Hamburguesas de garbanzos y lentejas con crema de ajo y cilantro

TARTA FILO CON RISOTTO

Tiempo de preparación: 45 minutos
Tiempo total de cocción: 1 hora y 45 minutos
Para 8 personas

2 pimientos rojos grandes

Risotto

1 taza (250 ml) de vino blanco
4 tazas (1 litro) de caldo vegetal
2 cucharadas de aceite
1 diente de ajo majado
1 puerro en rodajas
1 bulbo de hinojo en rodajas finas
2 tazas (440 g) de arroz arborio
60 g de queso parmesano recién rallado
10 láminas de pasta filo
1/4 taza (60 ml) de aceite de oliva
500 g de espinacas blanqueadas
250 g de queso feta en lonchas
1 cucharada de semillas de sésamo

1 Corte los pimientos longitudinalmente por la mitad, extráigales las semillas y las membranas y córtelos en trozos grandes y más bien planos. Áselos a la parrilla hasta que la piel ennegrezca y forme ampollas. Colóquelos sobre una tabla de trinchar, cúbralos con un paño de cocina y déjelos enfriar. Pélelos y corte la pulpa en trocitos.
2 Para el risotto: Ponga a hervir el caldo y el vino en una olla grande y baje el fuego.
3 En una olla grande de fondo pesado con aceite y ajo, fría el puerro y el hinojo unos 5 minutos a fuego medio, hasta que empiecen a dorarse. Añada el arroz y remuévalo 3 minutos hasta que se vuelva translúcido.
4 Vierta 1 taza de la mezcla del caldo en el arroz y remueva constantemente hasta que éste embeba todo el líquido. Continúe añadiendo 1/2 taza cada vez, sin dejar de remover, hasta que no quede más caldo y el arroz esté tierno; en total, unos 40 minutos. Vigile que el líquido no se enfríe, ya que, de lo contrario, el risotto se volvería pegajoso. Retírelo del fuego, agregue el queso parmesano y salpimiente. Déjelo enfriar.
5 Unte todas las láminas de pasta filo con aceite y dóblelas por la mitad a lo largo. Colóquelas superpuestas como si fueran los radios de una rueda, en un molde redondo desmontable de 23 cm, de modo que sobresalga una parte de la pasta por los laterales.
6 Vierta la mitad del risotto sobre la pasta y esparza la mitad de los pimientos rojos, de las espinacas y del queso feta por encima. Repita la operación con el resto de los ingredientes.
7 Doble la pasta sobre el relleno, úntela con un poco de aceite y esparza las semillas de sésamo por encima. Deje la tarta en el horno unos 50 minutos o hasta que la pasta esté crujiente y dorada y el relleno bien caliente.

ENSALADA DE LENTEJAS MEDITERRÁNEA

Tiempo de preparación: 20 minutos
+ 4 horas de refrigeración
Tiempo total de cocción: 20 minutos
Para 4–6 personas

1 pimiento rojo grande
1 pimiento amarillo grande
1 taza (250 g) de lentejas rojas
1 cebolla roja picada fina
1 pepino picado

Aliño

1/3 taza de aceite de oliva
2 cucharadas de zumo de limón
1 cucharadita de comino molido
2 dientes de ajo majados
sal y pimienta

1 Corte los pimientos longitudinalmente por la mitad, extráigales las semillas y las membranas y córtelos en trozos grandes y más bien planos. Áselos a la parrilla hasta que la piel ennegrezca y forme ampollas. Colóquelos sobre una tabla de trinchar, cúbralos con un paño de cocina y déjelos enfriar. Pélelos y corte la pulpa en tiras de 1/2 cm.
2 Cueza las lentejas en agua hirviendo unos 10 minutos o hasta que estén tiernas; no las cueza demasiado porque se reblandecerían. Escúrralas.
3 Mezcle los pimientos, las lentejas, la cebolla y el pepino en un bol, y revuélvalo todo bien.
4 Para el aliño: Vierta el aceite de oliva, el zumo de limón, el comino, el ajo, la sal y la pimienta en un bol pequeño y bátalo bien.
5 Rocíe la ensalada con el aliño, remuévala, cúbrala y déjela en el frigorífico unas 4 horas. Manténgala cierto tiempo a temperatura ambiente antes de pasar a servirla.

ARROZ PARA RISOTTO
El arroz arborio es un tipo de arroz de grano corto de origen italiano que empezó a cultivarse en el Valle del Po, en la región del Piamonte. Puede adquirirse en establecimientos especializados y algunos supermercados. Si lo sustituye por otro tipo de arroz de grano corto, el resultado no será nunca comparable a un risotto cocinado con arroz arborio, pues éste aporta al plato una textura mucho más rica y cremosa.

PÁGINA SIGUIENTE: Tarta filo con risotto (superior); ensalada de lentejas mediterránea

ARROZ INTEGRAL

El arroz integral posee una mayor cantidad de vitaminas y minerales que el arroz blanco, por el mero hecho de conservar intacta la capa de salvado. Para que no pierda ninguno de sus componentes nutritivos, es preferible cocer el arroz (ya sea blanco o integral) mediante el proceso de absorción, ya que la mayoría de las vitaminas que contiene son solubles en agua y desaparecen al escurrir el arroz.

ARRIBA: Tarta de arroz integral con tomate natural

TARTA DE ARROZ INTEGRAL CON TOMATE NATURAL

Tiempo de preparación: 25 minutos
Tiempo total de cocción: unas 2 horas
Para 6 personas

Pasta de arroz

1 taza (200 g) de arroz integral
1/2 taza (60 g) de queso cheddar rallado
1 huevo ligeramente batido

Relleno de tomate natural

6 tomates de pera, cortados por la mitad
6 dientes de ajo sin pelar
1 cucharada de aceite de oliva
pimienta negra recién molida
8 ramitas de tomillo al limón fresco
50 g de queso de cabra, desmenuzado
3 huevos ligeramente batidos
1/4 taza (60 ml) de leche

1 Para la pasta de arroz: Cueza el arroz en abundante agua hirviendo de 35 a 40 minutos o hasta que esté tierno; escúrralo y déjelo enfriar. Ponga el horno a calentar a 200°C. Mezcle el arroz, el queso y el huevo en un bol mediano y bátalo todo bien. Extienda la masa resultante sobre el fondo y los laterales de un molde para tartas de 25 cm ligeramente engrasado y hornéela durante 15 minutos.

2 Para el relleno de tomate natural: Coloque los tomates, con la parte cortada para arriba, junto con el ajo, en una fuente de horno antiadherente; úntelos con un poco de aceite y espolvoréelos con pimienta. Téngalos en el horno 30 minutos, retírelos y déjelos enfriar. Pele los dientes de ajo.

3 Reduzca la temperatura del horno a 180°C. Disponga las mitades de tomate, el ajo, el tomillo de limón y el queso de cabra sobre la base de arroz.

4 Vierta los huevos batidos junto con la leche en un bol y bátalos para ligar la mezcla; nape con ella los tomates e introdúzcalos en el horno; téngalos 1 hora o hasta que la mezcla cuaje.

NOTA: El queso de cabra, también llamado chèvre, puede adquirirse en la sección de charcutería de los supermercados, o bien en establecimientos especializados. Posee un aroma intenso y hay quien requiere cierto tiempo para acostumbrarse a su sabor. Se ablanda bastante al cocerlo, pero no llega a derretirse por completo. Si lo prefiere, puede sustituirlo por el queso de origen griego feta.

HUMMUS DE REMOLACHA

Tiempo de preparación: 25 minutos
+ toda la noche en remojo
Tiempo total de cocción: 1 hora y 15 minutos
Para 8 personas

250 g de garbanzos secos
1 cebolla grande picada
500 g de remolacha
1/2 taza (125 ml) de tahini
(pasta de semillas de sésamo)
3 dientes de ajo majados
1/4 taza (60 ml) de zumo de limón
1 cucharada de comino molido
1/4 taza (60 ml) de aceite de oliva

1 Vierta los garbanzos en un bol grande, sumérjalos en agua fría y téngalos a remojo toda la noche. Escúrralos.
2 Ponga a hervir los garbanzos junto con la cebolla en una olla grande de fondo pesado, y cúbralos con agua. Cuézalos 1 hora hasta que estén muy blandos. Escúrralos, reservando 1 taza del líquido de la cocción, y déjelos enfriar.
3 Cueza la remolacha en una olla grande con agua hirviendo, hasta que esté tierna. Escúrrala y déjela enfriar un poco antes de pelarla.
4 Trocee la remolacha y viértala en la picadora. Añada los garbanzos con cebolla, la tahini, el ajo, el zumo de limón y el comino; píquelo todo bien fino. Vierta lentamente el líquido reservado y aceite de oliva con la picadora en marcha; continúe hasta ligar bien la mezcla. Tírele unas gotitas de aceite de oliva y sírvala con pan libanés.

FRÍJOLES CON CHILE TEX MEX

Tiempo de preparación: 20 minutos
Tiempo total de cocción: 25 minutos
Para 4 personas

1 cucharada de aceite
2 dientes de ajo majados
2 guindillas rojas pequeñas frescas, picaditas
1 cebolla picada fina
1 pimiento verde picado
440 g de fríjoles en lata, escurridos y aclarados
440 g de tomates en lata, pelados
1/2 taza (125 g) de preparado de salsa de tomate
1 cucharadita de azúcar moreno

1 En una cacerola de fondo pesado con aceite, fría el ajo, las guindillas y la cebolla 3 minutos a fuego medio, hasta que se dore la cebolla.
2 Añada el pimiento verde, los fríjoles sin escurrir, los tomates triturados, la salsa y el azúcar. Llévelo todo a ebullición, baje el fuego y déjelo cocer lentamente durante 15 minutos o hasta que la salsa espese. Los fríjoles con chile pueden servirse con crema agria, guacamole (vea la página 72) y fritos de maíz.
NOTA: Se dice que los fríjoles aparecieron en México hace aproximadamente 5.000 años. Este tipo de judías contiene fibra dietética, hierro, potasio y varias vitaminas B. Si lo desea, puede sustituir los fríjoles por garbanzos en conserva, escurridos y aclarados.

GARBANZOS
Los garbanzos contienen fibra dietética, proteínas, hierro, vitamina B1 y potasio. Es preciso tenerlos a remojo toda una noche antes de cocerlos. Pero si utiliza garbanzos en conserva, se ahorrará ponerlos a remojo y reducirá notablemente el tiempo de cocción.

A LA IZQUIERDA: Hummus de remolacha
ARRIBA: Fríjoles con chile Tex Mex

SOJA

La soja, de alto valor nutritivo, contiene proteínas vegetales importantes, así como grasas y fibra dietética. Constituye uno de los cultivos más importantes y antiguos del mundo, y de ella se obtienen tanto la leche de soja como el tofu. De color normalmente cremoso, aunque con variantes roja y negra, puede usarse en forma de brotes para añadir un elemento crujiente a las ensaladas, bocadillos y salteados.

ARRIBA: Hamburguesas de soja, sésamo y almendras

HAMBURGUESAS DE SOJA, SÉSAMO Y ALMENDRAS

Tiempo de preparación: 20 minutos
Tiempo total de cocción: 3 horas y 40 minutos + toda la noche en remojo
Para 10 unidades

1 taza (60 g) de soja seca
125 g de almendras ahumadas
1 cebolla picada
1 zanahoria rallada
1 cucharada de salsa tamari
3 cucharadas de copos de avena
1 huevo ligeramente batido
3 cucharadas de harina de garbanzos (besan)
1 cucharadita de comino molido
1 cucharadita de cilantro molido
3 cucharadas de semillas de sésamo
aceite, para freír

1 Ponga la soja a remojo en agua fría toda la noche; aclárela y escúrrala bien.
2 Vierta la soja en una olla grande de fondo pesado, cúbrala con agua y llévela a ebullición. Baje el fuego y déjela cocer 3 horas o hasta que esté tierna. Aclárela y escúrrala.
3 Vierta la soja, las almendras, la cebolla, la zanahoria y la salsa tamari en la picadora y tritúrelo todo durante 2 minutos, dejándolo con una textura más bien gruesa. Páselo a un bol y añádale la avena, el huevo, la harina de garbanzos, el comino, el cilantro y las semillas de sésamo; remuévalo todo para mezclarlo bien.
4 Forme con la mezcla 10 hamburguesas iguales. En una sartén grande con aceite, fríalas a fuego medio unos 5 minutos por cada lado, o hasta que estén doradas y bien calientes. Saben deliciosas servidas con salsa picante a base de yogur y ciruela o bien, con ensalada y un panecillo tostado.
NOTA: Si no dispone de mucho tiempo, utilice soja en conserva en lugar de seca (2½ tazas/ 160 g). La tamari es una salsa de soja densa que, a diferencia de la tradicional, se elabora sin trigo.

PURÉ RÁPIDO DE JUDÍAS

ACLARE Y ESCURRA 800 g de judías cannellino en lata. Colóquelas en el recipiente de la picadora junto con un diente de ajo majado y una cucharadita de romero fresco picado. Píquelo brevemente para mezclar los ingredientes y, con el motor todavía en marcha, vierta lentamente 3 cucharadas de aceite de oliva. Una vez añadido todo el aceite, sazónelo con sal y pimienta y sírvalo a temperatura ambiente como salsa para mojar fritos de maíz o pan pita tostado. También puede calentar el puré y servirlo como acompañamiento de hortalizas asadas. Para 4 personas.

CEREALES DE MIJO INFLADO

Tiempo de preparación: 5 minutos
Tiempo total de cocción: 15–20 minutos
Para unos 780 g

☆

175 g de mijo inflado
350 g de frutos secos variados
90 g de salvado natural sin tratar
60 g de coco en copos
1/2 taza (175 g) de miel

1 Ponga el horno a calentar a 180°C. Mezcle el mijo inflado con los frutos secos, el salvado y el coco en un bol grande.

2 Caliente la miel en un cazo a fuego lento, viértala sobre la mezcla de mijo y remueva.
3 Vierta la mezcla en dos recipientes resistentes al calor y hornéela unos 15 minutos, revolviendo los cereales de vez en cuando durante la cocción.
NOTA: Puede adquirir el mijo inflado en establecimientos de productos naturales. De todos modos, si no lo encuentra, puede sustituirlo por maíz inflado.

El mijo está especialmente indicado para personas alérgicas al trigo, puesto que no contiene gluten. Posee, asimismo, más proteínas y vitamina B que el trigo. Guarde siempre los cereales en recipientes herméticos y en sitios frescos y oscuros. Caliente la miel antes de añadirla a los cereales, para que le resulte más fácil mezclarla.

MUESLI CRUJIENTE

Tiempo de preparación: 20 minutos
Tiempo total de cocción: 25 minutos
Para 1 kg

500 g de copos de avena
125 g de salvado
1 taza (150 g) de pistachos, sin cáscara y troceados
1 taza (160 g) de macadamias troceadas
1 taza (100 g) de nueces pacanas troceadas
125 g de manzana seca picada
125 g de albaricoques secos picados
1/2 taza (125 ml) de jarabe de arce
1 cucharadita de esencia de vainilla

1 Ponga a calentar el horno a 180°C. Vierta los copos de avena, el salvado, los pistachos, las macadamias, las pacanas y la fruta seca en un bol, y mézclelo todo bien.
2 Vierta el jarabe de arce y la vainilla en un cazo y cuézalo a fuego lento durante 3 minutos o hasta que el jarabe se vuelva líquido.
3 Viértalo sobre la mezcla de cereales y remuévalo a fin de cubrirlos. Reparta la mezcla en dos recipientes resistentes al calor y hornéela unos 20 minutos, removiéndola con frecuencia, hasta que el muesli se dore ligeramente. Déjela enfriar antes de pasarla a un recipiente hermético.
NOTA: La avena constituye una buena fuente de proteínas, vitaminas B, calcio y fibra. Es uno de los pocos cereales que mantiene intactos el salvado y el germen tras su elaboración.

MIJO
El mijo es el cereal con el mayor contenido en proteínas y hierro. Puede adquirirse en una gran variedad de formas—en grano, en copos o hecho harina—y no contiene gluten. Con la harina de mijo se elaboran los panes más bien planos y con el grano se cocinan sabrosos pilafs y hamburguesas. Las personas alérgicas al gluten pueden utilizar los copos de mijo para prepararse un cremoso desayuno al estilo de las gachas de avena.

ARRIBA: Cereales de mijo inflado
ABAJO: Muesli crujiente

MOUSSAKA DE JUDÍAS

Tiempo de preparación: 45 minutos + toda la noche a remojo
Tiempo total de cocción: 2 1/4–2 1/2 horas
Para 6 personas

250 g de judías secas borlotto
2 berenjenas grandes en rodajas
1/3 taza (80 ml) de aceite de oliva
1 diente de ajo majado
1 cebolla picada
125 g de champiñones botón, en laminitas
900 g de tomates pelados y picados
1 taza (250 ml) de vino tinto
1 cucharada de concentrado de tomate
1 cucharada de orégano fresco picado

Cobertura

1 taza (250 g) de yogur natural
4 huevos ligeramente batidos
2 tazas (500 ml) de leche
1/4 cucharadita de pimentón
1/2 taza (50 g) de queso parmesano recién rallado
1/2 taza (40 g) de pan recién rallado

1 Ponga las judías a remojo en agua fría toda la noche; aclárelas y escúrralas bien.
2 Vierta las judías en una olla grande de fondo pesado, cúbralas con agua y llévelas a ebullición. Baje el fuego y déjelas cocer lentamente durante 1 1/2 horas o hasta que estén tiernas; escúrralas.
3 Mientras tanto, sale las berenjenas y déjelas reposar unos 30 minutos. Aclárelas y séquelas. Úntelas con un poco de aceite y áselas bajo el grill precalentado durante 3 minutos por cada lado hasta que se doren. Escúrralas sobre papel de cocina.
4 Ponga a calentar el horno a 200°C. En una cacerola grande de fondo pesado con el aceite restante, fría el ajo y la cebolla a fuego medio durante 3 minutos o hasta que la cebolla se dore. Añada las setas y fríalas 3 minutos hasta dorarlas. Vierta los tomates, el vino, el concentrado de tomate y el orégano; llévelo todo a ebullición, baje el fuego y déjelo cocer lentamente unos 40 minutos hasta que la salsa espese.
5 Para confeccionar la moussaka: Vierta las judías en una fuente de horno, nápelas con la salsa de tomate y cubra ésta con la berenjena.
6 Para la cobertura: Mezcle el yogur, los huevos, la leche y el pimentón en una jarra y bátalo todo bien; viértalo sobre la berenjena y déjelo aparte unos 10 minutos. Mezcle el pan rallado con el parmesano en un bol y espárzalo luego sobre la moussaka. Hornéela entre 45 y 60 minutos a fin de calentarla y dorarla por encima.

JUDÍAS BORLOTTO
De color marrón y salpicadas de manchas rojas, este tipo de judías se conoce también con el nombre de judías frambuesa o romanas. De sabor parecido al de las nueces y una textura más bien cremosa, las judías borlotto frescas presentan una vaina de color borgoña con manchas, y pueden adquirirse durante las estaciones de primavera y verano.

ARRIBA: Moussaka de judías

JUDÍAS LIMA BRASEADAS CON PUERROS Y PERAS

Tiempo de preparación: 30 minutos + toda la noche a remojo
Tiempo total de cocción: 1 1/2 horas
Para 4 personas

250 g de judías lima grandes
2 cucharadas de aceite
2 dientes de ajo majados
2 puerros en rodajas
1 cucharadita de azúcar moreno
2 peras, peladas y cortadas en rodajas gruesas
2 tomates medianos, pelados, sin semillas y cortados en dados
1 cucharadita de semillas de hinojo
1 taza (250 ml) de vino blanco
2 cucharadas de vinagre de vino blanco
155 g de espárragos, cortados en trozos de 4 cm
8 hojitas de salvia
sal y pimienta
2 cucharadas de piñones tostados

1 Ponga las judías a remojo en agua fría toda la noche; aclárelas y escúrralas bien.
2 Vierta las judías en una olla de fondo pesado, cúbralas con agua y llévelas a ebullición. Baje el fuego y déjelas cocer 1 hora; escúrralas.
3 En una sartén grande antiadherente con aceite, fría el ajo, los puerros y el azúcar moreno a fuego medio durante 10 minutos, o hasta que los puerros empiecen a caramelizarse.
4 Añada las peras, los tomates, las semillas de hinojo, el vino y el vinagre de vino blanco; cuézalo unos 10 minutos a fuego lento hasta que el líquido se haya reducido en una cuarta parte.
5 Agregue las judías, los espárragos y la salvia, y salpimiente. Déjelo cocer 5 minutos hasta que los espárragos estén tiernos. Esparza los piñones tostados por encima y sírvalo.

NOTA: Las judías lima provienen del Perú y es por ello que su nombre se identifica con el de la capital del país. De sabor ligeramente mantecoso y textura cremosa, estas judías se presentan en dos tamaños: las grandes, que son blancas, y las pequeñas, que pueden ser blancas o verdes.

Para tostar los piñones, espárzalos sobre una bandeja y déjelos en el horno unos 5 minutos a 180°C, hasta que se doren.

PASTEL DE POLENTA Y GUINDILLA

Tiempo de preparación: 25 minutos
Tiempo total de cocción: 25–30 minutos
Para un pastel de 20 cm

1 1/3 tazas (165 g) de harina
1 1/2 cucharaditas de levadura
1 cucharadita de sal
1 1/4 tazas (185 g) de polenta (harina de maíz)
1 taza (125 g) de queso cheddar rallado
1 taza (250 g) de yogur natural
1/2 taza (125 ml) de leche
2 huevos
1/2 taza (80 g) de pimiento rojo picado
2 cucharaditas de guindilla fresca picada
60 g de mantequilla sin sal

1 Ponga el horno a calentar a 200°C. Tamice la harina, la levadura y la sal en un cuenco y mézclelas con la polenta y el queso. En un bol aparte, bata el yogur, la leche, los huevos, el pimiento y la guindilla. Derrita la mantequilla en una sartén de 20 cm y añádala a la mezcla de yogur; mezcle ésta con los ingredientes secos.
2 Viértalo todo en la sartén y hornéelo de 25 a 30 minutos o hasta que al insertar una brocheta en el pastel, ésta salga limpia.

ABAJO: Pastel de polenta y guindilla

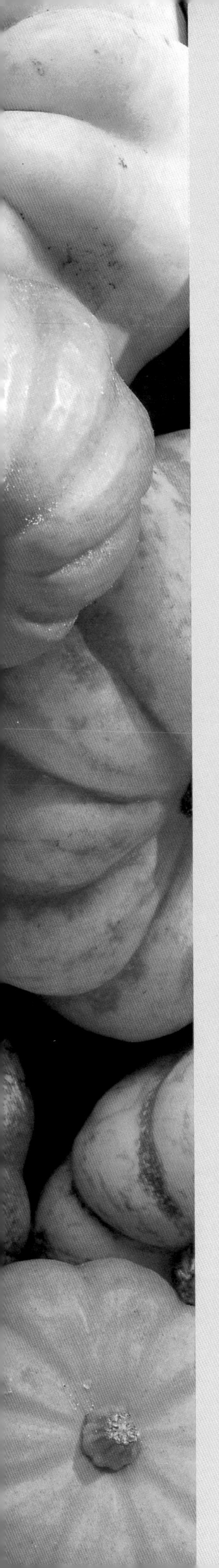

POTAJES Y GRATINADOS

Este tipo de comidas de plato único renuevan el concepto de "potaje". Sea cual sea la cantidad de ingredientes distintos que se empleen en la elaboración de estas sabrosas recetas, el producto final resulta siempre mucho más delicioso que la suma de sus partes. Enteramente satisfactorios por sí solos, o acompañados de una barra de pan cocida en casa, estos platos no dejan nada más que desear—a no ser la compañía de unos cuantos amigos para compartirlos.

FETTUCINE GRATINADOS

Tiempo de preparación: 20 minutos
Tiempo total de cocción: 25 minutos
Para 4 personas

500 g de fettucine a las espinacas
60 g de mantequilla o margarina
1 cebolla picada muy fina
300 g de crema agria
1 taza (250 ml) de crema de leche
1/4 cucharadita de nuez moscada molida
1/2 taza (50 g) de queso parmesano recién rallado
sal y pimienta negra recién molida, al gusto
1 taza (150 g) de queso mozzarella recién rallado

1 Ponga el horno a calentar a 180°C. Vierta los fettucine en una olla grande con agua hirviendo y cuézalos hasta que estén en su punto. Escúrralos y resérvelos. Mientras cuece la pasta, derrita la mantequilla en una cazuela grande y fría en ella la cebolla picada a fuego lento, removiendo constantemente hasta que esté tierna. Agregue a la cazuela los fettucine escurridos.

2 Vierta también la crema agria y remuévalo todo con la ayuda de una cuchara y un tenedor. Déjelo cocer a fuego lento, sin dejar de remover, hasta que la pasta esté bien napada con la crema.

3 Añada la crema de leche, la nuez moscada, la mitad del parmesano, sal y pimienta, y remueva. Viértalo todo en una fuente engrasada, esparza el resto del parmesano y la mozzarella por encima y hornéelo durante 15 minutos o hasta que el queso se derrita y se dore.

NOTA: Puede variar esta receta utilizando fettucine al natural o añadiéndole especias como albahaca, perejil o tomillo. Incluya también zanahoria rallada y, si le gusta el ajo, agregue uno o dos dientes antes de que la cebolla acabe de cocerse.

POTAJE DE HORTALIZAS

FRÍA UNA cebolla picada en una olla mediana hasta que esté tierna. Añádale 2 calabacines también picados, 100 g de champiñones botón en láminas y 1 pimiento rojo picado. Agregue 400 g de tomates triturados en lata y un chorrito de vinagre balsámico; tape la olla y cuézalo todo 10 minutos a fuego medio, hasta que las hortalizas estén tiernas. Destape y cuézalas 5 minutos más o hasta que la mezcla se espese un poco. Sazónelas y sírvalas sobre un lecho de pasta o arroz. Para 4 personas.

Variante: Mezcle el potaje con 2 tazas (350 g) de pasta cocida, tipo espirales o penne, y viértalo todo en una fuente. Espolvoree con una mezcla de queso y pan rallados, y hornéelo a 210°C durante 10 minutos o hasta que esté bien dorado.

ARRIBA: Fettucine gratinados

PESTO

El pesto genovés es la salsa de pesto clásica, elaborada a base de hojas de albahaca, piñones, queso parmesano recién rallado, dientes de ajo, aceite de oliva, sal y pimienta. Todas las salsas de pesto suelen tener un sabor muy intenso y es por ello que deben emplearse con moderación, a fin de completar más que cubrir los alimentos a los que acompañan. En italiano, la palabra *pesto* significa "molido": el método tradicional de elaboración de esta salsa consiste en majar todos los ingredientes en el mortero.

GRATINADO DE ZANAHORIA AL PESTO

Tiempo de preparación: 45 minutos
+ 30 minutos en reposo
Tiempo total de cocción: 55 minutos
Para 4 personas

50 g de mantequilla
1/2 taza (60 g) de harina
3 tazas (750 ml) de leche
2/3 taza (160 g) de crema agria ligera
1 cucharadita de pimienta negra molida
100 g de queso cheddar rallado
4 huevos ligeramente batidos
2 cucharadas de salsa pesto preparada
750 g de zanahorias, peladas y ralladas
250 g de láminas de lasaña instantáneas
50 g de queso cheddar rallado, adicional

1 Unte una fuente de horno de 30 x 20 cm con aceite o mantequilla fundida. En una cazuela con mantequilla, vierta la harina y remueva a fuego lento hasta que la mezcla empiece a dorarse y burbujee. Gradualmente añada la leche junto con la crema agria y la pimienta, removiendo después de cada adición a fin de dejar la mezcla bien fina. Continúe removiendo otros 5 minutos a fuego medio, o hasta que la mezcla hierva y espese. Déjela hervir un minuto y retírela del fuego; vierta el queso y déjela enfriar. Agregue el huevo batido lentamente sin dejar de remover.

2 Vierta un tercio de la salsa en otro bol para elaborar la cobertura; resérvela. Añada el pesto y la zanahoria rallada a la salsa restante y remueva.

3 Precaliente el horno a 150°C. Vaya alternando capas de la mezcla de zanahoria con láminas de lasaña, empezando por la zanahoria, en la fuente ya engrasada. Extienda tres capas de cada y termine con una de lasaña. Esparza la salsa reservada por encima y espolvoréela con el queso adicional. Deje reposar la lasaña 15 minutos antes de gratinarla, para que la pasta se ablande. Hornéela 40 minutos, hasta que la salsa cuaje y se dore.

4 Retírela del horno, cúbrala y déjela reposar 15 minutos antes de servir—así resultará más fácil cortarla. Sírvala con ensalada verde fresca.

GRATINADO DE CALABAZA

PRECALIENTE el horno a 200°C. Ralle 400 g de calabaza vinatera y espárzala sobre una fuente de horno pequeña y plana. Vierta 1 taza (250 ml) de crema de leche por encima y remuévalo todo. En un bol mezcle 1/2 taza (40 g) de pan recién rallado, 4 cucharadas de queso muy rallado y 1/2 cucharadita de nuez moscada. Espolvoree esta mezcla sobre la calabaza napada con la crema y hornéelo todo 20 minutos. Para 4.

ARRIBA: Gratinado de calabaza al pesto

POTAJE HÚNGARO

Tiempo de preparación: 30 minutos
Tiempo total de cocción: 30 minutos
Para 4–6 personas

4 patatas grandes
1 cucharada de aceite de oliva
30 g de mantequilla
1 cebolla mediana picada
1 pimiento rojo y 1 amarillo, picados gruesos
440 g de tomates en lata picados
1 taza (250 ml) de caldo vegetal
2 cucharaditas de semillas de alcaravea
2 cucharaditas de pimentón
sal y pimienta negra recién molida

Costrones crujientes

1 taza (250 ml) de aceite
4 rebanadas de pan blanco sin corteza y cortadas en daditos

1 Monde las patatas, córtelas en trozos y fríalas a fuego medio con aceite y mantequilla en una olla grande de fondo pesado. Remuévalas con frecuencia, hasta que los bordes queden crujientes.
2 Añada la cebolla y los pimientos y fríalos 5 minutos. Agregue los tomates con su jugo, el caldo vegetal, las semillas de alcaravea y el pimentón; salpimiente al gusto. Déjelo cocer todo, sin tapar, durante 10 minutos o hasta que las patatas estén tiernas. Sírvalas con crostones.
3 Para los crostones: En una sartén con aceite, fría los crostones a fuego medio durante 2 minutos, removiéndolos a menudo, hasta que estén bien dorados y crujientes. Escúrralos sobre papel de cocina.

GRATINADO MEXICANO

Tiempo de preparación: 25 minutos
Tiempo total de cocción: 30 minutos
Para 4–6 personas

2 cucharadas de aceite
2 cebollas rojas picadas
2 dientes de ajo majados
6 tomates maduros, pelados y picados
1 pimiento verde, sin semillas y picado
1 cucharada de vinagre de vino tinto
1 cucharadita de azúcar
1/2 cucharadita de guindilla en polvo
375 g de maíz en grano de lata, escurrido
125 g de fritos de maíz al natural
1 1/4 tazas (155 g) de queso cheddar rallado
1 taza (250 g) de crema agria

1 Ponga a calentar el horno a 160°C. En una olla mediana con aceite, fría las cebollas y el ajo unos 3 minutos a fuego medio. Añada los toma-

A LA DERECHA: Potaje húngaro

tes, el pimiento, el vinagre, el azúcar y la guindilla. Cuézalo de 6 a 7 minutos, sin tapar, hasta que los tomates se ablanden y el líquido se evapore. Añada el maíz y revuelva 3 minutos.
2 Alterne capas de fritos de maíz, salsa y queso en una fuente. Termine con una capa de queso.
3 Extienda la crema agria por encima y hornéelo todo, sin cubrir, durante 15 minutos. Esparza cebollino picado por encima.

GRATINADO DE HORTALIZAS DE INVIERNO

Tiempo de preparación: 15 minutos
Tiempo total de cocción: 40 minutos
Para 4 personas

2 patatas medianas
1 chirivía mediana
200 g de calabaza
30 g de mantequilla
1 cucharada de harina
1 1/2 tazas (375 ml) de leche
1/2 cucharadita de nuez moscada molida
sal y pimienta negra recién molida, al gusto

Cobertura crujiente

1 taza (80 g) de pan recién rallado
100 g de anacardos tostados, picados gruesos
30 g de mantequilla

1 Pele las patatas, la chirivía y la calabaza; corte esta última en trozos más bien grandes, y la patata y la chirivía, en trozos más pequeños. Cuézalas 8 minutos en una olla grande con agua hirviendo hasta que estén tiernas. Escúrralas y dispóngalas luego en una fuente de horno grande y honda.
2 Derrita la mantequilla en un cazo a fuego lento, añada la harina y remueva durante 1 minuto. Retire el cazo del fuego y vierta en él la leche de forma gradual. Vuelva a ponerlo al fuego y lleve la salsa a ebullición; no deje de remover hasta que espese y hiérvala otro minuto. Sazónela con la nuez moscada, la sal y la pimienta y nape con ella las hortalizas. Caliente el horno a 180°C.
3 **Para la cobertura crujiente:** Mezcle el pan rallado con los anacardos y espárzalos sobre las hortalizas. Reparta daditos de mantequilla por encima y hornéelo 30 minutos hasta dorar la superficie. Decórelo con mastuerzo, si lo desea.

COCINA MEXICANA
Cuando los españoles conquistaron México hace más de 400 años, no tan sólo hallaron oro en aquellas tierras, sino también maíz, alubias, guindillas, tomates, aguacates, patatas, calabaza, calabacines y todo un surtido de frutas y especias nuevas—como la piña, las papayas, los cacahuetes, el cacao y la vainilla. El grado de sofisticación y condimentación de los platos indígenas, tanto aztecas como mayas, incitó a los chefs europeos a probarlos. Es gracias a ellos que hoy en día disfrutamos de la cocina mexicana en cualquier lugar del mundo.

ARRIBA: Gratinado mexicano
A LA IZQUIERDA: Gratinado de hortalizas de invierno

HOJAS DE LAUREL

El laurel (*Laurus nobilis*) es un arbusto de hoja perenne, autóctono del Mediterráneo, cuya historia se remonta hasta la Antigüedad. Ya en la Grecia clásica se condecoraba a los ganadores de los Juegos Olímpicos, a los poetas y a los héroes con coronas de laurel. Las hojas de este arbusto poseen un aroma exquisito que puede intensificarse con más cantidad o mayor tiempo de cocción. Un buen método para eliminar los olores de la cocina consiste en quemar algunas hojas sobre un platito o una bandeja de horno.

ARRIBA: Pastel de patata

PASTEL DE PATATA

Tiempo de preparación: 20 minutos
Tiempo total de cocción: 1 hora y 5 minutos
Para 4–6 personas

8 patatas medianas
30 g de mantequilla
2 cucharadas de aceite de oliva
1 diente de ajo majado
1/2 cucharadita de pimienta molida
2 tazas (200 g) de pan seco rallado
1 taza (125 g) de queso cheddar rallado
1/2 taza (50 g) de parmesano recién rallado

1 Precaliente el horno a 180°C. Unte con mantequilla fundida un molde hondo y desmontable de 20 cm y forre la base y las paredes con papel encerado. Pele las patatas y córtelas finas.
2 Fría el ajo junto con la pimienta en aceite y mantequilla. Coloque rodajas de patata superpuestas en el fondo del molde y úntelas con la mezcla de mantequilla. Espolvoree con una parte del pan rallado y los quesos. Siga haciendo capas, hasta terminar con una de queso. Prense el pastel con firmeza y hornéelo durante 1 hora.

CANELONES DE ESPINACAS Y QUESO GRATINADOS

Tiempo de preparación: 40 minutos
Tiempo total de cocción: 1 hora y 20 minutos
Para 4 personas

Salsa de tomate
2 cucharadas de aceite de oliva
1 cebolla grande muy picada
2 dientes de ajo picados muy finos
1,2 kg de tomates en lata, picados gruesos
2 ramitas de romero fresco
2 hojas de laurel
2 cucharadas de concentrado de tomate
sal y pimienta

500 g de espinacas
150 g de queso feta, desmenuzado
150 g de queso ricotta
1/2 taza (50 g) de queso parmesano recién rallado
2 cucharadas de hojas de menta frescas picadas finas
2 huevos ligeramente batidos
2 cucharadas de piñones tostados
sal y pimienta
16 canelones ya enrollados instantáneos
200 g de queso mozzarella rallado fino

1 Para la salsa de tomate: En una cacerola grande con aceite, fría las cebollas y el ajo a fuego medio hasta que las primeras estén tiernas. Añada los tomates, las hierbas y el concentrado de tomate, y remuévalo todo bien. Póngalo a hervir, baje el fuego y déjelo cocer lentamente unos 25 ó 30 minutos a fin de que la salsa espese. Sazónela al gusto y deseche las hojas de laurel y el romero.
2 Ponga el horno a calentar a 200°C. Lave las espinacas, córteles el tallo y cuézalas al vapor o en el microondas hasta que estén algo marchitas. Escúrralas bien, píquelas gruesas y mézclelas con los quesos, la menta, los huevos batidos, los piñones, la sal y la pimienta; remuévalo todo bien y rellene con ello los canelones mediante un cuchillo o una cucharilla.
3 Extienda una parte de la salsa de tomate sobre el fondo de una fuente de horno grande, disponga los canelones y cúbralos con el resto del tomate y la mozzarella. Hornéelos de 30 a 40 minutos hasta que estén tiernos y la superficie dorada.

LASAÑA DE HORTALIZAS AL HORNO

Tiempo de preparación: 50 minutos
Tiempo total de cocción: 1 hora
Para 6 personas

Marinada

1/ 2 taza (125 ml) de aceite de oliva
2 cucharadas de vinagre de vino tinto
1 cucharada de alcaparras picadas finas
1 cucharada de perejil picado fino
1 diente de ajo picado fino
1 cucharadita de concentrado de tomate
sal y pimienta

1 pimiento rojo
1 berenjena grande, cortada en rodajas longitudinales, saladas, aclaradas y escurridas
2 calabacines grandes, cortados longitudinalmente en rodajas finas
400 g de boniato pelado y cortado en rodajas finas a lo largo
6 tomates de pera, cortados en cuartos
375 g de láminas de lasaña frescas
1/3 taza (90 g) de pesto de primera calidad
300 g de queso bocconcini en rodajas finas
aceite de oliva
1 taza (100 g) de queso parmesano rallado

1 Ponga el horno a calentar a 200°C. Mezcle los ingredientes de la marinada en un bol y bátalos.
2 Corte el pimiento rojo por la mitad a lo largo. extráigale las semillas y la membrana y córtelo en trozos más bien grandes y planos. Áselos a la parrilla hasta que la piel ennegrezca y forme ampollas. Páselos a una tabla de trinchar, cúbralos con un paño y déjelos enfriar. Pélelos, deseche la piel y corte la pulpa en tiras gruesas. Vierta el pimiento rojo junto con el resto de las hortalizas en una fuente de horno grande y nápelo todo con la marinada. Hornéelo 15 minutos, déle la vuelta y nápelo con la marinada restante; hornee 15 minutos.
3 Corte la pasta en 24 láminas de 10 x 16 cm y disponga 6 capas en el orden siguiente: pasta, calabacines y boniato, 2 cucharaditas de pesto y rodajas de bocconcini, pasta, berenjena y pimiento rojo, pasta, tomates, 2 cucharaditas de pesto y rodajas de bocconcini, pasta. Páselo todo a una fuente de horno engrasada, unte la superficie con aceite de oliva y espolvoree con el parmesano. Hornéelo de 15 a 20 minutos hasta que esté todo bien caliente y la pasta esté tierna.

VINAGRES AROMATIZADOS

Los vinagres de vino suelen ser los más suaves y versátiles dentro de la familia de los vinagres. El nombre se deriva del vocablo francés *vinaigre*, que significa vino agrio. Los vinagres de vino pueden aromatizarse con finas hierbas como el estragón, la albahaca, la menta y el tomillo. Ponga unas ramitas de la hierba que más le guste en una botella esterilizada, vierta el vinagre y séllela; déjelo marinar durante tres semanas. Cuele el vinagre y páselo a otra botella esterilizada junto con una pequeña ramita fresca de la hierba para poder identificarlo. No utilice nunca ajo para aromatizar aceite o vinagre, ya que podría reaccionar negativamente y resultar tóxico.

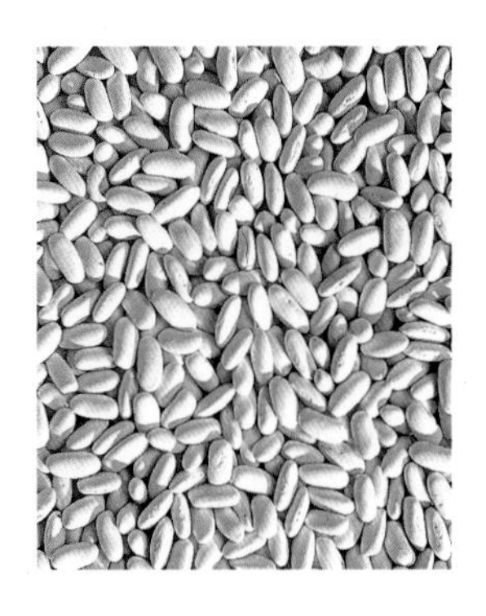

ARRIBA: Lasaña de hortalizas al horno

COL SAVOY
De hojas rizadas y surcadas por grandes nervios, este tipo de col es una de las más bonitas y resulta ideal para la elaboración de recetas a base de hojas de col rellenas. Siempre que adquiera algún tipo de col, elíjala pesada y firme y de color fresco y brillante. Las hojas de la col savoy acostumbran a estar algo sueltas, pero no deberían ser blandas.

ARRIBA: Rollos de col picantes

ROLLOS DE COL PICANTES

Tiempo de preparación: 40 minutos
Tiempo total de cocción: 30 minutos
Para 6 personas

6 hojas de col verdes y grandes

Relleno

2 cucharaditas de aceite de oliva
4 cebolletas picadas finas
1 diente de ajo majado
2 cucharadas de concentrado de tomate
1/2 taza (75 g) de pasas de Corinto
2 cucharadas de almendras fileteadas
1 cucharadita de semillas de comino
1/2 cucharadita de canela molida
2 cucharadas de perejil fresco picado fino
2 1/2 tazas (470 g) de arroz de grano largo cocido
1 taza (250 ml) de caldo vegetal

Salsa de yogur

3/4 taza (185 g) de yogur natural
1 cucharadita de comino molido
1 cucharada de menta fresca picada fina

1 Ponga a calentar el horno a 190°C. Unte una fuente de horno honda con aceite o mantequilla fundida.
2 Blanquee las hojas de col en agua hirviendo durante 10 segundos o hasta que estén blandas y maleables. Escúrralas, separe los tronchos duros de las hojas y reserve éstas.
3 Para el relleno: En una olla grande con aceite, fría las cebolletas junto con el ajo a fuego medio durante 30 segundos. Añada el concentrado de tomate, las pasas de Corinto, las almendras, el comino, la canela, el perejil y el arroz; remuévalo todo, retírelo del fuego y déjelo enfriar.
4 Coloque 3 cucharadas de relleno en el borde de una hoja de col, enróllela en forma de paquetito, plegando los bordes hacia dentro. Repita la operación con el resto del relleno y las demás hojas. Disponga las hojas rellenas, con la costura para abajo, en la fuente engrasada, y báñelas con el caldo. Coloque un plato resistente al calor encima de las hojas, a fin de que éstas no se abran. Cúbralo todo con una tapadera o con papel de aluminio y hornéelo unos 20 ó 25 minutos o hasta que esté bien caliente.
5 Para la salsa de yogur: Mezcle el yogur, el comino y la menta en un bol. Sirva los rollos de col calientes o fríos napados con esta salsa.
NOTA: Prepare la salsa de yogur justo antes de servir. Si le cuesta separar las hojas de la col, sumérjala entera en agua hirviendo y cuézala de 3 a 4 minutos. Retírela del fuego y déjela enfriar; las hojas deberían desprenderse fácilmente.

SOUFFLÉS DE CALABAZA

Tiempo de preparación: 20 minutos
Tiempo total de cocción: 1 hora y 40 minutos
Para 4 personas

- 4 calabazas confiteras
- 60 g de mantequilla
- 3 cucharadas de harina
- 2/3 taza (170 ml) de leche
- 3 huevos (yemas y claras separadas)
- 1/2 taza (65 g) de queso gruyère rallado

1 Ponga el horno a calentar a 210°C. Corte la parte superior de las calabacitas y extraiga las semillas y la fibra con la ayuda de una cuchara. Coloque las calabazas en una fuente de horno, cubra ésta con papel de aluminio y hornéelas durante 1 hora. Retírelas de la fuente y páselas a una rejilla para que escurran el líquido.
2 Mediante una cuchara de metal, extraiga casi toda la pulpa ablandada de las calabazas, dejando un poco para proteger la cáscara. En un bol, haga puré la pulpa y déjela enfriar.
3 Derrita la mantequilla en un cazo, vierta la harina y remueva durante 1 minuto, o hasta que la mezcla se dore y burbujee. Añada la leche gradualmente, removiendo después de cada adición, a fin de obtener una mezcla bien fina. Remuévala constantemente a fuego medio hasta que espese; déjela cocer otro minuto y retírela del fuego. Agregue las yemas y el queso y, a continuación, la calabaza. Mézclelo todo bien hasta que la mezcla quede fina y cremosa. Salpimiente.
4 Bata las claras a punto de nieve con la batidora eléctrica y use una cuchara de metal para agregarlas a la mezcla de calabaza. Asegúrese de que las claras quedan bien mezcladas, pero añádalas con cuidado y presteza para que no se bajen.
5 Rellene con la mezcla las cáscaras de calabaza sólo justo hasta el borde, pues, de lo contrario, se saldría el relleno al cocerlas. Si le sobra algo de la mezcla, póngala en una cazoleta y hornéela, junto con las calabazas, de 20 a 25 minutos hasta que éstas suban y se doren. Sírvalas inmediatamente.

CREMA DE POLENTA

LA POLENTA resulta ideal para acompañar los potajes y además es fácil de preparar. En un olla mediana de fondo pesado, ponga a hervir 1 1/3 tazas (350 ml) de caldo vegetal junto con 1 taza (250 ml) de agua. Añada 1 taza (150 g) de polenta (harina de maíz) y remuévala durante 10 minutos a fuego moderado, hasta que la mezcla esté muy espesa. Retírela del fuego y vierta 1/3 taza (80 ml) de crema de leche y 30 g de mantequilla. Si combina bien con el plato principal, use 1/2 taza (50 g) de queso parmesano en lugar de la mantequilla. Para 2–4 personas.

ORÉGANO

Los griegos utilizaban el orégano en su forma silvestre, el *rigani*. La traducción literal del nombre de esta planta significa "alegría de las montañas" y el cálido e intenso aroma de la hierba silvestre se encuentra presente en la clásica ensalada griega a base de queso feta, tomate, aceitunas y cebolla. Hoy en día existen muchas variedades de orégano, pero la mejor sigue siendo la variedad griega, *Origanum heracleoticum*, por reunir las características originales de la planta tanto en su aroma, como en su sabor algo picante.

ARRIBA: Soufflés de calabaza

COMINO

El comino (*Cuminum cyminum*) posee un sabor cálido y acre. Utilizado sobretodo en los curries, también se emplea para aromatizar un sinfín de platos distintos. En España se suele usar para aromatizar los garbanzos, así como las verduras y los platos de arroz. Las semillas de comino precisan una cocción prolongada y es por ello que suelen comercializarse en polvo, lo cual preserva mejor el aroma y facilita la dosificación.

PÁGINA SIGUIENTE: Pastel gratinado de patata y manzana (superior); potaje picante de garbanzos y hortalizas

POTAJE PICANTE DE GARBANZOS Y HORTALIZAS

Tiempo de preparación: 25 minutos + toda la noche en remojo
Tiempo total de cocción: 1 hora y 30 minutos
Para 4 personas

☆

1 1/2 tazas (330 g) de garbanzos secos
2 cucharadas de aceite
1 cebolla grande picada
1 diente de ajo majado
3 cucharaditas de comino molido
1/2 cucharadita de guindilla en polvo
1/2 cucharadita de pimienta de Jamaica
425 g de tomates pelados en lata, triturados
1 1/2 tazas (375 ml) de caldo vegetal
300 g de calabaza, cortada en dados grandes
150 g de judías verdes, sin las puntas
200 g de calabaza bonetera, cortada en cuartos
2 cucharadas de concentrado de tomate
1 cucharadita de orégano seco

1 En un bol, cubra los garbanzos con agua fría y déjelos a remojo durante toda una noche; luego escúrralos.
2 En una cazuela grande con aceite, saltee las cebollas y el ajo durante 2 minutos o hasta que estén tiernos. Añada el comino, la guindilla en polvo y la pimienta de Jamaica; saltéelo todo durante 1 minuto. Vierta los garbanzos, los tomates y el caldo, y llévelo a ebullición. Baje el fuego, tape la cazuela y déjelo cocer durante 1 hora; remuévalo de vez en cuando.
3 Añada las calabazas, las judías, el concentrado de tomate y el orégano, y remuévalo bien. Tape la cazuela y déjelo cocer a fuego lento otros 15 minutos. Destápelo y cuézalo 10 minutos más a fin de que la salsa espese y se reduzca.
NOTA: Un método rápido para remojar los garbanzos consiste en ponerlos en una olla grande, cubrirlos con agua fría y llevarlos a ebullición. Luego se retiran del fuego y se dejan 2 horas a remojo. Si no dispone de mucho tiempo, utilice garbanzos en lata, pero escúrralos y aclárelos bien antes de cocinarlos.

PASTEL GRATINADO DE PATATA Y MANZANA

Tiempo de preparación: 30 minutos
Tiempo total de cocción: 45 minutos
Para 6 personas

2 patatas grandes
3 manzanas verdes medianas
1 cebolla mediana
1/2 taza (60 g) de queso cheddar rallado fino
1 taza (250 ml) de crema de leche
1/4 cucharadita de nuez moscada molida
pimienta negra recién rallada

1 Ponga el horno a calentar a 180°C. Unte una fuente de horno grande y plana con aceite o mantequilla fundida. Monde las patatas y córtelas en rodajas finas. Pele las manzanas, extráigales el corazón, cuartéelas y córtelas en rodajas finas. Corte las cebollas peladas en aros bien finos.
2 Disponga las patatas, las manzanas y las cebollas en capas, de modo que la última sea de patatas, y espolvoree con el queso. Vierta por encima la crema de leche y extiéndala de manera homogénea.
3 Sazone el pastel al gusto con la nuez moscada y la pimienta, y hornéelo 45 minutos hasta que esté dorado. Retírelo del horno y déjelo reposar 5 minutos antes de servirlo.
NOTA: Para evitar que las patatas y manzanas se oxiden antes de preparar el plato, póngalas en un bol con agua fría y un chorrito de zumo de limón; escúrralas y séquelas con papel de cocina.

GRATINADO RÁPIDO DE BERENJENA

CORTE EN RODAJAS longitudinales 6 berenjenas pequeñas, páselas por harina y fríalas en poco aceite, hasta que se doren; déjelas escurrir sobre papel absorbente. Dispóngalas en forma de capa en una fuente de horno más bien plana y cúbralos con 1/2 taza (125 g) de salsa de tomate especial para pasta. Esparza por encima 1 taza (150 g) de mozzarella y 1/4 taza (25 g) de parmesano rallados. Sazónelo con pimienta negra recién molida y hornéelo 15 minutos a 180°C, hasta que la superficie se dore y burbujee. Sírvalo con una sabrosa ensalada a base de oruga aliñada con aceite de oliva y zumo de limón. Para 2 personas.

CÓMO PREPARAR LOS ESPÁRRAGOS

1 Doble los tallos por las puntas; se partirán por donde empiezan a ser menos tiernos. Átelos formando un manojo.

2 Colóquelos con las yemas hacia arriba en una olla con agua hirviendo. Cuézalos unos 2 ó 3 minutos y retírelos con unas tenacillas. Sumerja las yemas brevemente en el agua en ebullición.

Arriba: Calabazas rellenas

CALABAZAS RELLENAS

Tiempo de preparación: 25 minutos
Tiempo total de cocción: 50 minutos
Para 4 unidades

4 calabazas confiteras medianas
1/4 taza (60 ml) de agua
1/2 taza (95 g) de arroz hervido
2 cucharaditas de pasta de curry
1 cucharada de cilantro fresco picado fino
1 manzana verde picada fina
1 calabacín pequeño picado fino
1 zanahoria pequeña picada fina
60 g de champiñones botón, en láminas finas
155 g de espárragos picados
2 cucharaditas de pasas de Corinto
1/4 cucharadita de garam masala
60 g de mantequilla fundida

1 Ponga el horno a calentar a 210°C. Corte la parte superior de las calabazas, resérvela y extraiga las semillas mediante una cuchara; deséchelas. Coloque las calabazas en una fuente de horno mediana y cúbralas con su propia tapa. Vierta agua en la fuente y cúbralo todo con papel de aluminio; hornéelo 30 minutos. Retire la fuente del horno, saque las calabazas y deseche el agua; unte la fuente con aceite o mantequilla fundida.

2 Mezcle el arroz, la pasta de curry, el cilantro, la manzana, el calabacín, la zanahoria, las setas, los espárragos, las pasas, el garam masala y la mantequilla en un bol mediano; bátalo todo. Rellene con ello las calabazas y tápelas de nuevo. Vuelva a ponerlas en la fuente engrasada y hornéelas unos 20 minutos, hasta que estén hechas.

GRATINADO DE PASTA Y COLIFLOR CON COBERTURA DE COSTRONES

Tiempo de preparación: 25 minutos
Tiempo total de cocción: 1 hora
Para 6 personas

150 g de pasta corta (tipo penne)
600 g de coliflor cortada en ramilletes
2 cucharadas de aceite de oliva
2 cebollas rojas picadas
2 dientes de ajo picados finos
80 g de mantequilla
4 cucharadas de harina
4 tazas (1 litro) de leche
2 tazas (200 g) de queso parmesano rallado
1/2 taza (30 g) de albahaca fresca en tiras finas
5 rebanadas de pan del día anterior sin corteza
50 g de mantequilla fundida

1 Ponga el horno a calentar a 180°C. Cueza la pasta en agua hirviendo hasta que esté tierna y escúrrala. Cueza la coliflor al vapor hasta dejarla tierna. En una sartén con aceite de oliva, fría las cebollas y el ajo a fuego medio hasta que las primeras estén blandas; mézclelos con la coliflor.
2 Derrita la mantequilla en una cazuela grande, añada la harina y cuézala durante 1 minuto, removiendo constantemente. Vierta gradualmente la leche hasta que la mezcla hierva y espese; retírela del fuego y vierta en ella 1 1/4 tazas (125 g) del parmesano y la albahaca rallados. Agregue la coliflor, la pasta y las cebollas a la salsa; mézclelo.
3 Vierta la mezcla obtenida en una fuente de horno grande. Corte el pan en dados, páselo por mantequilla fundida y espárzalo por encima de la mezcla de coliflor. Espolvoree con el resto del parmesano y hornee de 35 a 40 minutos hasta que se dore la superficie.

MIGAS DE HINOJO

Tiempo de preparación: 25 minutos
Tiempo total de cocción: 40 minutos
Para 6 personas

2 bulbos de hinojo
1/4 taza (60 ml) + 2 cucharadas de zumo de limón
sal y pimienta negra recién molida
1 cucharada de miel
1 cucharada de harina
1 1/4 tazas (315 ml) de crema de leche

Cobertura de migas

3/4 taza (75 g) de copos de avena
1/2 taza (60 g) de harina
1 taza (110 g) de pan moreno rallado, (3 rebanadas de pan de centeno)
60 g de mantequilla
1 diente de ajo majado

1 Ponga el horno a calentar a 180°C. Unte una fuente de horno grande con aceite o mantequilla fundida. Recorte el hinojo y córtelo en rodajas finas; lávelo y escúrralo. Ponga a hervir una olla grande con agua y vierta en ella 1/4 taza (60 ml) de zumo de limón junto con las rodajas de hinojo. Cuézalo todo a fuego medio unos 3 minutos; escúrralo y aclárelo con agua fría.
2 Pase el hinojo a un bol grande, rocíelo con el zumo de limón restante y aderécelo con la miel y la pimienta; revuélvalo bien y espolvoréelo con la harina. Páselo a la fuente engrasada y nápelo con la crema de leche.
3 **Para la cobertura:** Mezcle la harina con la avena y el pan rallado. En un cazo con la mantequilla derretida, fría el ajo durante 30 segundos; viértalo sobre los ingredientes secos y revuélvalo bien. Esparza la mezcla resultante sobre el hinojo y hornéelo todo unos 20–30 minutos o hasta que el hinojo esté tierno y la cobertura dorada.
NOTA: Si lo prefiere, puede utilizar pan blanco o integral para hacer el pan rallado. El hinojo posee un fuerte sabor anisado que puede suavizarse blanqueando la hortaliza antes de cocinarla; con ello también se consigue ablandarlo ligeramente.

CUSCÚS RÁPIDO

EL CUSCÚS constituye una buena manera de absorber los jugos de un potaje. Vierta 1 taza (185 g) de cuscús instantáneo en un bol grande resistente al calor, junto con 3/4 taza (185 ml) de agua hirviendo. Déjelo reposar de 3 a 5 minutos. Añádale 30 g de mantequilla y remuévalo mediante un tenedor hasta que ésta se derrita y los granos de cuscús queden esponjosos. Salpimiéntelo o sazónelo con especias al gusto. Si desea darle más sabor, agréguele un ajo majado, salteado previamente en aceite o mantequilla, y remuévalo bien. Para 2 personas.

HINOJO
Añada hinojo a las sopas y salsas, así como a las hortalizas asadas o en marinada; de este modo adquirirán cierto sabor anisado. La planta del hinojo es parecida a la del apio, aunque más corta y bulbosa. Las hojas pueden usarse en ensaladas y rellenos, mientras que el bulbo se cocina como hortaliza o bien se incluye en los entremeses cortado en rodajas.

ARRIBA: Migas de hinojo

SANDWICH DE ESPÁRRAGOS Y BERENJENA GRATINADO

Tiempo de preparación: 45 minutos + 30 minutos en reposo
Tiempo total de cocción: 40 minutos
Para 6 personas

ARRIBA: Sandwich de espárragos y berenjena gratinado

2 berenjenas medianas
1 cucharada de aceite de oliva
155 g de espárragos
50 g de mantequilla
1/3 taza (40 g) de cebolletas picadas finas
1/2 taza (60 g) de harina
1 taza (250 ml) de leche
3 cucharadas de queso romano rallado
1 cucharada de zumo de limón
sal y pimienta negra recién rallada
1 yema de huevo

Cobertura de soufflé

1 clara de huevo
3 cucharadas de queso romano rallado

1 Ponga a calentar el horno a 180°C. Forre una bandeja de horno con papel de aluminio y úntelo con aceite o mantequilla fundida. Corte las berenjenas a lo largo en 6 lonchas y sálelas; déjelas reposar 30 minutos, aclárelas con agua fría y escúrralas. Séquelas sobre papel absorbente.
2 Coloque las berenjenas sobre una parrilla fría y úntelas con aceite. Áselas a temperatura media-alta durante 5 minutos o hasta que estén bien doradas por ambos lados; escúrralas sobre papel. Retire las puntas más astillosas de los espárragos y cuézalos al vapor o al microondas hasta que estén tiernos. Corte 6 espárragos en trozos de 5 cm, resérvelos y pique los espárragos restantes bien finos. Derrita la mantequilla en un cazo mediano y fría en ella las cebolletas a fuego medio-alto durante 1 minuto. Añada la harina, remueva y vierta gradualmente la leche, sin dejar de remover, hasta obtener una mezcla homogénea. Remuévala constantemente sobre fuego medio durante 5 minutos o hasta que hierva y espese; déjela hervir un minuto más.
3 Agregue el queso, el zumo de limón, la sal y la pimienta, la yema y los espárragos picados; revuélvalo todo y retírelo del fuego. Disponga 6 rodajas de berenjena en la bandeja engrasada, extienda el relleno de espárragos sobre cada rodaja y cúbralas con las rodajas restantes.
4 Para la cobertura de soufflé: Con la batidora eléctrica bata la clara de huevo a punto de nieve en un bol pequeño y limpio. Esparza la clara uniformemente sobre la berenjena, espolvoree con el queso y decórelo con los espárragos restantes. Hornee el sandwich durante 15 minutos hasta que el queso se derrita y la cobertura cuaje.

LASAÑA DE SETAS

Tiempo de preparación: 20 minutos
Tiempo total de cocción: 1 hora
Para 6 personas

☆

250 g de láminas de lasaña instantáneas
1 1/4 tazas (310 g) de salsa preparada para pasta
2 cucharadas de aceite
2 dientes de ajo majados
4 cebolletas en rodajas
500 g de champiñones botón
2 cucharadas de hojas de albahaca picadas
250 g de queso ricotta, desmenuzado
1/2 taza (50 g) de queso parmesano rallado
1/2 cucharadita de nuez moscada molida
155 g de oruga
1/2 taza (60 g) de queso cheddar rallado
1/2 taza (75 g) de queso mozzarella rallado

1 Ponga a calentar el horno a 200°C. Divida las láminas de lasaña en 3 porciones iguales. Extienda 3 cucharadas de la salsa para pasta sobre el fondo de una fuente de horno grande y rectangular; disponga encima una capa de lasaña.
2 En una sartén con aceite, fría el ajo y las cebolletas durante 3 minutos. Agregue las setas y siga friendo otros 5 minutos; retire la sartén del fuego, añada la albahaca fresca y remueva.
3 Extienda la mitad de la mezcla de setas sobre las láminas de lasaña y esparza por encima la mitad del queso ricotta. Espolvoree con la mitad del parmesano, la nuez moscada y la oruga. Cúbralo todo con una segunda capa de lasaña, napada con el resto de la salsa para pasta.
4 Prepare la capa final siguiendo los mismos pasos anteriores y termine con la salsa para pasta. Esparza los quesos cheddar y mozzarella por encima y hornee la lasaña entre 40 y 50 minutos, hasta que la superficie esté tierna y dorada.

GRATINADO DE TOMATE Y BERENJENA

Tiempo de preparación: 20 minutos + 20 minutos en reposo
Tiempo total de cocción: 1 hora y 15 minutos
Para 6 personas

2 berenjenas grandes
1/4 taza (60 ml) de aceite de oliva
2 cebollas grandes picadas
1 cucharadita de comino en polvo
1 taza (250 ml) de vino blanco de buena calidad
800 g de tomates de lata, triturados
2 dientes de ajo majados
2 guindillas rojas picadas finas (opcional)
1/2 taza (75 g) de pasas de Corinto
3 cucharadas de cilantro fresco picado

1 Ponga a calentar el horno a 210°C. Corte las berenjenas en rodajas de 2 cm de grosor, colóquelas sobre una bandeja y sálelas bien; déjelas reposar 20 minutos.
2 En una olla grande con 2 cucharadas de aceite, fría las cebollas 5 minutos a fuego medio hasta que se ablanden. Agregue el comino y remueva 1 minuto. Vierta el vino y llévelo todo a ebullición; baje el fuego y cuézalo 10 minutos, hasta que la mezcla se haya reducido en tres cuartas partes. Añada los tomates y póngalo a hervir de nuevo, baje el fuego y cuézalo otros 10 minutos. Agregue el ajo, las guindillas y las pasas y cuézalo lentamente 5 minutos más; retírelo del fuego. Aclare las rodajas de berenjena y séquelas sobre papel absorbente. Caliente el aceite restante en una sartén grande y fría la berenjena unos 3 ó 4 minutos a fuego medio; escúrralas.
3 Forme capas de berenjena y mezcla de tomate en una fuente de horno grande, espolvoreando cilantro entre ellas. Termine con una capa de berenjena. Hornee 30 minutos y sírvalo con pasta.

PATATAS FRITAS RÁPIDAS

CORTE patatas Desirée sin pelar en rodajas finas para freír. Precaliente el horno a 230°C. Unte una placa de horno con un poco de aceite, esparza las patatas por encima y rocíelas con un poco más de aceite. Hornéelas de 20 a 25 minutos o hasta que estén crujientes, dándoles sólo una vuelta durante la cocción. Sírvalas inmediatamente, antes de que se enfríen.

BERENJENAS
Compre berenjenas con aspecto firme y lustroso y cuya piel no presente arrugas ni manchas. Compruebe que sean pesadas y sólidas al tacto pues, de lo contrario, significa que son viejas y por tanto amargas; si son muy duras, es porque todavía están verdes. En cambio, si ceden un poco al presionarlas con el dedo significa que están en su punto. Dentro de una bolsa de plástico, las berenjenas se conservan hasta 4 ó 5 días en el frigorífico.

ARRIBA: Gratinado de tomate y berenjena

ENSALADAS

Si la idea que tiene de una ensalada consiste en cuatro hojas de lechuga troceadas cubiertas de rodajas de pepino y tomate, siga leyendo. La ensalada es la receta de la comida vegetariana por excelencia: verduras crudas, cocidas o al vapor, combinadas con una selección personal de frutos secos, cereales o legumbres, y aliñadas con una salsa o unas simples gotas de aceite de oliva virgen... El límite sólo se encuentra en la imaginación.

ARRIBA: Ensalada de farfalle con espinacas y tomates secados al sol

BULGUR

El bulgur es trigo partido sin cáscara, cocido al vapor y escurrido; un proceso que hace que los granos sean más tiernos y fáciles de cocer y que la textura sea más ligera. Tiene sabor a nuez y es muy frecuente en la ensalada libanesa, el tabbouleh.

ENSALADA DE FARFALLE CON ESPINACAS Y TOMATES SECADOS AL SOL

Tiempo de preparación: 20 minutos
Tiempo total de cocción: 12 minutos
Para 4–6 personas

500 g farfalle (lazos de pasta) o espirales
3 cebolletas
60 g de tomates secados al sol, en tiras
500 g de espinacas sin tallo, en tiras
4 cucharadas de piñones tostados
1 cucharada de orégano fresco picado

Salsa

1/4 taza (60 ml) de aceite de oliva
1 cucharadita de guindilla fresca picada
1 diente de ajo majado
sal y pimienta

1 Vierta la pasta en una olla con agua hirviendo rápidamente y cuézala hasta que esté al dente. Escúrrala, aclárela bien con agua fría y, a continuación, colóquela en una ensaladera grande.
2 Corte las cebolletas en trocitos e incorpórelas a la pasta junto con los tomates, las espinacas, los piñones y el orégano.
3 Para la salsa: Mezcle el aceite, la guindilla, el ajo, la sal y la pimienta en un tarro de cristal con tapa de rosca y agítelo hasta que esté todo bien mezclado. Vierta la salsa sobre la ensalada, revuélvala bien y sírvala enseguida.

ENSALADA RÁPIDA DE PIMIENTO

ASE al horno o a la parrilla 1 pimiento rojo, 1 verde y 1 amarillo grandes. Cúbralos con un paño y, antes de pelarlos, deje que se enfríen. Luego córtelos en tiras gruesas y póngalos en un cuenco junto con 1 cucharada de aceite de oliva, 2 cucharadas de pimienta verde en grano y 155 g de aceitunas kalamata marinadas. Vierta 2 cucharadas de menta picada y 1 cucharada de vinagre de frambuesa. Sírvalo sobre una capa de hojas de oruga. Para 4-6 personas.

TABBOULEH A LAS HIERBAS

Tiempo de preparación: 20 minutos + 15 minutos en reposo
Tiempo total de cocción: ninguno
Para 8 personas

☆

- $^{3}/_{4}$ taza (130 g) de bulgur
- $^{3}/_{4}$ taza (185 ml) de agua
- 150 g de perejil de hoja plana fresco
- 30 g de cebollino fresco
- $2^{1}/_{2}$ tazas (75 g) de hojas de albahaca frescas
- $^{1}/_{2}$ taza (10 g) de hojas de menta frescas
- 4 cebolletas picadas finas
- 3 tomates medianos troceados
- $^{1}/_{3}$ taza (80 ml) de zumo de limón
- $^{1}/_{4}$ taza (60 ml) de aceite de oliva

1 Mezcle el bulgur y el agua en un cuenco mediano y déjelo reposar durante 15 minutos o hasta que la mezcla haya absorbido todo el agua.
2 Corte y deseche los tallos grandes del perejil. Lave y escurra bien el resto de hierbas y, a continuación, tritúrelas con un cuchillo grande afilado o con una picadora. (Si utiliza una picadora, procure no triturarlas demasiado.)
3 Introduzca el bulgur, el perejil, el cebollino, la albahaca, la menta, las cebolletas, los tomates, el zumo de limón y el aceite en una fuente de servir y remuévalo todo hasta que esté bien mezclado. Déjelo enfriar el tiempo necesario en el frigorífico.

FETA A LAS HIERBAS

Tiempo de preparación: 50 minutos (20 + 30)
Tiempo total de cocción: 10 minutos
Para 6–8 personas

☆

- 2 rebanadas gruesas de pan blanco
- 200 g de queso feta
- 1 diente de ajo majado
- 1 cucharada de mejorana fresca picada fina
- 1 cucharada de cebollino fresco picado
- 1 cucharada de albahaca fresca picada fina
- 2 cucharadas de vinagre de vino blanco
- $^{1}/_{3}$ taza (80 ml) de aceite de oliva
- 1 lechuga "lollo rosso"
- 1 lechuga trocadero, rizada u "hoja de roble"

1 Precaliente el horno a 180°C. Extraiga la corteza del pan, corte la miga en dados y extiéndalos sobre una bandeja de horno en una sola capa; hornéelos 10 minutos hasta que estén crujientes y dorados y déjelos enfriar del todo.
2 Corte el queso feta en daditos. Vierta el ajo, la mejorana, el cebollino, la albahaca, el vinagre y el aceite en un tarro de cristal de rosca; agítelo 30 segundos, viértalo sobre el queso, cúbralo con film transparente y resérvelo 30 minutos, removiendo con frecuencia. Lave, escurra y trocee las lechugas; colóquelas en un cuenco, añada el feta con la salsa y los dados de pan y remuévalo bien.

ARRIBA: Tabbouleh a las hierbas
ABAJO: Feta a las hierbas

ARRIBA: Ensalada a la jardinera

ARROZ BASMATI

El arroz basmati es una variedad de arroz de grano largo y delgado y textura sedosa que se cultiva en las colinas del Himalaya. Es aconsejable lavarlo antes de cocerlo, para eliminar así todo tipo de impurezas Su sabor delicado le convierte en el acompañamiento ideal para las recetas indias picantes.

ENSALADA A LA JARDINERA

Tiempo de preparación: 15 minutos
Tiempo total de cocción: ninguno
Para 4–6 personas

1 lechuga "hoja de roble"
150 g de oruga
1 achicoria pequeña
1 pimiento verde grande, en rodajas finas
corteza de 1 limón

Salsa

2 cucharadas de cilantro fresco picado
1/4 taza (60 ml) de zumo de limón
2 cucharaditas de azúcar moreno
2 cucharadas de aceite de oliva
1 diente de ajo majado (opcional)

1 Lave y escurra bien los diferentes tipos de lechuga y córtelos en trozos pequeños. Mézclelos luego con el pimiento verde y la corteza de limón en una ensaladera grande.
2 Para la salsa: Introduzca todos los ingredientes en un cuenco pequeño y remuévalos 2 minutos, hasta que estén bien mezclados. Vierta luego la salsa obtenida encima de la ensalada y mézclelo bien. Sírvalo frío.
NOTA: Prepare la salsa y la ensalada justo antes de servir. Para esta receta, seleccione sus verduras favoritas. En verano, resulta un plato delicioso acompañado de un vino de Frascati frío o un vino tinto ligero.

ENSALADA TIBIA DE LENTEJAS Y ARROZ

Tiempo de preparación: 15 minutos
Tiempo total de cocción: 40 minutos
Para 6 personas

1 taza (185 g) de lentejas verdes
1 taza (200 g) de arroz basmati
4 cebollas rojas grandes, en rodajas finas
4 dientes de ajo majados
1 taza (250 ml) de aceite de oliva
45 g de mantequilla
2 cucharaditas de canela molida
2 cucharaditas de pimentón dulce
2 cucharaditas de comino molido
2 cucharaditas de cilantro molido
3 cebolletas picadas
pimienta negra recién molida

1 Hierva por separado las lentejas y el arroz, hasta que estén tiernos y, a continuación, escúrralos.
2 Mientras tanto, fría las cebollas y el ajo en aceite y mantequilla durante 30 minutos a fuego lento, hasta que estén muy tiernos.
3 Incorpore la canela, el pimentón, el comino y el cilantro y déjelo cocer unos minutos más.
4 Mezcle el preparado de cebollas y las especias con el arroz y las lentejas bien escurridos. Añada las cebolletas picadas, mézclelo todo y, por último, añada pimienta molida a su gusto. Sírvalo caliente.
NOTA: No utilice lentejas rojas para elaborar esta receta, puesto que enseguida se vuelven blandas y pierden su forma. No es necesario dejar las lentejas en remojo antes de cocerlas, pero debe aclararlas bien.

FETA

El origen del queso feta se remonta a los tiempos en que los pastores griegos de las regiones montañosas próximas a Atenas lo elaboraban a partir de la leche de oveja. El queso feta fresco es grumoso y supura el suero (líquido) en que ha madurado. Al madurar se seca y adquiere un ligero sabor salado. Es conocido sobretodo como ingrediente de la tradicional ensalada griega.

ENSALADA DE JUDÍAS AL ESTILO DEL SUROESTE

Tiempo de preparación: 20 minutos + 1 noche en remojo
Tiempo total de cocción: 50 minutos
Para 4–6 personas

1 taza (220 g) de judías negras secas
1 taza (200 g) de judías cannellino blancas
1 cebolla mediana roja
1 pimiento rojo mediano
270 g de maíz en conserva, escurrido
3 cucharadas de cilantro fresco picado
1 diente de ajo majado
1/2 cucharadita de comino molido
1/2 cucharadita de mostaza francesa
2 cucharadas de vinagre de vino tinto
1/4 taza (60 ml) de aceite de oliva
sal y pimienta

1 Ponga ambos tipos de judías en remojo durante una noche, por separado y en agua fría. Escúrralas, viértalas en ollas diferentes y cúbralas con agua; déjelas cocer hasta que arranque el hervor, baje el fuego y cuézalas 45 minutos a fuego lento, hasta que estén tiernas. Escúrralas, aclárelas y déjelas enfriar.

2 Trocee la cebolla y el pimiento rojo y mézclelos bien con las judías, el maíz y el cilantro.

3 Mezcle el ajo, el comino, la mostaza y el vinagre en un frasco pequeño; incorpore el aceite de forma gradual y aliñe con sal y pimienta. Vierta la mezcla sobre el preparado de judías y revuélvalo hasta que esté bien mezclado.

NOTA: Esta ensalada es ideal para una barbacoa o un picnic, ya que puede prepararse con un día de antelación y es fácil de llevar. Las judías negras se encuentran en tiendas de calidad y no deben confundirse con las judías negras chinas.

ENSALADA DE MELÓN

CORTE un melón dulce en rodajas y dispóngalas en una fuente grande. Esparza por encima 2 tazas (60 g) de ramitas de berros bien lavadas (las hojas pueden contener muchas impurezas) y decore con 2 aguacates en rodajas, 1 pimiento rojo grande en juliana, 220 g de queso feta marinado desmenuzado y 90 g de aceitunas niçoise marinadas. Para elaborar la salsa, mezcle 1/4 taza (60 ml) de aceite de oliva, 2 cucharadas de vinagre de vino blanco y 1 cucharada de mostaza de Dijon en un tarro de cristal con tapa de rosca. Agítelo hasta que esté bien mezclado y vierta unas gotas en la ensalada. Para 4–6 personas.

ARRIBA: Ensalada de judías al estilo del suroeste

PERAS

Adquiera peras un poco verdes y déjelas madurar a temperatura ambiente hasta que el extremo superior esté un poco blando; si éste presenta una textura gelatinosa es señal de que existe algún problema. Cuando están maduras, se conservan uno o dos días en el frigorífico; de todos modos, si las sirve en un frutero o como postre, deje que se adapten a temperatura ambiente para apreciar su sabor completo. Las peras Williams y Comicio son las más indicadas para postres. Las asiáticas, como las chinas o las Tientsin Ya, aportan una textura crujiente a las ensaladas verdes y de frutas.

ABAJO: Ensalada de aguacates y espinacas con vinagreta de mostaza caliente

ENSALADA DE AGUACATES Y ESPINACAS CON VINAGRETA DE MOSTAZA CALIENTE

Tiempo de preparación: 15 minutos
Tiempo total de cocción: 2 minutos
Para 8 personas

30 hojas de espinacas (90 g)
1 lechuga de hoja rizada roja o verde
2 aguacates medianos
3 cucharadas de aceite de oliva
2 cucharaditas de semillas de sésamo
1 cucharada de zumo de limón
2 cucharaditas de mostaza en grano

1 Lave y escurra bien las hojas de espinacas y de lechuga y córtelas en trozos pequeños. Luego, colóquelas en una ensaladera.
2 Pele los aguacates, córtelos en rodajas y espárzalos sobre las hojas. En una sartén pequeña con 1 cucharada de aceite caliente, tueste las semillas de sésamo a fuego lento hasta que empiecen a dorarse. Retírelas del fuego enseguida y deje que se enfríen un poco.
3 Agregue a la sartén el zumo de limón, el aceite restante y la mostaza, y remuévalo todo para mezclarlo. Nape la ensalada con la salsa aún caliente. Es preferible servir inmediatamente.

ENSALADA DE PASTA

VIERTA 250 g de espirales en una olla con agua hirviendo y déjelas cocer hasta que estén tiernas; luego escúrralas, viértalas en la olla e incorpore un poco de aceite de oliva para que no se peguen. Añada 4 cucharadas de pesto preparado y remuévalo todo hasta que esté bien mezclado. Déjelo enfriar en una fuente de servir y agregue 150 g de tomates "cherry" en cuartos y ½ taza (75 g) de aceitunas negras troceadas. Sírvalo a temperatura ambiente. Para 4 personas.

ENSALADA DE BROTES Y PERAS CON SALSA DE SÉSAMO

Tiempo de preparación: 30 minutos
Tiempo total de cocción: ninguno
Para 6 personas

250 g de brotes de tirabeques
250 g de brotes de soja frescos
30 g de cebollino fresco
100 g de tirabeques
1 tallo de apio
2 peras amarillas grandes
ramitas frescas de cilantro
semillas de sésamo, para decorar

Salsa de sésamo

2 cucharadas de salsa de soja
1 cucharadita de aceite de sésamo
1 cucharada de azúcar moreno
2 cucharadas de aceite de cacahuete
1 cucharada de vinagre de arroz

1 Lave y escurra los brotes de tirabeques. Corte los extremos de los brotes de soja. Trocee el cebollino en tiras de 4 cm y corte los tirabeques y el apio en bastoncitos. Pele las peras y quíteles el corazón. Córtelas en tiras un poco más anchas que los tirabeques y el apio, y sumérjalas en agua para que no pierdan el color.
2 **Para la salsa de sésamo:** Mezcle todos los ingredientes en un tarro de cristal con tapa de rosca y agítelo bien.
3 Escurra las peras. Mezcle el cilantro y los ingredientes de la ensalada en una fuente de servir; vierta la salsa por encima y remuévalo. Decore con semillas de sésamo y sírvalo enseguida.

ENSALADA DE BERROS

Tiempo de preparación: 35 minutos
Tiempo total de cocción: ninguno
Para 4–6 personas

500 g de berros
3 tallos de apio
1 pepino
3 naranjas medianas
1 cebolla roja, en aros finos
3/4 taza (35 g) de cebollino fresco picado
1/2 taza (60 g) de pacanas o nueces picadas

Salsa

1/4 taza (60 ml) de aceite de oliva
1/4 taza (60 ml) de zumo de limón
2 cucharaditas de ralladura de naranja
1 cucharadita de mostaza sin semillas
pimienta negra recién molida
1 cucharada de miel

1 Para la ensalada: Lave y escurra todas las verduras. Corte los berros en trocitos y deseche los tallos más gruesos. Trocee el apio en tiras de 5 cm. Pele el pepino, divídalo por la mitad, extraiga las semillas y córtelo en rodajas. Pele las naranjas, retire la piel blanca y córtelas a gajos eliminando la membrana; luego introdúzcalas en el frigorífico.

2 Para la salsa: Mezcle el aceite, el zumo, la ralladura, la mostaza, la pimienta y la miel en un tarro de cristal con tapa de rosca y agítelo bien.

3 Vierta todos los ingredientes de la ensalada excepto las nueces en una ensaladera. Incorpore la salsa, remuévalo bien y esparza las nueces por encima.

BERROS

Procure adquirir los berros de hojas más grandes y oscuras. No se conservan demasiado bien, pero en el frigorífico y sumergidos en agua se mantienen lo más frescos posible. Sus ramitas adornan las ensaladas verdes y su ligero sabor picante proporciona un cierto contraste. También constituyen un condimento excelente para las sopas frías.

ARRIBA: Ensalada de brotes y peras con salsa de sésamo
A LA IZQUIERDA: Ensalada de berros

ACEITUNAS

Redondas u oblongas, de piel lisa o arrugada, negras, verdes o marrones, marinadas con guindillas y hierbas, en un puré delicioso o al natural, parecen contener la esencia del Mediterráneo.

ACEITUNAS MARINADAS AL AJO Y AL LIMÓN

Aclare y escurra 500 g de aceitunas kalamata en salmuera. Haga una pequeña incisión en cada aceituna para que la marinada penetre en el interior. Distribuya las aceitunas en un recipiente esterilizado junto con ralladura de limón, 3 dientes de ajo en rodajas, 1 cucharada de semillas de cilantro y 2 hojas de laurel. Agregue 1/4 taza (60 ml) de vinagre balsámico y cubra las aceitunas con aceite de oliva virgen extra. Para marinar, tape el recipiente y déjelo reposar durante una semana en un lugar fresco y oscuro. Sírvalas en una fuente para entremeses.

ACEITUNAS CON GUINDILLA A LAS HIERBAS

Aclare y escurra 500 g de aceitunas niçoise en salmuera. Dispóngalas en un recipiente esterilizado junto con 4 guindillas rojas cortadas en mitades, unas rodajas de lima, 1 cucharada de guindilla picada, 2 dientes de ajo en rodajas y

ramitas de sus hierbas favoritas. Mezcle 2 cucharadas de zumo de lima con 2 cucharadas de vinagre de estragón, 1 taza de aceite de oliva virgen extra y unos granos de pimienta; viértalo sobre las aceitunas y, si es preciso, añada aceite para cubrirlas. Tápelo y déjelo marinar 1 semana en un lugar fresco y oscuro.

PURÉ DE ACEITUNAS Y TOMATE

Introduzca 155 g de aceitunas niçoise marinadas, sin hueso y troceadas en una picadora. Incorpore 2 cebolletas picadas, 60 g de alcaparras escurridas, 60 g de tomates secados al sol triturados y 60 g de pimientos secados al sol troceados. Tritúrelo todo unos 10 segundos, hasta que los ingredientes estén picados -procure no excederse de tiempo o la mezcla se convertirá en una pasta. Colóquelo en un cuenco, agregue 2 tomates de pera troceados, 1 cucharada de perejil fresco picado y 1 cucharada de aceite de oliva. Aliñe con sal y pimienta y sírvalo con tostadas o galletas saladas.

SALSA DE ACEITUNAS

En un cuenco, mezcle 250 g de aceitunas verdes y 90 g de negras, ambas marinadas y troceadas, 1 cebolla roja picada, 1 pimiento amarillo troceado, 4 tomates de pera triturados y 3 cucharadas de albahaca fresca picada. Mezcle 1 diente de ajo picado, 2 guindillas rojas troceadas, 1 cucharada de zumo de naranja, 1 de zumo de limón y ¼ taza de aceite de oliva, y viértalo en el preparado con las aceitunas; cúbralo, déjelo enfriar y sírvalo a temperatura ambiente.

TOSTAS CON ACEITUNAS, BOCCONCINI Y TOMATES

Corte rebanadas de pan de leña de 1 cm, humedézcalas con aceite de oliva y tuéstelas a la parrilla o a la barbacoa hasta que estén doradas por ambos lados. Decórelas con rodajas de bocconcini y de tomates de pera, 1 rodaja de pepinillo, 1 hoja de albahaca y aceitunas negras marinadas. Rocíelas con aceite de oliva y aderécelas con pimienta negra machacada.

EN EL SENTIDO DE LAS AGUJAS DEL RELOJ, DESDE SUPERIOR IZQUIERDA: Tostas con aceitunas, bocconcini y tomates; salsa de aceitunas; aceitunas marinadas al ajo y al limón; puré de aceitunas y tomate; aceitunas con guindilla a las hierbas

CÓMO PREPARAR LOS TIRABEQUES

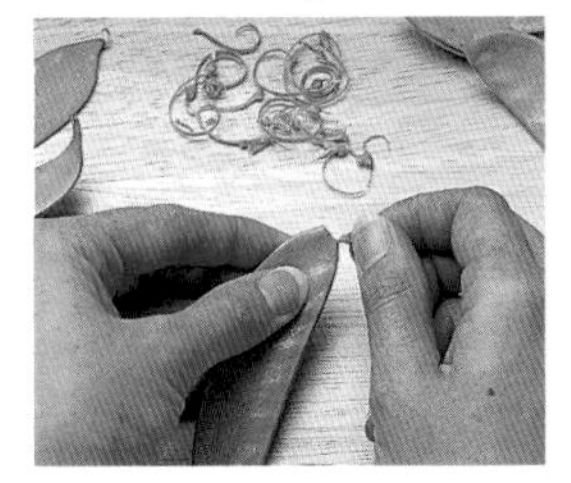

1 Elimine los hilos de las puntas de los tirabeques y rómpalas.

2 Tire de las puntas para eliminar el hilo de los lados.

TIRABEQUES

Los tirabeques, conocidos también como mange tout, se recolectan cuando los guisantes todavía no están maduros. Adquiera los de tamaño pequeño; cuando los guisantes son redondos, la vaina contiene muchos hilos y resulta demasiado dura para comerla. Como ocurre con otros guisantes, judías y maíz dulce, los tirabeques empiezan a convertir el azúcar en almidón desde su recolección. Este proceso altera de pronto su sabor y, por consiguiente, una vez adquiridos, deberían comerse lo más rápido posible.

ARRIBA: Ensalada de tirabeques

ENSALADA DE TIRABEQUES

Tiempo de preparación: 25 minutos
Tiempo total de cocción: 5 minutos
Para 4–6 personas

200 g de tirabeques, cortados en diagonal
1 pimiento rojo grande, en rodajas
4 hojas de lechuga "hoja de roble"
5 hojas de lechuga rizada verde
250 g de tomates "cherry"
60 g de berros en tiras
queso parmesano, para servir

Costrones al ajo

3 rodajas de pan blanco
1/4 taza (60 ml) de aceite de oliva
1 diente de ajo majado

Salsa

2 cucharadas de aceite de oliva
1 cucharada de mayonesa
1 cucharada de crema agria
2 cucharadas de zumo de limón
1 cucharada de azúcar moreno
pimienta negra machacada

1 Lave las lechugas y los tomates. En una fuente grande, mezcle los tirabeques, el pimiento rojo, el berro cortado, las lechugas y los tomates.

2 Para los costrones al ajo: Elimine la corteza de las rebanadas de pan y corte la miga en dados de 1 cm. En una sartén de fondo pesado, sofría el ajo majado, incorpore los dados de pan y manténgalos en el fuego hasta que estén dorados y crujientes. Retírelo todo del fuego y déjelo escurrir sobre papel de cocina.

3 Para la salsa: En un cuenco pequeño, bata todos los ingredientes durante 2 minutos o hasta obtener una buena mezcla. Antes de servir el plato, vierta la salsa encima de la ensalada y remuévalo todo hasta que esté bien mezclado. Cubra la preparación con los costrones al ajo y con virutas finas de queso parmesano.

NOTA: Utilice un pelador de verduras para cortar el queso parmesano en virutas finas.

ENSALADA RÁPIDA DE ESPINACAS

MEZCLE 2 cucharadas de aceite de oliva, 1 diente de ajo majado, 2 cucharadas de vinagre de vino blanco y un poco de pimienta negra; luego bañe en el preparado 100 g de champiñones en láminas finas. Coloque 300 g de espinacas troceadas en una ensaladera, y añada los champiñones, la salsa y 2 huevos duros en rodajas. Revuélvalo bien y esparza 100 g de queso feta por encima. Para 2–4 personas.

PERAS CON BRIE Y PACANAS

Tiempo de preparación: 15 minutos
Tiempo total de cocción: ninguno
Para 4 personas

200 g de queso brie, a temperatura ambiente
3 peras medianas
1 lechuga trocadero o maravilla
4 cucharadas de pacanas picadas finas

Salsa vinagreta

3 cucharadas de aceite
1 cucharada de vinagre de estragón

1 Corte el brie en porciones finas. Sin pelar las peras, divídalas en cuartos, quíteles el corazón y córtelas en rodajas finas. Lave y escurra bien la lechuga, separe las hojas y distribúyalas en platos individuales. Cúbralas con el brie y las peras.
2 Para la salsa vinagreta: Introduzca el aceite y el vinagre en un tarro de cristal con tapa de rosca y agítelo bien. Aderece la ensalada con la salsa y esparza las pacanas por encima. Sírvalo enseguida.
NOTA: En esta receta, también puede utilizar camembert en lugar de brie. Ambos confieren su mejor sabor al preparado cuando están maduros. Al servir el plato, asegúrese de que el queso se encuentra a temperatura ambiente.

ENSALADA CALIENTE DE JUDÍAS

Tiempo de preparación: 10 minutos
Tiempo total de cocción: 8 minutos
Para 4 personas

2 cucharadas de aceite de oliva
1 cebolla mediana, picada fina
1 diente de ajo majado
1 pimiento rojo pequeño, en tiras cortas
90 g de judías verdes
60 g de champiñones pequeños en láminas
1 cucharada de vinagre balsámico
440 g de judías variadas en conserva
perejil fresco picado, para servir

1 En una sartén mediana con la mitad del aceite caliente, sofría las cebollas a fuego medio durante 2 minutos. Incorpore el ajo, el pimiento rojo, las judías verdes, los champiñones y el vinagre y, removiendo a menudo, déjelo cocer 5 minutos.
2 Aclare y escurra bien las judías variadas. Agréguelas a la preparación anterior con el resto del aceite y remuévalo todo hasta que esté bien caliente. Para servir, espolvoree con perejil picado.

BRIE
Fue en el Congreso de Viena, en 1815, cuando los delegados que fijaron las fronteras europeas tras la Batalla de Waterloo proclamaron al brie como "el rey de los quesos". Desde entonces ha adquirido y mantenido una reputación mundial. Cuando está del todo maduro, se derrite un poco a temperatura ambiente. Su delicioso sabor cálido y cremoso se percibe en mayor grado a partir del queso entero y no en porciones preparadas.

A LA IZQUIERDA: Peras con brie y pacanas
ARRIBA: Ensalada caliente de judías

QUESO AZUL
Los quesos azules surgieron de forma casual, pero desde un principio se identificó y separó el moho de penicilina que les confiere una textura con vetas azules; en la actualidad, la mayoría de países productores de queso elaboran variedades azules. Su color oscila entre tonos dorados y blanquecinos y debe presentar vetas de moho azuladas y esparcidas. Nunca debe ser de color marrón ni presentar manchas diversas.

PÁGINA SIGUIENTE, DE ARRIBA ABAJO: Ensalada de judías verdes; ensalada de lombarda; ensalada de escarola y queso azul

ENSALADA DE ESCAROLA Y QUESO AZUL

Tiempo de preparación: 15 minutos
Tiempo total de cocción: 5 minutos
Para 6 personas

3 rebanadas de pan
3 cucharadas de aceite
30 g de mantequilla
1 escarola
125 g de queso azul
2 cucharadas de aceite de oliva
3 cucharaditas de vinagre de vino blanco
2 cucharadas de cebollino fresco picado

1 Para preparar el pan frito, extraiga la corteza del pan y corte la miga en daditos. Incorpórelos a continuación en una sartén con aceite y mantequilla hirviendo y, removiendo con frecuencia, déjelos cocer unos 3 minutos, hasta que estén dorados; luego escúrralos sobre papel de cocina.
2 Lave y escurra bien la escarola. Coloque las hojas en una fuente de servir y esparza el queso desmenuzado por encima.
3 Introduzca el aceite y el vinagre en un tarro de cristal con tapa de rosca y agítelo bien. Rocíe la ensalada con la salsa, añada el cebollino y el pan frito y remuévalo bien. Sírvalo inmediatamente.

ENSALADA DE LOMBARDA

Tiempo de preparación: 15 minutos
Tiempo total de cocción: ninguno
Para 6 personas

155 g de lombarda en juliana
125 g de repollo en juliana
2 cebolletas picadas finas
3 cucharadas de aceite de oliva
2 cucharadas de vinagre de vino blanco
1/2 cucharada de mostaza francesa
1 cucharada de semillas de alcaravea

1 Mezcle la lombarda, el repollo y las cebolletas en una fuente de servir.
2 Vierta el aceite, el vinagre, la mostaza y la alcaravea en un tarro de cristal de rosca, y agítelo.
3 Vierta la salsa en la ensalada, remuévalo hasta que esté bien mezclado y sirva enseguida.

ENSALADA DE JUDÍAS VERDES

Tiempo de preparación: 15 minutos
Tiempo total de cocción: 15 minutos
Para 4 personas

280 g de judías verdes
1 cucharada de aceite de oliva
2 cucharaditas de zumo de limón
1 cucharada de piñones
1/3 taza (80 ml) de zumo de tomate
1 diente de ajo majado
unas gotas de tabasco

1 Cueza 1 minuto las judías sin las puntas; escúrralas y sumérjalas en agua fría. Escúrralas y mézclelas con el aceite y el zumo de limón. Coloque los piñones en una bandeja con papel de aluminio y hornéelos 5 minutos a 180°C.
2 Cueza la mezcla de jugo de tomate, ajo y tabasco hasta que hierva; manténgala 8 minutos a fuego lento, hasta que se reduzca a la mitad, y déjela enfriar. Coloque las judías en una fuente de servir, cúbralas con la salsa y decore con piñones.

ENSALADA DE ESPINACAS Y NUECES

Tiempo de preparación: 15 minutos
Tiempo total de cocción: 2 minutos
Para 4 personas

30 hojas de espinacas (unos 90 g)
250 g de judías verdes tiernas troceadas
1/2 cebolla mediana en rodajas finas
1/3 taza (90 g) de yogur natural
1 cucharada de zumo de limón
1 cucharada de menta fresca picada
4 cucharadas de nueces tostadas y troceadas
hojas de menta fresca, para servir
pimiento rojo en juliana, para servir

1 Aclare las espinacas con agua fría y sumerja las judías 2 minutos en agua hirviendo. Escúrralo todo sobre papel de cocina y déjelo enfriar.
2 Disponga las espinacas, las judías y la cebolla en una fuente. Mezcle el yogur, el zumo de limón y la menta y viértalo sobre la ensalada; decórela con las nueces, la menta y el pimiento.

ARRIBA: *Ensalada griega*

ENSALADA GRIEGA

Tiempo de preparación: 15 minutos
Tiempo total de cocción: ninguno
Para 4 personas

1 tomate grande
1 pepino mediano
2 rábanos
1 cebolla pequeña
100 g de queso feta
1/4 taza (45 g) de aceitunas negras sin hueso
2 cucharadas de zumo de limón
3 cucharadas de aceite de oliva
1/2 cucharadita de hojas de orégano secas

1 Trocee los tomates; corte el pepino, la cebolla y los rábanos en rodajas y el queso feta en daditos.
2 Mezcle el tomate, el pepino, los rábanos, la cebolla, el queso feta y las aceitunas en una fuente de servir y rocíelo con un preparado de zumo de limón, aceite de oliva y orégano. Si lo desea, puede servir el plato sobre una base de lechuga "lollo rosso".

COL CON CEBOLLA FRITA CRUJIENTE

Tiempo de preparación: 20 minutos
Tiempo total de cocción: ninguno
Para 4–6 personas

1/2 col china o col Savoy mediana
1/2 taza (35 g) de cebolla frita crujiente
1/4 taza (25 g) de ajo frito crujiente
1/2 pimiento rojo en tiras muy finas
3 cucharadas de hojas de menta frescas picadas
1/3 taza (80 ml) de leche de coco
1 cucharada de salsa de pescado (opcional)
1 cucharadita de azúcar moreno
2 guindillas rojas frescas, en trocitos
gajos de lima, para servir

1 Trocee la col en tiras finas y dispóngalas en una fuente de servir; esparza por encima las cebollas y los ajos fritos crujientes, el pimiento rojo y la menta.
2 En un cuenco pequeño, mezcle bien la leche de coco, la salsa de pescado y el azúcar moreno. Vierta el preparado obtenido sobre la ensalada, decórela con las guindillas y sírvala con los gajos de lima.
NOTA: La cebolla y el ajo fritos crujientes se encuentran envasados en tiendas de alimentación asiática. Con frecuencia se utilizan en la cocina tailandesa como condimento para ensaladas, sopas y pasta. Si desea prepararlos en casa, corte la cebolla y el ajo pelados en rodajas finas y déjelos cocer en aceite a fuego lento, removiendo con frecuencia hasta que estén crujientes y dorados. Escúrralos bien y déjelos enfriar antes de aliñarlos con sal. Es aconsejable realizar este último paso justo antes de servir.

ENSALADA DE ARROZ INTEGRAL Y SILVESTRE

Tiempo de preparación: 20 minutos
Tiempo total de cocción: 40 minutos
Para 6 personas

1/2 taza (95 g) de arroz silvestre
1 taza (200 g) de arroz integral
1 cebolla roja mediana
1 pimiento rojo pequeño
2 tallos de apio
2 cucharadas de perejil fresco picado
4 cucharadas de pacanas picadas

Salsa

1/4 taza (60 ml) de zumo de naranja
1/4 taza (60 ml) de zumo de limón
1 cucharadita de ralladura fina de naranja
1 cucharadita de ralladura fina de limón
1/3 taza (80 ml) de aceite de oliva

1 En una olla con agua hirviendo, cueza el arroz silvestre de 30 a 40 minutos hasta que esté tierno; escúrralo bien y déjelo enfriar del todo. Mientras, deje cocer el arroz integral de 25 a 30 minutos; luego escúrralo bien y déjelo enfriar.
2 Trocee la cebolla y el pimiento rojo en daditos y el apio en rodajas finas. Mézclelos en un cuenco con el perejil y los dos tipos de arroz cocidos. En una sartén a fuego medio tueste un poco las pacanas, de 2 a 3 minutos, y déjelas enfriar.
3 Para la salsa: Introduzca los zumos, las ralladuras de naranja y limón y el aceite de oliva en un tarro de cristal con tapa de rosca y agítelo para mezclarlo.
4 Vierta la salsa en la ensalada y remuévalo todo con cuidado. Añada las pacanas y mézclelas entre la ensalada. Sirva con pan pita o pan crujiente.

ENSALADA DE COLES

Tiempo de preparación: 25 minutos
Tiempo total de cocción: ninguno
Para 4 personas

155 g de repollo
155 g de lombarda
2 zanahorias medianas
3 cebolletas
1/4 taza (60 g) de mayonesa
1 cucharada de vinagre de vino blanco
1/2 cucharada mostaza francesa
sal y pimienta

1 Introduzca en un cuenco el repollo y la lombarda en tiras finas, las zanahorias ralladas y las cebolletas troceadas; remuévalo bien para mezclarlo.
2 Bata la mayonesa, el vinagre y la mostaza; aderece con sal y pimienta y viértalo en la ensalada.

ARROZ SILVESTRE
El arroz silvestre, a pesar de su nombre, no es un tipo de arroz, sino el grano de una planta acuática originaria de América del Norte, tradicionalmente cultivada por los indios americanos. En Asia existe una variedad un poco diferente. El arroz silvestre auténtico es difícil de encontrar y suele ser muy caro; sin embargo, merece la pena adquirirlo por su delicioso sabor. Las variedades cultivadas para su distribución comercial son más insípidas, pero a la vez más baratas. Al preparar arroz silvestre, procure no cocerlo demasiado o perderá parte de su sabor.

ARRIBA: Ensalada de arroz integral y silvestre

CACAHUETES
Los cacahuetes son originarios de América del Sur y, por sorprendente que parezca, no son frutos secos sino legumbres. Los crudos tienen un sabor parecido al de las judías verdes. Para preparlos, puede introducirlos en un poco de aceite caliente y sal y luego tostarlos al horno a temperatura moderada.

ARRIBA: Ensalada de pepino con cacahuetes y guindillas

ENSALADA DE PEPINO CON CACAHUETES Y GUINDILLAS

Tiempo de preparación: 25 minutos + 45 minutos para marinar
Tiempo total de cocción: ninguno
Para 4–6 personas

3 pepinos medianos
2 cucharadas de vinagre de vino blanco
2 cucharaditas de azúcar
1–2 cucharadas de salsa de guindillas dulce
12 chalotes francesas picadas
1/2 taza (15 g) de hojas frescas de cilantro
185 g de cacahuetes tostados y picados
2 cucharadas de ajo frito crujiente
1 cucharada de salsa de pescado (opcional)

1 Pele el pepino, divídalo por la mitad y a lo largo, extraiga las semillas y córtelo en rodajas.
2 En un cuenco pequeño, mezcle el vinagre y el azúcar hasta su disolución. Vierta el líquido en una fuente de servir e incorpore el pepino, la salsa de guindillas, las chalotes y el cilantro. Déjelo marinar durante 45 minutos.
3 Justo antes de servir, espolvoree el plato con los cacahuetes, el ajo frito y la salsa de pescado.
NOTA: Si no dispone de chalotes francesas, utilice cebollas rojas.

ENSALADA DE PATATAS A LAS HIERBAS

Tiempo de preparación: 15 minutos
Tiempo total de cocción: 10–15 minutos
Para 4 personas

650 g de patatas de piel roja
1 cebolla roja
1 cucharada de menta fresca picada
1 cucharada de perejil fresco picado
1 cucharada de cebollino fresco picado
4 cucharadas de mayonesa
4 cucharadas de yogur natural

1 Limpie las patatas (sin pelarlas) y córtelas en daditos. Luego cuézalas en una olla con agua hirviendo hasta que estén tiernas, escúrralas y déjelas enfriar del todo. Corte la cebolla en rodajitas.
2 Incorpore las patatas, la cebolla y las hierbas en una fuente de servir grande. Mezcle la mayonesa y el yogur y nape las patatas en la salsa obtenida. Sirva el plato a temperatura ambiente.
NOTA: Obtendrá mejores resultados si utiliza mayonesa de huevo entera de buena calidad (la preparada en casa es aún mejor).

ENSALADA DE GARBANZOS Y ACEITUNAS

Tiempo de preparación: 20 minutos
+ 1 noche en reposo
Tiempo total de cocción: 25 minutos
Para 6 personas

1 1/2 tazas (330 g) de garbanzos secos
1 pepino pequeño
2 tomates medianos
1 cebolla roja pequeña
3 cucharadas de perejil fresco picado
1/2 taza (60 g) de aceitunas negras sin hueso
1 cucharada de zumo de limón
3 cucharadas de aceite de oliva
1 diente de ajo majado
1 cucharada de miel

1 En un cuenco, sumerja los garbanzos en agua fría y déjelos reposar una noche. Escúrralos, viértalos en una olla con agua nueva y cuézalos hasta que estén tiernos, unos 25 minutos. Escúrralos y déjelos enfriar.
2 Corte el pepino por la mitad y a lo largo, quite las semillas y córtelo en rodajas de 1 cm. Trocee los tomates en dados de tamaño similar a los garbanzos y corte la cebolla a trocitos. En una fuente, mezcle los garbanzos, el pepino, el tomate, la cebolla, el perejil y las aceitunas.
3 Introduzca el zumo de limón, el aceite, el ajo y la miel en un tarro de cristal y agítelo bien. Vierta la salsa en la ensalada y remuévalo todo para mezclarlo. Sirva a temperatura ambiente.

ENSALADA DE TOFU

Tiempo de preparación: 20 minutos
+ 1 hora para marinar
Tiempo total de cocción: ninguno
Para 4 personas

2 cucharaditas de salsa de guindillas dulce
1/2 cucharadita de jengibre fresco rallado
1 diente de ajo majado
2 cucharaditas de salsa de soja
2 cucharadas de aceite
250 g de tofu firme
105 g de tirabeques en trozos de 3 cm
2 zanahorias pequeñas, en tiras finas
105 g de lombarda en juliana
2 cucharadas de cacahuetes picados

1 Vierta la salsa de guindillas, el jengibre, el ajo, la salsa de soja y el aceite en un tarro de cristal con tapa de rosca y agítelo bien. Corte el tofu en dados de 2 cm, colóquelos en un cuenco y vierta la marinada por encima. Cúbralo con film transparente y consérvelo 1 hora en el frigorífico.
2 Coloque los tirabeques en un cazo, cúbralos con agua hirviendo y déjelos reposar 1 minuto. Escúrralos, sumérjalos en agua muy fría y vuelva a escurrirlos.
3 Añada los tirabeques, las zanahorias y la lombarda y mézclelo bien. Distribuya la preparación en una fuente de servir o en platos individuales, decore con los cacahuetes y sirva enseguida.

ABAJO: Ensalada de garbanzos y aceitunas (superior); ensalada de tofu

REQUESÓN
El requesón, originario de América del Norte, se elabora a partir de la cuajada de la leche desnatada. Su bajo contenido calórico lo convierte en uno de los quesos predilectos de las dietas de régimen. Resulta excelente con macedonia, y la variedad cremosa es ideal para cocina.

ARRIBA, DESDE SUPERIOR: Ensalada de penne con tomates secados al sol; ensalada de nachos; ensalada de requesón

ENSALADA DE REQUESÓN

Tiempo de preparación: 20 minutos
Tiempo total de cocción: 5 minutos
Para 4 personas

1 lámina de pan lavash
2 cucharaditas de aceite vegetal
pimentón suave, para espolvorear
16 hojas de lechuga "hoja de roble" roja
2 cucharadas de cebollino fresco picado
500 g de requesón
200 g de uvas negras
1 zanahoria mediana rallada
3 cucharadas de brotes de alfalfa

1 Precaliente el horno a 180°C. Unte el pan lavash con aceite y espolvoréelo con pimentón. Divídalo por la mitad, corte 16 tiras horizontales y hornéelas 5 minutos, hasta que estén doradas; déjelas enfriar.
2 Lave y escurra bien la lechuga. Mezcle el cebollino con el requesón. Disponga los ingredientes en platos individuales y coloque cuatro tiras de pan lavash a un lado. Sirva enseguida.
NOTA: El pan lavash es rectangular y fino y puede adquirirlo en supermercados.

ENSALADA DE NACHOS

Tiempo de preparación: 20 minutos
Tiempo total de cocción: ninguno
Para 4 personas

440 g de fríjoles en conserva
1 tomate grande en dados
1/2 taza (125 g) de salsa suave en conserva
280 g de fritos de maíz
8 hojas de lechuga en juliana
1 aguacate pequeño en rodajas
20 g de queso cheddar rallado

1 Vierta los fríjoles en un colador y aclárelos; escúrralos y mézclelos con el tomate y la salsa.
2 Coloque en cada plato una base de fritos de maíz, cúbralos con la lechuga, el aguacate y la mezcla obtenida con los fríjoles. Esparza el queso rallado por encima y sírvalo.

ENSALADA DE PENNE CON TOMATES SECADOS AL SOL

Tiempo de preparación: 20 minutos
Tiempo total de cocción: 10 minutos
Para 6 personas

500 g de pasta tipo penne
1 cucharada de aceite de oliva
150 g de tomates secados al sol, escurridos
1/2 taza (25 g) de hojas de albahaca frescas
1/2 taza (70 g) de aceitunas negras sin hueso
2 cucharadas de aceite de oliva extra
2 cucharaditas de vinagre de vino blanco
1 diente de ajo, cortado por la mitad
60 g de queso parmesano rallado

1 En una olla con agua hirviendo cueza la pasta al dente. Escúrrala, aclárela con agua fría y vuelva a escurrirla. Viértala en una fuente y mézclela con aceite para que no se pegue.
2 Corte en tiras los tomates secados al sol y mézclelos en la pasta con la albahaca y las aceitunas.
3 Introduzca el aceite de oliva extra, el vinagre y el ajo en un tarro de cristal de rosca y agítelo; retírelo 5 minutos y deseche el ajo. Agítelo de nuevo y vierta el preparado en la ensalada, removiendo hasta que esté mezclado. Decore el plato con queso parmesano y sírvalo enseguida.

ENSALADA DE NUECES Y CÍTRICOS

Tiempo de preparación: 20 minutos
Tiempo total de cocción: ninguno
Para 8 personas

2 naranjas
2 pomelos
125 g de tirabeques
75 g de oruga troceada
1/2 lechuga "hoja de roble", troceada
1 pepino grande en rodajas
1/3 taza (40 g) de nueces

Salsa de nueces
2 cucharadas de aceite de nuez
2 cucharadas de aceite
2 cucharaditas de vinagre de estragón
2 cucharaditas de mostaza sin semillas
1 cucharadita de salsa de guindillas dulce

1 Pele las naranjas y el pomelo y elimine la piel blanca. Corte la pulpa en gajos y extraiga las semillas. Mientras, cubra los tirabeques con agua hirviendo, déjelos reposar unos 2 minutos y sumérjalos en agua helada. Escúrralos y déjelos secar sobre papel de cocina. A continuación, mezcle la fruta, los tirabeques, la oruga, la lechuga, el pepino y las nueces en un cuenco grande.
2 Para la salsa de nueces: Mezcle todos los ingredientes en un tarro de cristal con tapa de rosca y agítelo bien.
3 Vierta la salsa sobre la ensalada y remuévalo hasta que esté todo bien mezclado.

ENSALADA PICANTE DE PATATAS

Tiempo de preparación: 15 minutos
Tiempo total de cocción: 20 minutos
Para 6 personas

500 g de patatas pequeñas en mitades
250 g de judías verdes, sin las puntas y cortadas en diagonal

Salsa
1/4 taza (60 ml) de aceite de oliva
2 guindillas rojas, sin semillas y en tiras finas
1 diente de ajo majado
1/4 taza (15 g) de cilantro fresco picado
1 cucharada de vinagre de vino tinto
1/2 cucharadita de semillas de alcaravea

1 Cueza las patatas 20 minutos a fuego lento en agua hirviendo, hasta que estén tiernas y firmes; escúrralas y déjelas reposar. Cubra las judías con agua hirviendo, hasta que estén tiernas y sean de color verde claro; escúrralas y déjelas reposar.
2 Para la salsa: Bata y mezcle bien los ingredientes durante 2 minutos. Vierta la salsa sobre las patatas y las judías y sírvalo enseguida.

SEMILLAS DE ALCARAVEA
Las semillas de alcaravea (*Carum carvi*) son conocidas por sus propiedades digestivas y por su riqueza en sales minerales y proteínas. Al masticarlas, hacen disminuir el olor a ajo y parece ser que estimulan el apetito. Se utilizan a menudo en la elaboración del pan de centeno o de cereales. Un bol pequeño de semillas de alcaravea es el acompañamiento perfecto para quesos fuertes como el munster o el livarot.

ARRIBA: Ensalada de nueces y cítricos

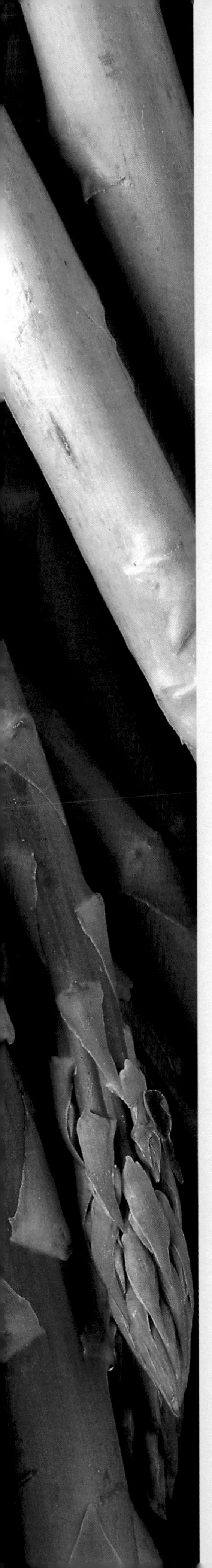

HORTALIZAS Y VERDURAS

Acompañamientos, quizás—pero las verduras de buena calidad bien preparadas adquieren un papel esencial cuando guarnecen el plato principal y complementan la comida. Diversidad, múltiples variedades en función de la época del año, incontables colores, formas y sabores: el único dilema con que se encontrará en la verdulería será decidir qué escoger.

GHEE

El ghee es la grasa más utilizada en la cocina india y en muchos países árabes, donde se conoce como *samna*. Su sabor fuerte y dulce se obtiene a partir de la extracción de la espuma y el suero de la mantequilla clarificada. A menudo se aromatiza: en la India con semillas de comino, hojas de laurel, clavos y jengibre y, en el Oriente Medio, con orégano, tomillo y otras especias.

ARRIBA: Curry de patatas y guisantes

CURRY DE PATATAS Y GUISANTES

Tiempo de preparación: 20 minutos
Tiempo total de cocción: 35 minutos
Para 4 personas

750 g de patatas peladas
2 cucharaditas de semillas de mostaza negra
2 cucharadas de ghee o aceite
2 cebollas en rodajas
2 dientes de ajo majados
2 cucharaditas de jengibre fresco rallado
1 cucharadita de cúrcuma
sal y pimienta
1/2 cucharadita de guindilla en polvo
1 cucharadita de comino molido
1 cucharadita de garam masala
1/2 taza (125 ml) de agua
2/3 taza (110 g) de guisantes frescos o congelados
2 cucharadas de menta fresca picada

1 Corte las patatas en dados grandes. Tueste las semillas de mostaza en una sartén sin aceite e incorpore el ghee, las cebollas, el ajo y el jengibre; cuando esté tierno, añada cúrcuma, sal, pimienta, guindilla, comino, garam masala y patatas; remuévalo todo para napar las patatas.

2 Agregue el agua y déjela cocer de 15 a 20 minutos, hasta que las patatas estén tiernas. Añada los guisantes y revuélvalo bien; tape y cueza la mezcla a fuego lento de 3 a 5 minutos, hasta que las patatas estén cocidas y hayan absorbido el líquido. Añada la menta y sírvalo tibio o caliente.

RÖSTI

Tiempo de preparación: 10 minutos + refrigeración
Tiempo total de cocción: 45 minutos
Para 4 personas

6 patatas medianas (750 g)
sal y pimienta negra recién molida
60 g de mantequilla

1 Cueza las patatas hasta que estén tiernas, escúrralas, déjelas enfriar y pélelas. Tápelas, refrigérelas una noche, rállelas y salpimiéntelas.

2 En una sartén de fondo pesado con la mitad de la mantequilla muy caliente, incorpore y chafe las patatas para formar una lámina fina y uniforme. Manténgalo a fuego medio o lento de 15 a 20 minutos hasta que la masa esté crujiente y dorada; sacuda la sartén para que no se pegue, cúbrala con un plato grande y dé la vuelta al rösti.

3 En la sartén con el resto de la mantequilla caliente, cueza la otra cara 15 ó 20 minutos, hasta

que esté dorada y crujiente. Sírvalo enseguida, en porciones y con una ensalada verde fresca.

BERENJENA CON SALSA DE TOMATE A LAS HIERBAS

Tiempo de preparación: 30 minutos
Tiempo total de cocción: 40 minutos
Para 4 personas

6–8 berenjenas delgadas
aceite de oliva, para freír, y 2 cucharadas adicionales
2 dientes de ajo majados
1 cebolla picada
1 pimiento rojo, sin semillas y troceado
2 tomates maduros picados
1/2 taza (125 ml) de caldo vegetal
1 cucharadita de tomillo fresco picado fino
1 cucharadita de mejorana fresca picada
2 cucharaditas de orégano fresco picado fino
1 cucharadita de azúcar
3–4 cucharaditas de vinagre de vino blanco
3 cucharadas de aceitunas negras pequeñas
sal y pimienta
1/4 taza (7 g) de hojas de albahaca fresca, troceadas

1 Corte las berenjenas por la mitad y a lo largo. Cubra el fondo de una sartén grande con aceite y caliéntelo hasta que esté casi humeando. Fría las berenjenas en tandas, a fuego medio-alto de 2 a 3 minutos cada cara, hasta que estén doradas. Retírelas de la sartén con unas pinzas y escúrralas sobre papel de cocina. Si es necesario, agregue aceite para cocerlas. Tape las berenjenas y manténgalas calientes.
2 En una sartén con el aceite adicional caliente, fría el ajo y la cebolla a fuego medio de 2 a 3 minutos. Incorpore el pimiento rojo y los tomates y, removiendo con frecuencia, cueza la mezcla de 1 a 2 minutos, hasta que esté tierna.
3 Añada el caldo vegetal a la sartén y deje cocer el preparado hasta que arranque el hervor; luego baje el fuego y, removiendo de vez en cuando, cuézalo de 5 a 10 minutos o hasta que el líquido se reduzca y se espese. Condimente con tomillo, mejorana, orégano, azúcar y vinagre, y déjelo cocer 3 ó 4 minutos más. Incorpore las aceitunas y, a continuación, salpimiente. Sirva las berenjenas calientes, cubiertas con la salsa de tomate, y espolvoréelas con las hojas de albahaca troceadas.
NOTA: Puede preparar la mezcla de tomate con un día de antelación, pero sin añadir las especias. Es preferible que las incorpore al recalentar el plato, lo que contribuye a preservar el color e impide que el sabor se vuelva amargo.

TOMILLO
El tomillo (*Thymus vulgaris*) es una de las especias esenciales de la cocina mediterránea. Su mejor aroma se obtiene a partir de las flores y, aunque se seca con facilidad, es preferible cocinar con tomillo fresco siempre que sea posible. Al adquirirlo seco, tenga en cuenta que las hojas con polvo indican que la especia no es reciente y, por lo tanto, tendrá menos sabor y fragancia. Adquiera el tomillo seco en pequeñas cantidades, puesto que las hojas pasadas pueden echar a perder el plato.

ARRIBA: Berenjena con salsa de tomate a las hierbas

CEBOLLINO
El cebollino es una de las cuatro *finas hierbas* clásicas: el cuarteto equilibrado y perfecto formado por cebollino, perifollo, perejil y estragón. En función de su tamaño, el cebollino tiene un sabor que oscila entre suave y fuerte. Así, los más grandes, tienen un sabor muy parecido a la cebolla.

FLORES DE CALABACÍN RELLENAS

Tiempo de preparación: 35 minutos
Tiempo total de cocción: 20 minutos
Para 4 personas

1/2 taza (125 g) de queso ricotta
1/2 taza (60 g) de queso cheddar o mozzarella rallado fino
2 cucharadas de cebollino fresco picado
12 flores de calabacín
1/3 taza (40 g) de harina

Rebozado
1 taza (125 g) de harina
1 huevo ligeramente batido
3/4 taza (185 ml) de agua helada
aceite abundante, para freír

Salsa de tomate
1 cucharada de aceite de oliva
1 cebolla pequeña picada fina
1 diente de ajo majado
425 g de tomates triturados en conserva
1/2 cucharadita de orégano seco

1 En un cuenco pequeño, mezcle el queso ricotta, el cheddar o mozzarella y el cebollino.
2 Abra con cuidado las flores de calabacín; deseche los estambres y rellene el interior con la mezcla de los quesos. Ciérrelas y enrolle los extremos para sellarlas. Espolvoréelas con un poco de harina y luego sacúdalas con cuidado.
3 Para el rebozado: Introduzca la harina en un cuenco y haga un hueco en el centro. Incorpore el huevo y el agua y bátalo todo hasta que se absorba el líquido y no queden grumos.
4 Caliente el aceite a temperatura moderada en una cazuela grande. Mediante unas pinzas, nape las flores en el rebozado y, a continuación, rehóguelas en el aceite. Fríalas hasta que estén doradas y escúrralas sobre papel de cocina. Sírvalas inmediatamente con salsa de tomate.
5 Para la salsa de tomate: En una sartén pequeña con aceite caliente, fría las cebollas a fuego medio durante 3 minutos, hasta que estén tiernas. Agregue el ajo y déjelo cocer otro minuto. Incorpore los tomates y el orégano y revuelva el preparado hasta que esté bien mezclado. Cuando entre en ebullición, baje el fuego y déjelo cocer durante 10 minutos. Sírvalo caliente.
NOTA: A menudo, las flores de calabacín pequeñas tienen un calabacín enano adosado, lo que no siempre ocurre con las más grandes.

ABAJO: Flores de calabacín rellenas

TUBÉRCULOS AL HORNO CON JENGIBRE DULCE

Tiempo de preparación: 25 minutos
Tiempo total de cocción: 1 hora y 10 minutos
Para 4–6 personas

150 g de boniatos
1 patata mediana
1 zanahoria mediana
1 chirivía mediana
1 nabo mediano
2 cucharadas de aceite de oliva
60 g de mantequilla
2 cucharadas de azúcar
1 cucharada de jengibre fresco rallado fino
1/4 taza (60 ml) de agua

1 Precaliente el horno a 210°C. Unte con aceite una fuente de horno grande.
2 Pele el boniato, la patata, la zanahoria, la chirivía y el nabo y trocéelos en tiras de unos 5 cm de largo y 1 cm de ancho.
3 Disponga las hortalizas en una única capa sobre la fuente de horno; úntelas con aceite de oliva y hornéelas 1 hora, hasta que estén doradas.
4 Derrita la mantequilla en una sartén pequeña. Agregue el azúcar y manténgalo a fuego lento hasta su disolución. Añada el jengibre rallado y el agua y revuélvalo hasta que esté bien mezclado. Cuando entre en ebullición, baje el fuego y, sin tapar la mezcla, déjela cocer 5 minutos, hasta que se reduzca y espese un poco. Nape las hortalizas cocidas al horno con la salsa y hornéelas 5 minutos más. Sírvalas enseguida, acompañadas de verduras al vapor, si lo desea.

ESPÁRRAGOS FRITOS RÁPIDOS

CORTE las puntas de 155 g de espárragos (para esta receta, procure utilizarlos frescos y delgados). En una sartén con 1 cucharada de aceite caliente y 20 g de mantequilla, cueza los espárragos de 3 a 4 minutos, dándoles la vuelta con frecuencia para cocerlos por igual. Primero adquirirán un color verde claro y luego se dorarán irregularmente. Al final de la cocción, añada un par de cucharadas de zumo de limón; revuélvalo y sirva enseguida. Para 2–4 personas.

PATATAS AL ROMERO SALTEADAS

Tiempo de preparación: 15–20 minutos
Tiempo total de cocción: 35 minutos
Para 4–6 personas

750 g de patatas nuevas "baby"
30 g de mantequilla
2 cucharadas de aceite de oliva
pimienta negra
2 dientes de ajo majados
1 cucharada de romero fresco picado fino
1 cucharadita de sal gruesa o marina
1/2 cucharadita de pimienta negra machacada

1 Lave las patatas, sequélas sobre papel de cocina y córtelas en dos; hiérvalas o cuézalas al vapor hasta que estén tiernas, escúrralas y déjelas enfriar.
2 En una sartén con aceite y mantequilla derritiéndose, vierta las patatas y alíñelas con pimienta; cuézalas de 5 a 10 minutos a fuego medio, hasta que estén doradas y crujientes, y revuélvalas a menudo hasta dejarlas de color uniforme.
3 Agregue el ajo, el romero y la sal y deje cocer 1 minuto; añada la pimienta y revuélvalo bien. Sírvalo caliente o tibio.
NOTA: El tomillo o el perejil frescos son ideales para condimentar esta receta.

SAL

La sal, o cloruro sódico, se ha utilizado desde la antigüedad para conservar y condimentar alimentos. Una de sus propiedades más importantes es la capacidad para eliminar la humedad de los alimentos. Es por eso que a menudo troceamos la berenjena y la cubrimos con sal antes de cocerla, puesto que la sal elimina el jugo amargo.

ARRIBA: Tubérculos al horno con jengibre dulce
ABAJO: Patatas al romero salteadas

TIRABEQUES Y ZANAHORIAS EN MANTEQUILLA DE LIMA

Tiempo de preparación: 15 minutos
Tiempo total de cocción: 10 minutos
Para 4 personas

125 g de zanahorias
125 g de tirabeques
60 g de mantequilla
2 dientes de ajo majados
1 cucharada de zumo de lima (y la ralladura de 1 lima, para decorar)
½ cucharadita de azúcar moreno

1 Pele las zanahorias y córtelas en rodajas. Lave y desfibre los tirabeques. En una sartén de fondo pesado con la mantequilla caliente, sofría el ajo 1 minuto a fuego lento; añada el zumo de lima y el azúcar y, removiendo, cuézalo a fuego lento hasta que el azúcar se haya disuelto del todo.
2 Añada las zanahorias y los tirabeques y cuézalos bien de 2 a 3 minutos a fuego medio. Sírvalo caliente y decórelo con ralladura de lima.
3 Para la ralladura de lima, pele la corteza en tiras largas y elimine la capa blanca del interior; córtela en tiritas con un cuchillo afilado.
NOTA: Puede utilizar judías verdes en lugar de tirabeques. Las zanahorias enanas también proporcionan un aspecto atractivo al plato—conserve una parte de los extremos verdes. Si no dispone de limas, utilice zumo y piel de limón. Si desea adaptar este plato para elaborar una ensalada ligera, siga los pasos anteriores y utilice 2 cucharadas de aceite de oliva en lugar de mantequilla. Deje enfriar a temperatura ambiente y decore con anacardos picados o piñones tostados.

TORTILLITAS DE PATATA CON SALSA DE MANZANA

Tiempo de preparación: 20 minutos
Tiempo total de cocción: 30 minutos
Para 4 personas

☆

4 tazas (620 g) de patatas ralladas finas
1 cebolla grande, picada fina
2 cucharaditas de semillas de apio o hinojo
3 cucharadas de harina
2 huevos batidos
sal y pimienta negra recién molida
aceite, para freír
1 taza (250 ml) de salsa de manzana preparada

1 Escurra el líquido de las patatas y, en un cuenco grande, mézclelas bien con la cebolla, las semillas de apio o de hinojo, la harina, los huevos batidos, la sal y la pimienta.
2 Caliente 2 cm de aceite en una sartén grande de fondo pesado. Con dos cucharadas colmadas de la mezcla anterior, forme tortillitas finas y cueza ambos lados unos 3 minutos o hasta que estén dorados y bien cocidos. Sirva enseguida con la salsa de manzana.
NOTA: Al extraer el líquido de las patatas ralladas, el aceite no salpica al freír. Para obtener una buena salsa, puede utilizar puré de manzanas pequeñas en conserva.

CÓMO EXPRIMIR LIMAS
Para obtener la máxima cantidad de zumo de las limas frescas, incorpórelas en el horno microondas a alta temperatura durante 30 segundos. Así, la fruta se vuelve más blanda y puede exprimirse con mayor facilidad.

ARRIBA: Tortillitas de patata con salsa de manzana
A LA DERECHA: Tirabeques y zanahorias en mantequilla de lima

MANOJOS DE CEBOLLETAS Y APIO

Tiempo de preparación: 20 minutos
Tiempo total de cocción: 10 minutos
Para 6 personas

- 4 tallos de apio
- 24 cebolletas
- 30 g de mantequilla
- 1 cucharadita de semillas de apio
- 1 cucharada de miel
- 1/2 taza (125 ml) de caldo vegetal
- 1 cucharadita de salsa de soja
- 1 cucharadita de fécula de maíz
- 1 cucharadita de agua

1 Corte el apio en trozos de 10 cm y luego en tiras del mismo grosor que las cebolletas. Extraiga la raíz de las cebolletas y, conservando los extremos para las ataduras, córtelas en tiras de 10 cm de largo. Sumerja los extremos de las cebolletas 30 segundos en agua hirviendo o hasta que adquieran un color verde claro y sumérjalos de inmediato en agua helada. Escúrralos y séquelos sobre papel de cocina.
2 Mezcle las cebolletas y los tallos de apio y divídalos en seis manojos. Ate cada uno de ellos con los extremos de las cebolletas.
3 En una sartén con mantequilla caliente, fría ambos lados de los manojos a fuego medio durante 1 minuto y, a continuación, retírelos de la sartén. Añada las semillas de apio y manténgalas en el fuego durante 30 segundos. Incorpore la miel, el caldo, la salsa de soja y la fécula de maíz mezclada con el agua. Llévelo a ebullición y, sin dejar de remover, baje el fuego. Agregue los manojos de cebolletas y apio y déjelos cocer a fuego lento durante 7 minutos o hasta que estén tiernos. Sírvalo inmediatamente con el líquido de la cocción.
NOTA: Ésta es una forma muy vistosa de servir las verduras. Puede probarlo también con manojos de zanahorias y tiras de calabacín, espárragos, calabaza y chirivías o cualquier combinación de verduras que precise aproximadamente el mismo tiempo de cocción.

PATATAS AL CURRY CON SEMILLAS DE SÉSAMO

Tiempo de preparación: 20 minutos
Tiempo total de cocción: 20 minutos
Para 4 personas

- 4 patatas grandes
- 1 cucharada de aceite
- 1 cucharadita de semillas de comino
- 1 cucharadita de semillas de cilantro
- 2 cucharaditas de semillas de mostaza
- 2 cucharadas de semillas de sésamo
- 1/2 cucharadita de cúrcuma
- 1 cucharadita de guindilla fresca picada
- 2 cucharaditas de ralladura fina de limón
- 2 cucharadas de zumo de limón
- sal y pimienta

1 Ponga a hervir las patatas o cuézalas al vapor o al microondas hasta que estén tiernas. Déjelas enfriar, pélelas y trocéelas. En una sartén grande de fondo pesado con aceite caliente, cueza 1 minuto a fuego lento las semillas de comino, coriandro y mostaza, sin dejar de remover.
2 Añada las semillas de sésamo y manténgalas en el fuego hasta que estén doradas, 1 ó 2 minutos. Incorpore la cúrcuma, las guindillas, las patatas, la ralladura y el zumo de limón. Revuélvalo hasta que esté caliente y mezclado; salpimiéntelo.

ARRIBA: Patatas al curry con semillas de sésamo

CÓMO PELAR Y CORTAR AGUACATES

1 Para cortar un aguacate por la mitad, introduzca un cuchillo hasta el hueso y córtelo dando la vuelta a su alrededor. Gire ambas mitades en direcciones opuestas y sepárelas con cuidado.

2 Clave el cuchillo en el hueso y extráigalo girando.

3 Con cuidado, pélelo con los dedos.

ARRIBA: Verduras a la mexicana

VERDURAS A LA MEXICANA

Tiempo de preparación: 30 minutos + 2 horas de refrigeración
Tiempo total de cocción: 50 minutos
Para 4–6 personas

Polenta

1 1/3 tazas (350 ml) de caldo vegetal
1 taza (250 ml) de agua
1 taza (150 g) de polenta (harina de maíz)
1/2 taza (50 g) de queso parmesano recién rallado
2 cucharadas de aceite de oliva

1 pimiento verde grande
1 pimiento rojo grande
3 tomates medianos
6 calabacitas boneteras verdes
6 calabacitas boneteras amarillas
1 mazorca de maíz fresca
1 cucharada de aceite
1 cebolla mediana en rodajas
1 cucharada de comino molido
1/2 cucharadita de guindilla en polvo
2 cucharadas de cilantro fresco picado (opcional)
sal y pimienta negra recién molida

1 Unte con aceite un molde redondo desmontable de 20 cm.

2 Para la polenta: Vierta el caldo y el agua en una olla mediana y llévelo a ebullición. Añada la polenta y no deje de removerlo todo durante 10 minutos, hasta que esté muy espeso. (En caso contrario, la polenta tendrá grumos.) Retire el preparado del fuego e incorpore el queso parmesano. Extienda la mezcla en el recipiente untado y alise la superficie; resérvelo 2 horas en el frigorífico, luego sáquelo y córtelo en 6 porciones. Úntelas por un lado con aceite de oliva y cuézalas al horno precalentado durante 5 minutos o hasta que los extremos estén dorados. Repita la operación con el otro lado.

3 Corte los pimientos verdes y rojos en dados pequeños; corte las calabazas en cuartos y la mazorca en rodajas de 2 cm y luego en cuartos.

4 En una cazuela, sofría la cebolla 5 minutos a fuego medio, hasta que esté tierna. Añada el comino y la guindilla en polvo y cuézalo todo 1 minuto. Agregue las verduras, deje cocer la mezcla hasta que entre en ebullición y luego baje el fuego. Tápelo y, removiendo con frecuencia, déjelo cocer 30 minutos a fuego lento o hasta que las verduras estén tiernas. Agregue el cilantro. Salpimiente y sírvalo con las porciones de polenta.

NOTA: Puede preparar las verduras y la polenta con un día de antelación. Hornee la polenta justo antes de servir; si lo desea, úntela con aceite de oliva mezclado con un poco de ajo majado.

CALABAZA CON GUINDILLA Y AGUACATE

Tiempo de preparación: 20 minutos
Tiempo total de cocción: 10 minutos
Para 6 personas

750 g de calabaza
2 cucharadas de aceite de oliva
1 cucharada de hojas de cilantro picadas
1 cucharada de menta fresca picada
2 cucharaditas de salsa de guindillas dulce
1 cebolla roja pequeña picada fina
2 cucharaditas de vinagre balsámico
1 cucharadita de azúcar moreno
1 aguacate grande

1 Extraiga las semillas del interior de la calabaza; córtela en rodajas, pélela y déjela cocer en una olla con agua casi hirviendo hasta que esté tierna y firme. Retírela del fuego y escúrrala bien.
2 En un cuenco, mezcle el aceite, el cilantro, la menta, la salsa de guindillas, la cebolla, el vinagre y el azúcar. Corte el aguacate por la mitad y extraiga el hueso con un cuchillo de hoja afilada; pélelo y córtelo en rodajas finas.
3 En una fuente de servir, mezcle la calabaza caliente y el aguacate. Incorpore la salsa de cilantro y revuelva con cuidado. Sirva enseguida.
NOTA: Componga el plato justo antes de servirlo. Puede elaborar la salsa con algunas horas de antelación. Tápela y consérvela en el frigorífico. Para obtener un sabor más picante, agregue una guindilla roja pequeña picada.

CURRY DE VERDURAS

Tiempo de preparación: 25 minutos
Tiempo total de cocción: 20–25 minutos
Para 4–6 personas

1 cucharada de semillas de mostaza negra
2 cucharadas de ghee o aceite
2 cebollas picadas
4 cucharadas de pasta de curry suave
400 g de tomates en conserva
1/2 taza (125 g) de yogur natural
1 taza (250 ml) de leche de coco
2 zanahorias en rodajas
220 g de ramilletes de coliflor
2 berenjenas delgadas, en rodajas
220 g de judías verdes, por la mitad
155 g de ramilletes de brécol
2 calabacines en rodajas
90 g de champiñones pequeños, por la mitad
sal

1 Tueste las semillas de mostaza en una sartén sin aceite. Agregue el ghee o el aceite y las cebollas y, removiendo, cuézalas hasta que estén tiernas. Añada la pasta de curry y remueva 1 minuto hasta que la mezcla desprenda su aroma.
2 Añada los tomates, el yogur y la leche de coco y mézclelo bien a fuego lento; vierta las zanahorias; sin taparlo, cuézalo 5 minutos a fuego lento.
3 Añada la coliflor y la berenjena y déjelo cocer 5 minutos a fuego lento. Agregue los demás ingredientes y, sin tapar la mezcla, cuézala de 10 a 12 minutos. Sírvala caliente con arroz al vapor.

LECHE DE COCO

La leche de coco, esencial en la cocina asiática, no se elabora a partir del líquido del interior del coco, sino del jugo del coco rallado y exprimido. De la primera extracción se obtiene un líquido muy espeso, la crema de coco, mientras que la leche deriva de un segundo proceso de prensado. Puede encontrarla en latas, tetra bricks o en polvo.

A LA IZQUIERDA: Calabaza con guindilla y aguacate
ABAJO: Curry de verduras

PURÉS DE VERDURAS

Estas mezclas tan versátiles pueden utilizarse como salsas para pasta y son fabulosas para el relleno de crêpes y tortillas—pero nunca olvide su delicioso y genuino sabor.

PURÉ DE AGUATURMAS

En una olla, cubra con agua fría 1 kg de aguaturmas peladas y 2 dientes de ajo en rodajas, y llévelo a ebullición; déjelas cocer hasta que estén tiernas y cháfelas con una batidora junto con el ajo y 60 g de mantequilla, hasta conseguir un mezcla fina, añadiendo de forma gradual ¼ taza (60 ml) de aceite de oliva virgen extra. Salpimiente, rocíe con aceite de oliva y espolvoree con pimentón dulce.

PURÉ DE CHIRIVÍAS Y PUERRO

En una olla con agua salada hirviendo, cueza 1 puerro en rodajas finas y 3 chirivías grandes peladas y troceadas hasta que estén tiernas. Escúrralas bien y tritúrelas con una batidora o un robot de cocina. Vierta el puré en una olla; para más sabor, añada 2 cucharadas de cebollino fresco picado, 30 g de mantequilla, sal y pimienta. Déjelo cocer hasta que esté caliente, retírelo del fuego e incorpore unas 3 cucharadas de crema de leche.

PURÉ DE ESPÁRRAGOS

En una sartén con 30 g de mantequilla y

1 cucharada de aceite caliente, sofría 3 cebolletas picadas y 315 g de espárragos finos, tiernos y troceados, durante 3 minutos. Añada ½ taza de caldo vegetal y ½ taza de crema de leche, cúbralo y deje cocer a fuego lento hasta que esté tierno. Retire las verduras del líquido y tritúrelas hasta formar un puré fino. Deje cocer el líquido hasta que se reduzca en un cuarto. Incorpore de nuevo el puré en la sartén y añada 1 cucharada de queso parmesano. Deje cocer 5 minutos a fuego medio, hasta que el puré se espese un poco y salpimiéntelo. Cuele el puré si los espárragos son fibrosos.

PURÉ DE PIMIENTO ROJO

Ase 3 pimientos rojos grandes hasta que la piel esté negra y abrasada. Introdúzcalos en una bolsa de plástico, déjelos enfriar un poco y pélelos, extraiga las semillas y trocee la pulpa. Tritúrelos con una batidora, junto con 4 cebolletas picadas, 2 dientes de ajo majados y 2 guindillas rojas en trocitos, hasta formar una masa fina. Vierta el puré en una olla y añada 2 cucharadas de salsa de pescado (opcional), 2 cucharadas de zumo de lima y 2 cucharadas de cilantro fresco picado. Deje cocer 5 minutos a fuego medio hasta que se espese un poco.

PURÉ DE TOMATE ASADO Y GARBANZOS

Sumerja en agua fría 250 g de garbanzos secos durante una noche. Cuézalos 1½ horas en agua salada hirviendo con 1 hoja de laurel y 1 cebolla troceada, hasta que estén tiernos; escúrralos, retire el laurel y conserve ¼ taza del líquido. Corte 4 tomates de pera en mitades, espolvoréelos con sal marina y rocíelos con aceite de oliva; hornéelos a 200°C en un horno precalentado hasta que estén muy tiernos, de 30 a 40 minutos. Deje enfriar los tomates y los garbanzos, introdúzcalos en una picadora y agregue 2 dientes de ajo majados, 2 cucharadas de zumo de lima, 1 cucharadita de azúcar, ¼ taza de aceite de oliva y el líquido reservado; tritúrelo hasta formar una crema fina. Añada 2 cucharadas de albahaca fresca y 1 cucharada de queso parmesano rallado.

EN SENTIDO DE LAS AGUJAS DEL RELOJ, DESDE SUPERIOR IZQUIERDA: Puré de chirivías y puerro; puré de espárragos; puré de pimiento rojo; puré de aguaturmas; puré de tomate asado y garbanzos

PIMIENTOS ASADOS

1 Extraiga las semillas y la piel de los pimientos y corte la pulpa en fragmentos grandes y finos.

2 Hornéelos hasta que la piel esté negra y abrasada; cúbralos con un paño (o póngalos en una bolsa de plástico) y resérvelos.

3 Cuando los pimientos se hayan enfriado, pélelos y deseche la piel. La pulpa asada es más dulce que la cruda.

PÁGINA SIGUIENTE: Hortalizas marinadas a la barbacoa

HORTALIZAS MARINADAS A LA BARBACOA

Tiempo de preparación: 40 minutos + 1 hora para marinar
Tiempo total de cocción: 5 minutos
Para 4–6 personas

3 berenjenas delgadas pequeñas
2 pimientos rojos pequeños
3 calabacines medianos
6 champiñones medianos

Marinada

1/4 taza (60 ml) de aceite de oliva
1/4 taza (60 ml) de zumo de limón
1/4 taza (7 g) de hojas de albahaca fresca en tiras
1 diente de ajo majado

1 Corte las berenjenas en rodajas diagonales. Extiéndalas sobre una fuente en una sola capa, espolvoréelas con sal y déjelas reposar unos 15 minutos. Aclárelas bien y déjelas secar sobre papel de cocina. Retire las semillas y la piel de los pimientos rojos y córtelos en tiras largas y anchas. Corte los calabacines en rodajas en sentido diagonal. Corte los pies de los champiñones hasta el nivel del sombrerillo. Introduzca todas las verduras en un recipiente llano no metálico.
2 **Para la marinada:** Introduzca el aceite, el zumo, la albahaca y el ajo en un tarro de cristal con tapa de rosca. Agítelo hasta que esté todo bien mezclado. A continuación, vierta la marinada sobre las hortalizas y remuévalo todo un poco. Resérvelo 1 hora en el frigorífico envuelto en film transparente, removiéndolo de vez en cuando. Prepare y caliente la barbacoa.
3 Coloque las hortalizas sobre la barbacoa o en una fuente llana un poco engrasada, y cuézalas por ambos lados sobre la parte más caliente durante 2 minutos. Cuando estén doradas, colóquelas en una fuente de servir. Mientras se cuecen las hortalizas, úntelas a menudo con la marinada restante.
NOTA: Las hortalizas pueden marinarse con un máximo de dos horas de antelación. Sáquelas del frigorífico 15 minutos antes de cocerlas. Puede servir este plato caliente o a temperatura ambiente. Si quedan restos, sírvalos con rebanadas gruesas de pan crujiente o panecillos. También puede agregar otras hierbas a la marinada, como perejil, romero o tomillo. La marinada es también una salsa deliciosa para la ensalada.

PATATAS HASSELBACK

Tiempo de preparación: 20 minutos
Tiempo total de cocción: 45 minutos
Para 6 personas

8 patatas medianas (aproximadamente 1,5 kg), peladas y cortadas por la mitad
60 g de mantequilla fundida
1 cucharada de pan blanco tierno rallado
2/3 taza (85 g) de queso cheddar rallado
1/2 cucharada de pimentón dulce

1 Precaliente el horno a 210°C. Unte con mantequilla fundida o aceite una fuente de horno llana resistente al calor.
2 Coloque las patatas boca abajo encima de una tabla. Con un cuchillo pequeño afilado, marque rodajas finas en las patatas, sin llegar a cortarlas del todo. Colóquelas boca arriba en la fuente de horno preparada y úntelas con mantequilla fundida. Hornéelas durante 30 minutos, untándolas de vez en cuando con mantequilla.
3 Espolvoree con el preparado obtenido al mezclar el pan rallado, el queso rallado y el pimentón dulce; hornee otros 15 minutos o hasta que esté dorado. Sirva enseguida.

COL A LAS HIERBAS

CORTE 440 g de col en tiritas, ya sea repollo, lombarda o una mezcla de ambas variedades. En una cazuela con 30 g de mantequilla derretida, añada la col y mézclelo todo. Tápelo y déjelo cocer a fuego lento unos 5 minutos "al vapor", hasta que la col esté tierna. Destape la cazuela y, con unas pinzas, extraiga la col de vez en cuando para cocerla de modo uniforme. Añada 4 cucharadas de albahaca en tiras y sírvalo enseguida. Aliñe al gusto con sal y pimienta negra recién molida. Para 2 personas.

PATATAS A LAS HIERBAS

CUEZA 12 patatas nuevas pequeñas en agua hirviendo hasta que estén tiernas; es-cúrralas y viértalas en la olla. Añada 30 g de mantequilla, 1 cucharada de cebollino fresco picado y 1 cucharada de hojas de tomillo fresco al limón. Tape y sacúdalo a fuego lento, hasta que la mantequilla esté fundida; condimente al gusto. Para 4 personas.

PASTA DE CURRY TAILANDÉS

Las pastas de curry roja y verde constituyen la base del sabor del curry tailandés, pero a su vez también se utilizan para condimentar sopas, arroz frito, pasta, patatas fritas y huevos revueltos. La pasta de curry roja se elabora a base de guindillas rojas frescas, mientras que la verde contiene guindillas verdes frescas. Preparadas en casa, estas pastas pueden conservarse hasta 3 semanas en el frigorífico.

ARRIBA: Curry vegetal con boniato y berenjena

CURRY VEGETAL CON BONIATO Y BERENJENA

Tiempo de preparación: 25 minutos
Tiempo total de cocción: 30 minutos
Para 4–6 personas

1 cucharada de aceite
1 cebolla mediana picada
1–2 cucharadas de pasta de curry verde
1 boniato mediano
1 1/2 tazas (375 ml) de leche de coco
1 taza (250 ml) de agua
1 berenjena mediana, en cuartos y en rodajas
6 hojas de lima cafre
2 cucharadas de salsa de pescado (opcional)
2 cucharadas de zumo de lima
2 cucharadas de corteza de lima
2 cucharadas de azúcar moreno
hojas de cilantro frescas

1 En un wok o una sartén grandes con aceite caliente, incorpore la pasta de curry y la cebolla y cuézalo 3 minutos a fuego medio. Mientras, corte el boniato en dados. Agregue la leche de coco y el agua al wok y llévelo a ebullición; luego baje el fuego y, sin tapar la preparación, cuézala 5 minutos a fuego lento. Añada el boniato y manténgalo 6 minutos en el fuego.
2 Añada al wok la berenjena y las hojas de lima cafre y, removiendo de vez en cuando, cuézalo 10 minutos, hasta que las verduras estén tiernas.
3 Vierta la salsa de pescado, el zumo y la corteza de lima y el azúcar en el wok y remuévalo hasta que esté bien mezclado con las hortalizas. Espolvoréelo con hojas de cilantro frescas. Si lo desea, puede decorar el curry con más hojas de lima cafre. Sírvalo con arroz al vapor.

PASTA DE CURRY TAILANDÉS

Tiempo de preparación: 10 minutos
Tiempo total de cocción: 3 minutos
Para 1 taza aproximadamente

1 cucharada de semillas de cilantro
2 cucharaditas de semillas de comino
2 cucharaditas de pasta de gambas
1 cucharadita de pimienta negra en grano
1 cucharadita de nuez moscada molida
12 guindillas grandes rojas o verdes
1 taza (135 g) de chalotes francesas troceadas
2 cucharadas de aceite
4 tallos de hierba de limón (sólo la parte blanca), picados finos
10 dientes de ajo majados
2 cucharadas de raíz de cilantro fresco picado
2 cucharadas de tallos de cilantro fresco picado
6 hojas de lima cafre troceadas
2 cucharaditas de ralladura de limón
2 cucharaditas de sal

1 Tueste las semillas de cilantro y comino de 2 a 3 minutos; luego tritúrelas finamente.
2 Envuelva la pasta de gambas en papel de aluminio y cuézala 3 minutos a alta temperatura; no olvide darle la vuelta dos veces con unas pinzas.
3 Con un robot de cocina tritúrelo todo hasta conseguir una masa fina y resérvela luego en el frigorífico, en un recipiente hermético y durante un máximo de 3 semanas.

NOTA: Algunas de las recetas de este libro precisan utilizar pasta de curry roja o verde. Consulte esta receta para elaborarla en casa o adquiérala en frascos en el supermercado.

PATATAS "BABY" AL HORNO

Tiempo de preparación: 20 minutos + 1 hora en reposo
Tiempo total de cocción: 30 minutos
Para 6 personas

750 g (1 ½) de patatas "baby"
2 cucharadas de aceite de oliva
2 cucharadas de hojas de tomillo fresco
2 cucharaditas de sal marina machacada

1 Lave bien las patatas en agua fría; corte las más grandes en mitades para que todas sean de tamaño uniforme y se cuezan de forma homogénea. Hiérvalas, cuézalas al vapor o al microondas hasta que estén tiernas. (Las patatas deberían permanecer enteras e intactas.). Escúrralas y déjelas secar sobre papel de cocina.
2 Vierta las patatas en un cuenco, rocíelas con aceite y tomillo y déjelas reposar 1 hora. Precaliente el horno a 180°C.
3 Coloque las patatas en una fuente untada con aceite y hornéelas 20 minutos, hasta que estén doradas, dándoles la vuelta con frecuencia y untándolas con la mezcla restante de aceite y tomillo. Viértalas en una fuente de servir, sálelas y, si lo desea, decórelas con ramilletes de tomillo.

MAZORCAS PICANTES AL VAPOR

Tiempo de preparación: 25 minutos
Tiempo total de cocción: 10–20 minutos
Para 4 personas

4 mazorcas o 15 mazorcas enanas
1 trozo de 5 cm de jengibre fresco rallado
3 dientes de ajo majados
1–3 cucharaditas de guindillas rojas picadas
2 cucharaditas de pimienta verde en grano machacada
2 cucharadas de agua
2 cucharadas de salsa de pescado (opcional)

1 Retire el cascabillo y los hilos de las mazorcas. En un cuenco, mezcle bien el jengibre, el ajo, las guindillas, la pimienta y el agua.
2 Revuelva las mazorcas en la mezcla picante y colóquelas en una vaporera cubierta de hojas de plátano o papel parafinado.
3 Coloque la vaporera sobre un wok o una olla con agua hirviendo, tápela y déjela cocer de 10 a 20 minutos (en función del tamaño de las mazorcas), o hasta que las mazorcas estén tiernas; escúrralas, rocíelas con salsa de pescado y sírvalas enseguida.
NOTA: Las vaporeras de bambú no son caras y resultan muy prácticas para preparar verduras al vapor. Cubra siempre la base para que no se filtre la comida. Puede encontrar mazorcas enanas en fruterías y verdulerías especializadas.

SAL MARINA
La sal marina, denominada a veces *gros sel*, proviene del agua marina evaporada en bahías o en salinas. En cuestión de sabor, la sal marina es difícil de superar. Puede adquirirse en granos finos, en copos o en gránulos gruesos para luego molerlos.

A LA IZQUIERDA: Patatas "baby" al horno
ARRIBA: Mazorcas picantes al vapor

HOJAS DE LIMA CAFRE

Tanto la fruta como las hojas de este árbol del sureste asiático desprenden un intenso aroma. En la cocina asiática, las hojas se utilizan de modo muy parecido a las hojas de laurel en los platos europeos. Puede encontrar las hojas frescas en verdulerías de calidad, y las secas, que aún conservan un fuerte sabor, en tiendas de productos naturales o en tiendas especializadas en alimentación asiática.

ABAJO: Curry rojo de verduras

CURRY ROJO DE VERDURAS

Tiempo de preparación: 25 minutos
Tiempo total de cocción: 25–30 minutos
Para 4 personas

☆

1 cucharada de aceite
1 cebolla mediana picada
1–2 cucharadas de pasta de curry roja
1 1/2 tazas (375 ml) de leche de coco
1 taza (250 ml) de agua
2 patatas medianas troceadas
220 g de ramilletes de coliflor
6 hojas frescas de lima cafre
155 g de judías baby en trocitos
1/2 pimiento rojo en juliana
10 mazorcas enanas frescas cortadas longitudinalmente por la mitad
1 cucharada de pimienta verde en grano troceada
1/4 taza (20 g) de hojas frescas de albahaca troceadas
2 cucharadas de salsa de pescado (opcional)
1 cucharada de zumo de lima
2 cucharaditas de azúcar moreno
1/2 taza (15 g) de hojas de cilantro fresco

1 En un wok o una sartén con aceite caliente, fría las cebollas y el curry unos 4 minutos a fuego medio, removiendo con frecuencia.

2 Agregue la leche de coco y el agua, llévelo a ebullición y, sin taparlo, cuézalo 5 minutos a fuego lento. Añada las patatas, la coliflor y las hojas de lima, y cuézalo 7 minutos a fuego lento. Incorpore las judías baby, el pimiento rojo en tiras, las mazorcas y la pimienta; cuézalo 5 minutos, hasta que las hortalizas estén tiernas.

3 Añada la albahaca, la salsa, el zumo y el azúcar, espolvoree luego con hojas de cilantro y sírvalo con arroz al vapor.

NOTA: Si no dispone de mazorcas frescas, utilícelas en conserva y añádalas justo antes de servir.

ESTOFADO DE JUDÍAS BLANCAS, HINOJO Y TOMATE

Tiempo de preparación: 25 minutos
Tiempo total de cocción: 1 hora y 15 minutos
Para 4–6 personas

☆

5 tomates pelados, sin semillas y troceados
2 puerros lavados y en rodajas
2 dientes de ajo picados finos
1 bulbo grande de hinojo, lavado, por la mitad, sin semillas y en rodajas
3 cucharadas de aceite de oliva virgen extra
1/4 taza (60 ml) de Pernod
2 hojas de laurel frescas
5 ramilletes de tomillo fresco
sal y pimienta negra recién molida
500 g de patatas Desirée, peladas y troceadas
400 g de judías cannellino en conserva, aclaradas y escurridas
1 taza (250 ml) de caldo vegetal
1 taza (250 ml) de vino blanco
1/2 taza (125 g) de pesto preparado, para servir

1 Precaliente el horno a 180°C. En un plato grande resistente al calor, mezcle bien los nueve primeros ingredientes. (Es aconsejable hacerlo con una cierta antelación para que se mezclen los sabores.)

2 Tape el plato y hornéelo durante 30 minutos. Retírelo del horno y agregue las patatas, las judías, el caldo vegetal y el vino; mézclelo bien y tápelo. Hornéelo de 35 a 45 minutos más, hasta que las patatas estén bien cocidas. Extraiga las hojas de laurel y tomillo y deséchelas. Sírvalo en cuencos entibiados, decorados con una cucharada de pesto.

PATATAS ARRUGADAS CON MOJO PICÓN

Tiempo de preparación: 20 minutos
Tiempo total de cocción: 20–25 minutos
Para 4–6 personas

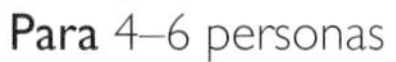

18 patatas "baby"
1 cucharada de aceite de oliva
2 cucharadas de sal

Salsa mojo

2 dientes de ajo
1 cucharadita de semillas de comino
1 cucharadita de pimentón dulce
1/3 taza (80 ml) de aceite de oliva
2 cucharadas de vinagre de vino blanco
1 cucharada de agua caliente

1 Precaliente el horno a 210°C. Extienda las patatas sobre una fuente en una sola capa. Vierta el aceite por encima y sacúdalo para distribuirlo uniformemente. Aliñe con sal de forma homogénea.
2 Hornee las patatas de 20 a 25 minutos, hasta que estén doradas y un poco arrugadas. Sacuda la fuente dos veces durante la cocción.
3 **Para el mojo picón:** Con una picadora, triture 1 minuto el ajo, el comino y el pimentón dulce. Con el motor aún en marcha, agregue todo el aceite poco a poco y mézclelo bien. Añada el vinagre y el agua caliente y tritúrelo 1 minuto más.
4 Sirva las patatas calientes con una cucharada de mojo picón.

RATATOUILLE

Tiempo de preparación: 20 minutos
Tiempo total de cocción: 25–30 minutos
Para 4 personas

2 cucharadas de aceite de oliva
2 cebollas medianas troceadas
2 calabacines medianos en tiras gruesas
1 pimiento rojo pequeño, en dados
1 pimiento verde pequeño, en dados
1 pimiento amarillo pequeño, en dados
2 dientes de ajo majados
1 berenjena mediana, por la mitad
440 g de tomates en conserva triturados
1/2 cucharadita de hojas secas de albahaca u orégano
pimienta negra recién molida
unos manojos de perejil fresco (opcional)

1 En una cazuela de fondo pesado con aceite caliente, fría las cebollas 4 minutos a fuego medio, hasta que estén tiernas. Añada los calabacines, los pimientos y el ajo, y cuézalo 3 minutos.
2 Corte la berenjena en dados y agréguelos a la cazuela junto con los tomates, la albahaca o el orégano y la pimienta, y llévelo a ebullición. Reduzca a fuego lento, tápelo y déjelo cocer de 15 a 20 minutos, hasta que las hortalizas estén tiernas. Decore con perejil y sírvalo con pan crujiente.

PEREJIL
El perejil (*Petroselinum crispum*) es la verdadera fuente energética del mundo de las especias. Contiene vitaminas A, B, C y E, además de los minerales hierro y calcio. Se dice que el perejil facilita la digestión, aclarece el rostro, regula el funcionamiento intestinal y previene la formación de cálculos biliarios. Es el elemento principal del *bouquet garni*—un manojo de hierbas variadas que se añaden al caldo y a las sopas para dar mayor sabor.

ARRIBA: Patatas arrugadas con mojo picón
ABAJO: Ratatouille

ESTOFADO DE VERDURAS COMBINADAS

Tiempo de preparación: 15 minutos
Tiempo total de cocción: 10–15 minutos
Para 4–6 personas

2 cucharaditas de aceite de oliva
1 cebolla pequeña, en rodajas finas
1/4 taza (60 g) de concentrado de tomate
1/4 cucharaditas de guindilla en polvo
1 cucharadita de semillas de comino
1/2 taza (125 ml) de zumo de tomate
1 taza (250 ml) de caldo vegetal
440 g de tomates en conserva triturados
2 zanahorias pequeñas en rodajas
2 calabacines medianos, cortados por la mitad y troceados
20 judías verdes sin las puntas
315 g de coliflor cortada en ramilletes

1 En una cazuela con aceite caliente, mezcle las cebollas, el concentrado de tomate, la guindilla, las semillas de comino y el zumo de tomate.
2 Añada el caldo y los tomates triturados y llévelo a ebullición. Baje el fuego, agregue el resto de verduras y, sin taparlas, cuézalas hasta que estén tiernas. Sírvalo con tortillas mexicanas frescas.

BONIATO
El boniato, denominado erróneamente ñame, no es en absoluto una patata, pero al igual que ésta, es un tubérculo feculento. Puede cocinarse según cualquier tipo de receta con patatas.

ARRIBA: Estofado de verduras combinadas
A LA DERECHA: Boniatos dulces

BONIATOS DULCES

Tiempo de preparación: 10 minutos
Tiempo total de cocción: 45–60 minutos
Para 6 personas

800 g de boniatos
90 g de mantequilla
1/2 taza (95 g) de azúcar moreno
1 cucharada de zumo de limón
1/2 taza (125 ml) de zumo de naranja
canela en rama
2 cucharaditas de ralladura de limón

1 Precaliente el horno a 180°C. Pele el boniato, córtelo en rodajas gruesas y distribúyalas luego en una fuente de horno con un poco de mantequilla fundida por encima.
2 Añada el azúcar, los zumos de limón y naranja y la canela en rama.
3 Tápelo o cúbralo con papel de aluminio y hornéelo unos 30 minutos. Destape y remueva la mezcla con cuidado; luego deseche la canela, esparza la ralladura de limón por encima y, sin taparlo, déjelo cocer de 15 a 30 minutos más, hasta que la superficie esté un poco crujiente.
NOTA: Los boniatos dulces, como acompañamiento, constituyen un plato tradicional del Día de Acción de Gracias en Estados Unidos. Existen infinitas modalides de cocción.

HABAS CON GUISANTES Y ALCACHOFAS

Tiempo de preparación: 15 minutos
Tiempo total de cocción: 15 minutos
Para 4–6 personas

2 cebollas medianas
2 cucharadas de eneldo fresco
1 cucharada de hojas de menta frescas
1/4 taza (60 ml) de aceite de oliva
250 g de habas congeladas, aclaradas y escurridas
1/2 taza (125 ml) de agua
2 cucharadas de zumo de limón
250 g de guisantes congelados
400 g de corazones de alcachofa en conserva, escurridos y cortados por la mitad
4 cebolletas picadas
sal y pimienta negra recién molida

1 Corte las cebollas en aros. Triture el eneldo y la menta.
2 Incorpore las cebollas en una cazuela con aceite caliente y cuézalas 5 minutos a fuego lento o hasta que estén tiernas y doradas.
3 Agregue las habas, el agua y el zumo de limón y llévelo a ebullición. Luego baje el fuego, tape la mezcla y déjela cocer durante 5 minutos.
4 Añada los guisantes, las alcachofas y las hierbas. Tápelo y déjelo cocer 5 minutos, hasta que los guisantes estén tiernos y firmes. Retírelo del fuego e incorpore las cebolletas, la sal y la pimienta. Sírvalo caliente o a temperatura ambiente.

JUDÍAS CON TOMATES

Tiempo de preparación: 15 minutos
Tiempo total de cocción: 20 minutos
Para 6 personas

500 g de judías verdes
440 g de tomates en conserva
2 cucharadas de aceite de oliva
1 cebolla grande picada
1 diente de ajo majado
2 cucharaditas de azúcar
2 cucharadas de vinagre de vino tinto
1 cucharada de albahaca fresca picada
3 cucharadas de aceitunas troceadas (opcional)
pimienta molida
hojas de albahaca, para decorar

1 Corte las puntas de las judías y divídalas por la mitad. Déjelas cocer 3 minutos en agua hirviendo y, a continuación, escúrralas y aclárelas en agua fría para que recuperen el color; luego resérvelas. Trocee los tomates y conserve el jugo.
2 En una cazuela con aceite caliente, sofría el ajo y la cebolla hasta que ésta empiece a dorarse. Esparza el azúcar por encima y déjelo caramelizar. Añada el vinagre, deje cocer todo 1 minuto y luego agregue los tomates y el jugo, la albahaca fresca, las aceitunas y la pimienta. Sin tapar el preparado, déjelo cocer 5 minutos a fuego lento.
3 Añada las judías y cuézalas hasta que estén calientes. Decore el plato con hojas de albahaca.

VERDURAS ECOLÓGICAS
Puede que algunos se sorprendan al encontrar la etiqueta 'ecológico' en ciertos productos alimentarios. Ésta indica que el cultivo de las frutas o verduras se ha realizado sin fertilizantes químicos ni pesticidas. Existen normativas estrictas referentes al etiquetado de productos comerciales, con el fin de garantizar que no contienen sustancias químicas. Puede que el precio de estos productos sea un poco más elevado, puesto que su cultivo también requiere más trabajo; de todos modos, suelen consumirlos las personas preocupadas por los efectos nocivos de las sustancias químicas en nuestra salud y el medio ambiente.

ARRIBA: Habas con guisantes y alcachofas
A LA IZQUIERDA: Judías con tomates

YOGUR CASERO
Para hacer yogur, utilice 500 ml de leche entera o descremada. Vierta la leche en un cazo, déjela cocer hasta que suba la espuma y, a continuación, baje el fuego y déjela cocer durante un mínimo de 2 minutos. Déjela enfriar hasta que esté tibia, a unos 43–44°C. Mezcle unas 2 cucharadas de yogur natural con un poco de la leche caliente y luego agréguelo al resto de la leche. Vierta la mezcla en un cuenco de pírex precalentado o en un recipiente esterilizado y tápelo bien. Es posible que deba colocar el cuenco o el recipiente en el interior de una olla con agua caliente del grifo y envolverla con un paño. Manténgalo en un lugar cálido durante un mínimo de 6 horas o hasta que se haya enfriado. Antes de utilizar el yogur, resérvelo 2 horas en el frigorífico. Para obtener un yogur más espeso y cremoso, antes de calentar la leche, mézclela con 1 ó 2 cucharadas de leche en polvo.

ARRIBA: Rodajas de berenjenas picantes

RODAJAS DE BERENJENA PICANTES

Tiempo de preparación: 15 minutos + 15 minutos en reposo
Tiempo total de cocción: 15 minutos
Para 4–6 personas

2 berenjenas medianas
sal
1/3 taza (40 g) de harina
2 cucharaditas de comino molido
2 cucharaditas de cilantro molido
1 cucharadita de guindilla en polvo
aceite, para freír
1/2 taza (125 g) de yogur natural
1 cucharada de menta fresca picada

1 Corte las berenjenas en rodajas de 1 cm, extiéndalas en una sola capa sobre una fuente y cúbralas con sal. Déjelas reposar 15 minutos, luego aclárelas y déjelas secar sobre papel de cocina.
2 Vierta la harina y las hierbas en un plato y reboce la berenjena en la mezcla obtenida; sacúdalas un poco para eliminar el exceso de harina. En una sartén con unos 2 cm de aceite caliente, fría las rodajas de berenjena de 2 a 3 minutos cada lado, hasta que estén doradas; escúrralas sobre papel de cocina. Mezcle el yogur y la menta y sírvalo con la berenjena caliente.

HORTALIZAS ASADAS

Tiempo de preparación: 15 minutos
Tiempo total de cocción: 1 hora
Para 6 personas

6 patatas medianas
90 g de mantequilla fundida
1/4 taza (60 ml) de aceite de oliva
6 cebollas pequeñas
750 g de calabaza pelada
6 zanahorias enanas

1 Precaliente el horno a 210°C. Pele, lave las patatas y córtelas en mitades; luego deje que hiervan 5 minutos, escúrralas y déjelas secar sobre papel de cocina. Rállelas con un tenedor para formar una superficie rugosa.
2 Coloque las patatas en una fuente de horno poco honda y úntelas con una mezcla de mantequilla y aceite. Hornéelas 20 minutos.
3 Mientras, pele las cebollas y corte los extremos. Parta la calabaza en 6 trozos del mismo tamaño y corte los extremos de las zanahorias. Incorpórelo todo en la fuente con las patatas y úntelo con la mezcla de la mantequilla. Hornee el preparado durante 20 minutos, úntelo de nuevo y manténgalo 15 minutos más en el horno.

VERDURAS EN LECHE DE COCO

Tiempo de preparación: 20 minutos
Tiempo total de cocción: 15 minutos
Para 4 personas

2 cucharadas de aceite
2 dientes de ajo picados
5 cm de jengibre fresco rallado
2 cucharadas de pimienta verde fresca en grano (opcional)
1 berenjena mediana en dados
1 boniato pequeño en dados
2 cucharaditas de agua
100 g de judías verdes, en trozos de 5 cm
750 g de espárragos, en trozos de 5 cm
1/2 taza (125 ml) de leche de coco
2 cucharaditas de salsa de pescado (opcional)
2 tazas (100 g) de hojas de espinacas
1/2 taza (15 g) de hojas de albahaca frescas

1 En un wok o sartén de fondo pesado con aceite caliente, sofría el ajo, el jengibre y la pimienta en grano durante 30 segundos. Añada la berenjena, el boniato y el agua y, removiendo con frecuencia, déjelo cocer durante 5 minutos a fuego medio. Incorpore las judías, tape el preparado, sacudiéndolo para que no se pegue, y cuézalo 4 minutos al vapor.

2 Añada los espárragos y la leche de coco en el wok y cuézalo 3 minutos, hasta que los espárragos estén tiernos. Agregue la salsa de pescado, las espinacas y la albahaca, y remuévalo hasta que las espinacas y la albahaca estén un poco tiernas.

CHAMPIÑONES RÁPIDOS A LA PARRILLA

CORTE los pies de champiñones grandes (uno por persona) y limpie los sombrerillos con papel de cocina. Extiéndalos boca arriba en una recipiente forrado con papel de aluminio y úntelos con aceite de oliva. Puede utilizar aceite aromatizado con hierbas, ajo o guindilla. Cueza los champiñones 5 minutos a fuego lento, hasta que estén tiernos y jugosos, úntelos regularmente con aceite de oliva y salpimiéntelos.

CHAMPIÑONES RÁPIDOS A LA CREMA DE AJO

CUEZA 250 g de champiñones en láminas y 2 dientes de ajo majados en 30 g de mantequilla hasta que los champiñones estén tiernos, de 3 a 5 minutos a fuego medio.
Suba el fuego, añada 1 taza de crema de leche y llévelo a ebullición. Reduzca a fuego lento y cuézalo hasta que la crema se espese un poco. Añada 1 cucharada de perejil picado y condimente a su gusto. Para 2 personas.

CÓMO PREPARAR CHAMPIÑONES SECOS

1 Coloque los champiñones secos en un recipiente resistente al calor y sumérjalos en agua hirviendo durante 10 minutos.

2 Cuando se haya enfriado el agua, exprima los champiñones para eliminar el líquido; deberían hincharse y rehidratarse un poco.

3 Corte los champiñones en láminas finas o prepárelos tal y como se indica en la receta.

Arriba: Verduras en leche de coco

SALTEADOS

Los platos salteados son sinónimos de rapidez. Y además de estar listos en un periquete, resultan perfectos para cocinar las hortalizas sin que éstas pierdan su color natural, su sabor ni su crujiente textura. Con este tipo de cocción no tan sólo se beneficia uno de todo el valor nutritivo de la comida, sino que soluciona el dilema de qué hacer con las hortalizas sobrantes del frigorífico. Combine a su manera las verduras y hortalizas que prefiera y disfrute de una comida sabrosa por excelencia.

BROTES

La mayoría de legumbres y semillas pueden hacerse brotar en casa. Las más comunes son las siguientes:

- judías áureas
- soja
- garbanzos
- judías adzuki
- lentejas
- semillas de alfalfa
- semillas de alholva

Atrévase a dejar brotar distintas variedades de legumbres y semillas e inclúyalas luego en las ensaladas, o bien añada algunos brotes a los salteados en el último minuto de la cocción.

ARRIBA: Salteado vegetal
A LA DERECHA: Judías salteadas a la pimienta

SALTEADO VEGETAL

Tiempo de preparación: 15 minutos
Tiempo total de cocción: 5–10 minutos
Para 4 personas

1 cucharada de semillas de sésamo
2 cebolletas
250 g de brécol
1 pimiento rojo mediano
1 pimiento amarillo mediano
150 g de champiñones botón
1 cucharada de aceite
1 cucharadita de aceite de sésamo
1 diente de ajo majado
2 cucharaditas de jengibre fresco rallado
1/4 taza (45 g) de aceitunas negras
1 cucharada de salsa de soja
1 cucharada de miel
1 cucharada de salsa de guindilla dulce

1 Esparza las semillas de sésamo en una bandeja y déjelas en el horno hasta que se doren; resérvelas hasta el momento de utilizarlas. Corte las cebolletas en rodajas finas, el brécol en ramilletes y los pimientos por la mitad; extraiga las semillas y membranas de estos últimos, deséchelas y corte la pulpa en tiras finas. Corte las setas en dos.

2 Caliente los aceites en un wok o en una sartén grande y saltee en ellos el ajo, el jengibre y las cebolletas a fuego medio durante 1 minuto. Añada el brécol, los pimientos, las setas y las aceitunas y saltéelo todo otros 2 minutos o hasta que las hortalizas estén tiernas y adquieran un color intenso.

3 Mezcle la salsa de soja, la miel y la salsa de guindilla en un bol, remuévalo bien y viértalo sobre las hortalizas; revuélvalo todo. Espolvoree con las semillas de sésamo y sírvalo enseguida.

JUDÍAS SALTEADAS A LA PIMIENTA

Tiempo de preparación: 20 minutos
Tiempo total de cocción: 8 minutos
Para 4 personas

1 cucharada de granos de pimienta verde en lata
1/2 taza (15 g) de hojas y tallos de cilantro frescos picados
1 cucharada de aceite
2 dientes de ajo picados
220 g de judías baby cortadas en trozos de 4 cm
155 g de espárragos cortados en trozos de 4 cm
1 cucharadita de azúcar moreno
2 cucharaditas de agua
1 cucharada de salsa de pescado (opcional)
1 cucharadita de guindillas rojas y verdes frescas picadas (opcional)

1 Triture bien finos los granos de pimienta escurridos, pique las hojas de cilantro y mézclelos en

ARRIBA: Col y berenjena doradas

un bol junto con los tallos de cilantro.

2 Caliente el aceite en un wok o sartén y saltee en él la mezcla de pimienta, el ajo, las judías, los espárragos y el azúcar durante 30 segundos a fuego medio.

3 Vierta el agua, tápelo y cueza las hortalizas a fuego lento durante 2 minutos o hasta que estén tiernas. Sazónelas con la salsa de pescado, espolvoréelas con la guindilla y sírvalas enseguida.

NOTA: Las judías baby poseen una textura crujiente y saben deliciosas; en el caso de no poder adquirirlas, sustitúyalas por judías verdes.

COL Y BERENJENA DORADAS

Tiempo de preparación: 20 minutos
Tiempo total de cocción: 5 minutos
Para 4 personas

2 cucharadas de aceite
3 cebolletas picadas
3 dientes de ajo picados
1 cucharada de azúcar moreno
2 berenjenas medianas, cortadas en tacos
2 cucharaditas de salsa Golden Mountain
1/4 de col china, en juliana
2 cucharadas de zumo de lima
2 cucharaditas de salsa de pescado (opcional)
1 guindilla en rodajas finas

1 Ponga a calentar aceite en un wok o una sartén grande y saltee en él las cebollas y el ajo durante 1 minuto a fuego medio.

2 Añada el azúcar y los tacos de berenjena y saltéelos durante 3 minutos o hasta que se doren.

3 Vierta la salsa Golden Mountain, la col y el zumo de lima en el wok, remuévalo, tápelo y déjelo cocer al vapor durante 30 segundos o hasta que la col se ablande un poco. Agregue la salsa de pescado y remueva. Sírvalo inmediatamente con rodajitas de guindilla por encima.

NOTA: Las berenjenas tailandesas son de color púrpura, o bien con rayas púrpuras y blancas, y de varios tamaños. Algunas pueden ser como un guisante, otras como una pelota de golf y otras como los calabacines pequeños; el tiempo de cocción variará según el tamaño. La salsa Golden Mountain es un ingrediente básico de la cocina tailandesa; cómprela en tiendas especilizadas.

MAÍZ CON ESPECIAS

ESCURRA 425 g de maíz enano en lata y séquelo con papel de cocina. En un wok con 1 cucharada de aceite, saltee 1 ajo majado, 1 cucharadita de guindilla roja picada y 1/2 cucharadita de comino molido durante medio minuto; añada el maíz y saltéelo otros 3 minutos para que se caliente. Sírvalo enseguida. Para 2–4 personas.

Nota: Esta receta resulta ideal como guarnición de última hora para aquellos platos que requieren cierto toque de sabor.

BROTES DE SOJA

PRIMER DÍA
Vierta las judías en un tarro y cúbralas con agua fría. Tape el tarro con muselina o una media limpia y afiáncela con una goma elástica; deje a remojo toda la noche.

SEGUNDO DÍA
Escurra el agua del tarro, vierta agua limpia y escúrrala también. Guarde el tarro en un sitio fresco y oscuro.

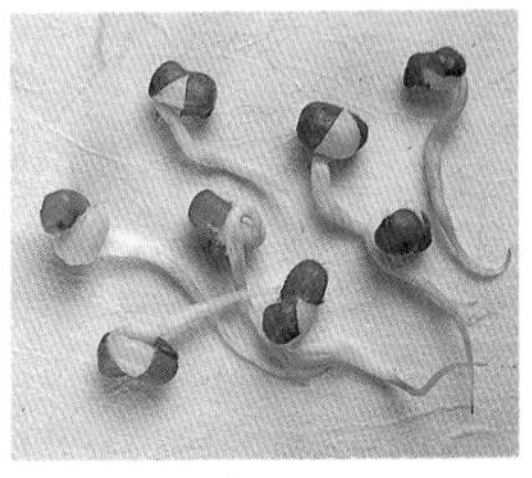

TERCER DÍA
Repita la operación de aclarar y escurrir las judías dos veces al día. No les deje ni una sola gota de agua, puesto que, de lo contrario, podrían oxidarse.

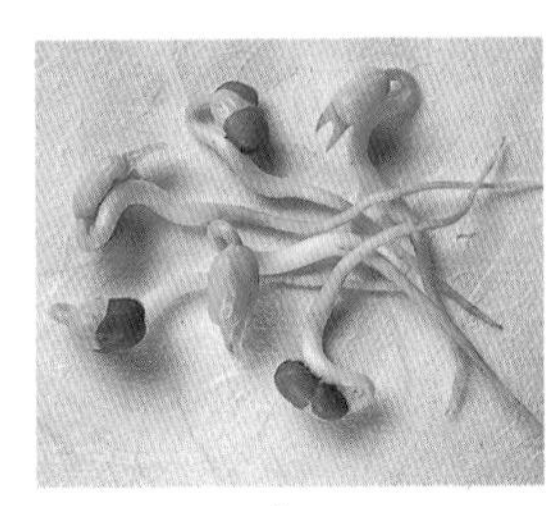

CUARTO DÍA
Si las judías ya han brotado, lleve el tarro a un sitio claro para el resto del día. Escúrralas de nuevo y refrigérelas hasta 1 semana.

TOFU Y TEMPEH

Ricos en proteínas e hidratos de carbono, estos derivados de la soja han sido durante siglos parte fundamental de la dieta oriental, aportando sustancia a los platos vegetales.

ENSALADA DE TEMPEH PICANTE

Precaliente el horno a 200°C. Esparza 250 g de tempeh picante, cortado en tiras finas, en una bandeja de horno antiadherente. Unte las tiras con aceite de sésamo y hornéelas durante 20 minutos. Páselas luego a un bol con 4 tazas (400 g) de hortalizas cortadas en juliana (zanahoria, tirabeques, pimiento rojo y cebolletas). Añada 2 tazas (150 g) de col roja en tiras finas, 2 cucharadas de semillas de sésamo tostadas y 125 g de fideos chinos bien fritos y crujientes. Para el aliño, bata 2 dientes de ajo majados, 1 cucharada de salsa de guindilla dulce, 2 cucharadas de zumo de limón y ¼ taza (60 ml) de aceite. Vierta el aliño sobre la ensalada y revuélvalo todo bien. Para 4–6 personas.

TEMPEH AL VAPOR CON VERDURAS ASIÁTICAS

Forre una cesta grande de cocción al vapor con una combinación de verduras asiáticas (hojas de bok choy, col, brécol y cilantro). Esparza por encima tiras de

zanahoria, setas de ostra cortadas en láminas finas y 250 g de tempeh picante cortados en trocitos. Llene un wok con agua hasta un cuarto de su capacidad e introduzca la cesta tapada. Cuézalo todo al vapor durante 7 minutos, agregue unos cuantos tirabeques y déjelo cocer otros 3 minutos o hasta que las verduras estén tiernas y el tempeh esté bien caliente. Para la salsa, mezcle ½ taza (125 ml) de salsa de guindilla dulce con ¼ taza (60 ml) de salsa de soja. Sirva las verduras cubiertas con las hortalizas y el tempeh y rocíelo todo con la salsa.
Para 4–6 personas.

BOCADITOS DE TOFU Y SÉSAMO

Aclare 500 g de tofu firme y córtelo en dados de 2,5 cm. Páselo a un plato llano junto con 2 dientes de ajo majados, 2 cucharadas de jengibre fresco rallado, 1 cucharada de azúcar moreno y ⅓ taza (80 ml) de salsa de soja de bajo contenido en sal. Cúbralo todo, refrigérelo 2 horas y escúrralo bien. Mezcle en un bol grande 1 taza (155 g) de semillas de sésamo, 1 cucharada de fécula de maíz y 2 cucharadas de harina integral. Añada los dados de tofu y revuélvalos a fin de rebozarlos completamente con la mezcla de harina y sésamo. En una sartén con ¼ taza (60 ml) de aceite caliente, fría tandas de tofu hasta que esté bien dorado y escúrralo sobre papel absorbente. Para la salsa de acompañamiento, vierta en un bol 2 cucharadas de salsa de guindilla dulce, 2 cucharadas de zumo de lima, 2 cucharadas de cilantro fresco picado y 200 g de yogur natural cremoso; remuévalo todo bien. Para 4 personas.

KEBABS DE TOFU CON HORTALIZAS

En brochetas de metal o bambú, ensarte 375 g de tofu firme cortado en dados, así como tomates "cherry", champiñones botón, hojas de laurel y pimiento verde en dados. Úntelo todo con una mezcla a base de ¼ taza (60 ml) de zumo de piña, 1 cucharada de marinada teriyaki y 1 cucharada de menta fresca picada. Áselo a la parrilla o barbacoa precalentada y bañe las hortalizas con su jugo durante la cocción, hasta que estén tiernas. Para 4 personas.

EN EL SENTIDO DE LAS AGUJAS DEL RELOJ, DESDE SUPERIOR IZQUIERDA: ***Bocaditos de tofu y sésamo; kebabs de tofu con hortalizas; tempeh al vapor con verduras asiáticas; ensalada de tempeh picante***

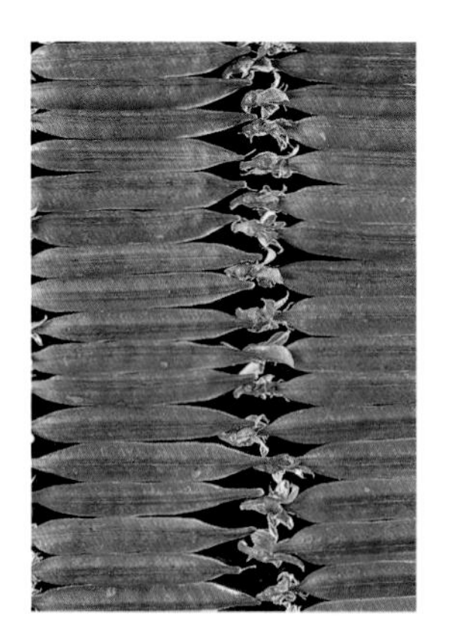

ACEITE DE SÉSAMO

La característica más destacable del aceite de sésamo es que no tan sólo confiere a los platos su peculiar sabor a nuez, sino que potencia los sabores de los demás ingredientes. Existen varios tipos de aceite de sésamo: desde el más espeso y de color marrón, elaborado a base de semillas de sésamo tostadas y usado en la cocina china más como aliño que para freír, hasta el aceite de color más pálido utilizado sobretodo en la India y Oriente Medio.

ARRIBA: Tofu con hortalizas

TOFU CON HORTALIZAS

Tiempo de preparación: 25–30 minutos
Tiempo total de cocción: 20 minutos
Para 4–6 personas

☆

125 g de fideos de arroz
3/4 taza (185 ml) de aceite
1 cucharada de salsa de soja
1 cucharada de jerez
1 cucharada de salsa de ostras (opcional)
1/2 taza (125 ml) de caldo vegetal
2 cucharaditas de fécula de maíz
2 cucharaditas de agua
1 cucharada de aceite, adicional
1 diente de ajo majado
1 cucharadita de jengibre fresco rallado
375 g de tofu firme, cortado en daditos
2 zanahorias medianas, cortadas en bastoncitos
250 g de tirabeques, sin las puntas
4 cebolletas picadas muy finas
425 g de setas pajizas en lata, escurridas

1 Trocee los fideos y caliente la mitad del aceite en un wok. Fría en él los fideos por tandas a fuego medio hasta que estén crujientes y vierta algo más de aceite si lo cree necesario. Escúrralos sobre papel de cocina.

2 Mezcle la salsa de soja con el jerez, la salsa de ostras y el caldo en un bol pequeño y diluya la fécula con el agua en un bol aparte.

3 Caliente el wok, vierta el aceite restante y fría en él el ajo y el jengibre a fuego fuerte durante 1 minuto. Agregue el tofu, saltéelo unos 3 minutos y retírelo del wok. Vierta en éste la zanahoria y los tirabeques y saltéelos durante 1 minuto. A continuación vierta las salsas mezcladas con el caldo vegetal, tápelo y cuézalo todo otros 3 minutos hasta que las hortalizas estén cocidas.

4 Vuelva a echar el tofu en el wok, junto con las cebolletas, las setas y la mezcla de fécula; remuévalo todo bien hasta que la salsa esté espesa y retire el wok del fuego. Sírvala con los fideos crujientes.

TIRABEQUES CON PIMIENTO ROJO

Tiempo de preparación: 15–20 minutos
Tiempo total de cocción: 7 minutos
Para 4 personas

1 cebolla grande pelada
185 g de tirabeques
1 cucharada de aceite
1 cucharada de jengibre fresco rallado
1 pimiento rojo, cortado en tiras
1 diente de ajo pequeño, majado
1 cucharada de salsa de ostras (opcional)
1 cucharadita de azúcar
una pizca de sal
1 cucharada de agua

1 Corte la cebolla por la mitad y seguidamente en aros bien finos. Retire las puntas y las hebras de los tirabeques.
2 Caliente el aceite en una sartén o wok y saltee en él la cebolla, el jengibre y el pimiento rojo a fuego fuerte de 4 a 5 minutos o hasta que las hortalizas estén al punto. Añada el ajo y los tirabeques y saltéelos 2 minutos, o hasta que los últimos presenten un intenso color verde.
3 Agregue al wok la salsa de ostras, el azúcar, la sal y el agua, remuévalo todo bien y sírvalo inmediatamente.

HORTALIZAS CON COCO

Tiempo de preparación: 15–20 minutos
Tiempo total de cocción: 15 minutos
Para 4–6 personas

1 cucharada de aceite
2 cebollas pequeñas peladas, en cuartos
1 cucharadita de comino molido
150 g de coliflor, separada en ramilletes
1 pimiento rojo mediano, picado
2 tallos de apio, en rodajas diagonales
1 1/2 tazas (185 g) de calabaza rallada
1 taza (250 ml) de leche de coco
1 taza (250 ml) de caldo vegetal
1 cucharada de salsa de guindilla dulce
150 g de judías verdes
1 cucharada de cilantro fresco picado muy fino

1 Caliente aceite en una sartén o wok y saltee en él la cebolla y el comino a fuego medio durante 2 minutos o hasta dorar la cebolla.
2 Agregue la coliflor y saltéela 2 minutos a fuego fuerte. Añada el pimiento rojo, el apio y la calabaza y saltéelos otros 2 minutos a fuego fuerte, hasta que las hortalizas empiecen a ablandarse.
3 Vierta la leche de coco, el caldo y la salsa de guindilla y deje arrancar el hervor; baje el fuego y cuézalo 8 minutos, sin tapar, hasta que las hortalizas estén prácticamente tiernas. Corte las puntas de las judías, divida éstas por la mitad y añádalas al wok junto con el cilantro. Cuézalo todo 2 minutos más, hasta que las judías estén casi tiernas y sírvalo con arroz cocido al vapor.

TEMPEH

El tempeh es muy parecido al tofu por el hecho de tratarse también de un derivado de la soja. Pero a diferencia del tofu y al igual que el miso y la salsa de soja, el tempeh es un producto fermentado que se obtiene mediante la adición de un cultivo a la soja ya cocida. El producto resultante se comprime en bloques compactos y suele comercializarse marinado en una mezcla de especias, ya que resulta bastante insípido por sí solo.

ARRIBA: Tirabeques con pimiento rojo
ABAJO: Hortalizas con coco

HORTALIZAS CHINAS CON JENGIBRE

Tiempo de preparación: 10–15 minutos
Tiempo total de cocción: 5 minutos
Para 4 personas

1 cucharada de aceite
3 cucharaditas de jengibre fresco rallado
4 cebolletas en rodajas
230 g de castañas de agua en lata, escurridas y en rodajas
425 g de maíz enano de lata, escurrido
1 taza (45 g) de col china en rodajas finas
125 g de brotes de soja, sin la cola
1 cucharada de salsa de soja
1–2 cucharadas de salsa de ostras (opcional)
2 cucharaditas de aceite de sésamo

1 Caliente el aceite en una sartén de fondo pesado o wok y saltee el jengibre y la cebolleta a fuego fuerte durante 1 minuto. Añada las castañas de agua y el maíz y saltéelos 30 segundos.
2 Agregue la col, los brotes de soja y las salsas y saltéelo todo durante 1 minuto. Vierta el aceite de sésamo y remuévalo todo bien. Sírvalo enseguida.

JENGIBRE
El jengibre (*Zingiber officinale*) es un rizoma (tallo subterráneo). Compruebe siempre que sea firme al tacto, no presente puntos blandos ni una consistencia esponjosa cuando lo prense entre las manos. Cuanto más crece el jengibre antes de la cosecha, más fibroso resulta—lo cual puede hacer más laboriosa la faena de cortarlo bien fino, pero a la vez le concede un sabor mucho más intenso y picante. El jengibre se conserva toda una semana fuera del frigorífico y aún más tiempo si se refrigera. Envuélvalo primero con papel para absorber la humedad y ciérrelo luego en una bolsa de plástico.

ARRIBA: Hortalizas chinas con jengibre

SALTEADO DE BRÉCOL CON ALMENDRAS

Tiempo de preparación: 10 minutos
Tiempo total de cocción: 5 minutos
Para 4 personas

1 cucharadita de semillas de cilantro
500 g de brécol
3 cucharadas de aceite de oliva
2 cucharadas de almendras fileteadas
1 diente de ajo majado
1 cucharadita de jengibre fresco rallado fino
2 cucharadas de vinagre de vino tinto
1 cucharada de salsa de soja
2 cucharaditas de aceite de sésamo
1 cucharadita de semillas de sésamo tostadas

1 Machaque las semillas de cilantro ligeramente en el mortero o con el rodillo de amasar y corte el brécol en ramilletes pequeños.
2 Caliente el aceite en un wok o una sartén grande de fondo pesado y saltee en él las semillas de cilantro y las almendras 1 minuto a fuego medio o hasta que las últimas se doren.
3 Añada el ajo, el jengibre y el brécol al wok y saltéelos unos 2 minutos a fuego fuerte. Retire el wok del fuego y vierta en él la mezcla de vinagre, salsa y aceite; remuévalo todo hasta que el brécol quede bien napado. Sírvalo enseguida espolvoreado con semillas de sésamo tostadas.
NOTA: Este plato puede prepararse con dos horas de antelación y cocerse antes de servir.

SALTEADO DE VERDURAS ASIÁTICAS

LAVE 500 g de bok choy o choy sum, o bien una combinación de ambas coles. Corte los tronchos y las hojas en trozos de unos 5 cm de largo. Caliente 1 cucharada de aceite en un wok y saltee en él 1 diente de ajo majado y una cucharadita de jengibre fresco rallado durante unos segundos. Agregue las verduras y saltéelas de 1 a 2 minutos, hasta que estén al punto; añada 2 cucharaditas de salsa de soja (y otra cucharadita de aceite de sésamo, si lo desea), revuélvalo y sírvalo. Para 4 personas.
Nota: Las verduras chinas así cocidas son muy nutritivas y adquieren un intenso color verde de aspecto realmente apetitoso.

ESPARRÁGOS SALTEADOS CON SEMILLAS DE SÉSAMO

Tiempo de preparación: 10 minutos
Tiempo total de cocción: 6 minutos
Para 4 personas

1 cucharada de semillas de sésamo
2 cucharadas de aceite
1 diente de ajo picado fino
1 cucharadita de jengibre fresco rallado
750 g de espárragos, sin las puntas y cortados en trozos de 5 cm
1/2 cucharadita de pimienta
1/2 cucharadita de azúcar
2 cucharaditas de aceite de sésamo
1 cucharada de salsa de soja

1 Caliente un wok o sartén, vierta en él las semillas de sésamo y saltéelas a fuego fuerte unos 2 minutos o hasta que se doren; retírelas del wok y déjelas aparte.
2 Caliente el aceite en el wok y saltee el ajo, el jengibre y los espárragos a fuego fuerte durante 3 minutos o hasta que estén prácticamente tiernos. Espolvoree con la pimienta y el azúcar y continúe salteándolos 1 minuto más.
3 Rocíelo todo con el aceite de sésamo y la salsa de soja, esparza por encima las semillas y sírvalo inmediatamente.

SALTEADO DE SETAS

Tiempo de preparación: 10–15 minutos
Tiempo total de cocción: 5 minutos
Para 4 personas

1 cucharada de aceite
2,5 cm de galanga en rodajas finas
2 dientes de ajo picados
2 guindillas rojas en rodajitas
200 g de champiñones botón, por la mitad
100 g de setas de ostra, por la mitad
1 cucharada de salsa de pescado (opcional)
1 cucharadita de salsa Golden Mountain
1/2 taza (30 g) de albahaca fresca picada

1 Caliente el aceite en un wok o sartén y saltee en él la galanga, el ajo y las guindillas durante 2 minutos. Añada primero los champiñones botón, saltéelos 2 minutos y añada luego las setas de ostra para saltearlo todo 30 segundos más; revuélvalos constantemente hasta que se ablanden.
2 Vierta la salsa de pescado, la salsa Golden Mountain y la albahaca y revuélvalo todo bien. Sírvalo como guarnición y con arroz al vapor.
NOTA: Utilice también otras variedades de setas para esta receta. La galanga se vende en establecimientos de productos naturales y asiáticos.

SALSA GOLDEN MOUNTAIN
Esta salsa condimentada, de sabor salado y consistencia más bien líquida, puede adquirirse en establecimientos especializados en productos asiáticos. Elaborada a base de soja, su aspecto es parecido al de la salsa de pescado o de soja, pero su sabor es totalmente distinto. Es muy popular en la cocina tailandesa y, en realidad, puede utilizarse en sustitución de la salsa de pescado.

ARRIBA: Espárragos salteados con semillas de sésamo
ABAJO: Salteado de setas

ARRIBA: *Hortalizas salteadas al estilo chino*

HIERBA DE LIMÓN

La hierba de limón (*Cymbopogon citratus*) confiere a los platos un cierto sabor balsámico difícil de describir. Se trata de una planta de fácil cultivo que puede adquirirse fresca en las verdulerías. Por ser su tallo bastante fibroso, suele utilizarse únicamente la base bulbosa del mismo. La hierba de limón desecada se utiliza como sustituto de la fresca, así como para preparar auténticos refrescos de té de hierbas.

HORTALIZAS SALTEADAS AL ESTILO CHINO

Tiempo de preparación: 15 minutos
Tiempo total de cocción: 7 minutos
Para 4 personas

300 g de bok choy enano
100 g de judías baby
2 cebolletas
150 g de brécol
1 pimiento rojo mediano
2 cucharadas de aceite
2 dientes de ajo majados
2 cucharaditas de jengibre fresco rallado
1 cucharada de aceite de sésamo
2 cucharaditas de salsa de soja

1 Lave la bok choy, sepárele los tronchos más gruesos y corte las hojas en tiras anchas. Corte las judías baby en trozos de 5 cm y las cebolletas en diagonal. Corte el brécol en ramilletes y el pimiento en rombos de unos 2,5 cm de ancho.
2 Caliente el aceite en una sartén grande de fondo pesado o wok y saltee el ajo y el jengibre a fuego medio unos 30 segundos, removiendo constantemente. Agregue las judías, las cebolletas y el brécol y saltéelo todo otros 3 minutos.
3 Añada el pimiento rojo, saltéelo 2 minutos y vierta la bok choy para saltearla también 1 minuto. Agregue el aceite de sésamo junto con la salsa de soja y revuélvalo bien hasta que las hortalizas queden bien napadas con la salsa. Páselo todo a una fuente de servir y sírvala inmediatamente junto con arroz al vapor.

NOTA: Es muy importante no cocer demasiado las hortalizas al saltearlas. Utilice una mínima cantidad de aceite y saltéelas a fuego medio-alto removiendo los ingredientes constantemente. Éstos se ablandarán un poco, pero no deberían cocerse hasta quedar marchitos y aceitosos. Deje siempre las verduras para el final del salteado y cuézalas sólo hasta que las hojas empiezan a ablandarse. Todas las hortalizas deberían cortarse en diagonal y en trozos de igual tamaño, pues de este modo cuecen más rápido.

SALTEADO DE HORTALIZAS AL ESTILO TAILANDÉS

Tiempo de preparación: 25 minutos
Tiempo total de cocción: 5 minutos
Para 4 personas

1 cucharada de aceite
4 dientes de ajo picados
3 tallos de hierba de limón (sólo la parte blanca), picados finos
2 cucharaditas de guindillas rojas frescas picadas
2 tallos de apio cortados en trocitos
100 g de judías verdes, cortadas en trocitos
155 g de espárragos, cortados en trocitos
1/2 pimiento rojo, cortado en trocitos más bien finos
2 cucharadas de salsa de pescado (opcional)
2–6 cucharaditas de salsa de guindilla dulce
1 cucharadita de salsa Golden Mountain
100 g de brotes de soja
1/2 taza (80 g) de cacahuetes tostados picados (opcional)
1/2 taza (15 g) de hojas de cilantro frescas

1 Caliente el aceite en un wok o sartén grande y saltee en él el ajo y la hierba de limón durante 1 minuto. Añada la guindilla, el apio y las judías y saltéelas durante otro minuto.

2 Añada los espárragos y el pimiento rojo y revuélvalos; tápelos y cuézalos 1 minuto al vapor. Vierta las salsas de pescado, guindilla y Golden Mountain y los brotes de soja; remueva bien.
3 Dispóngalo todo en una fuente, esparza los cacahuetes y el cilantro por encima y sírvalo.
NOTA: Use cualquier hortaliza del tiempo, por ejemplo brécol, maíz enano o tirabeques.

SALTEADO DE SETAS ORIENTAL

Tiempo de preparación: 35 minutos
Tiempo total de cocción: 10 minutos
Para 4 personas

250 g de fideos hokkein
1 cucharadita de aceite de sésamo
1 cucharada de aceite de cacahuete
2 dientes de ajo majados
2 cucharadas de jengibre fresco rallado
6 cebolletas en rodajas
1 pimiento rojo en rodajas
200 g de setas de ostra
200 g de setas shiitake, en laminitas
1 taza (125 g) de ajos tiernos frescos, picados
3 cucharadas de anacardos tostados
2 cucharadas de salsa kecap manis
3 cucharadas de salsa de soja de bajo contenido en sal

1 Ponga a remojo los fideos hokkein en agua hirviendo durante 2 minutos; escúrralos y déjelos aparte.
2 Caliente los aceites de sésamo y cacahuete en un wok y saltee en ellos el ajo, el jengibre y las cebolletas durante 2 minutos a fuego fuerte. Añada el pimiento rojo junto con todas las setas y saltéelo todo 3 minutos a fuego fuerte, hasta que éstas estén bien doradas.
3 Vierta los fideos escurridos, junto con el cebollino, los anacardos y las salsas de soja y kecap manis. Saltéelo 3 minutos hasta que los fideos queden bien napados con la salsa.
NOTA: La kecap manis es una salsa de soja dulce indonesia, de venta en tiendas especializadas.

SALTEADO RÁPIDO DE HORTALIZAS CON SOJA DULCE

CALIENTE 1 ó 2 cucharaditas de aceite de sésamo junto con 2 cucharaditas de aceite de oliva en un wok o sartén grande y remuévalos para que cubran el fondo de la sartén. Vierta 200 g de brécol en ramilletes y saltéelo 2 minutos. Añada 150 g de col rallada fina y 90 g de tirabeques, y revuélvalo todo unos 2 ó 3 minutos a fuego medio hasta que las hortalizas estén al punto. Rocíelas con un poco de salsa de soja dulce (kecap manis) o bien salsa de soja y un poco de miel al gusto. Revuélvalo todo bien y sírvalo inmediatamente.
Para 2–4 personas.

SETAS SHIITAKE Y SETAS DE OSTRA

Una de las setas chinas más populares es la shiitake, que puede consumirse tanto fresca como desecada. En Asia la prefieren desecada y ya sólo la cultivan con este propósito. Las mejores setas shiitake presentan un sombrerillo más bien grueso y con fisuras blancas. En general poseen un rico sabor ahumado y pueden adquirirse tanto silvestres como de cultivo. Las setas de ostra, por su parte, crecen sobre los árboles muertos y vienen cultivándose desde siempre en Asia por la sutileza de su sabor, que evoca la salobridad del mar. Su cocción es algo delicada porque pueden quedar demasiado duras, pero en su punto aportan un toque perfecto a los potajes, ya sean salteadas, asadas o fritas en abundante fondo de tempura.

ARRIBA: Salteado de setas oriental

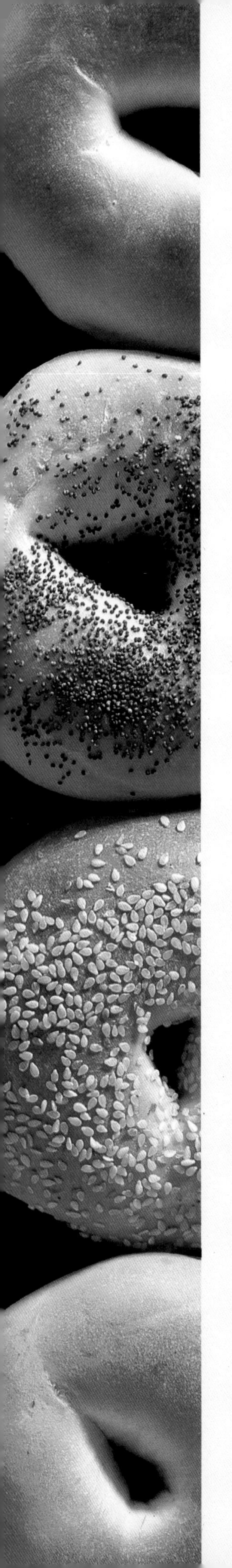

PANES, BOLLOS Y MAGDALENAS SALADOS

Pocas cosas elevan tanto la reputación de un cocinero como la elaboración de un buen pan tierno. Sirva bollos de cebolla y parmesano recién salidos del horno para acompañar una marmita de sopa en una noche fría de invierno, o bien una focaccia para el almuerzo en un patio soleado. Todos estos sabrosos panes juegan su aromático papel a la perfección y en toda ocasión incitan a quienquiera que los cate a pedir siempre: "más, por favor".

MASA AGRIA

Históricamente este tipo de masa se elaboraba en aquellas regiones donde escaseaba la levadura fresca. Su sabor viene dado por una primera mezcla de agua (o leche) y harina que se deja fermentar antes de añadirse a la masa. Las características de esta primera mezcla difieren entre las distintas regiones por razones climatológicas. Para preparar pan de masa agria, se incorpora una parte de esta primera mezcla a la masa restante y se termina de la misma manera que cualquier otro tipo de pan. Luego se añade más agua y harina al resto de la primera mezcla y se guarda para leudar otras porciones de masa.

ARRIBA: Pan de centeno

PAN DE CENTENO

Tiempo de preparación: 50 minutos + 1 hora y 30 minutos para subir + 1–3 días en reposo
Tiempo total de cocción: 40 minutos
Para 2 barras

Masa agria inicial

7 g de levadura en polvo
1 cucharadita de azúcar
2 tazas (200 g) de harina de centeno
1 3/4 tazas (440 ml) de agua tibia

Masa del pan

1 taza (100 g) de harina de centeno
4 1/2 tazas (560 g) de harina
1/4 taza (45 g) de azúcar moreno
3 cucharaditas de semillas de alcaravea
2 cucharaditas de sal
7 g de levadura en polvo adicionales
1 taza (250 ml) de agua tibia adicional
1/4 taza (60 ml) de aceite

1 Para la masa agria: Mezcle la levadura, el azúcar, la harina de centeno y el agua tibia en un cuenco, cúbralo con film transparente y déjelo fermentar toda la noche a temperatura ambiente. Para un pan más sabroso, déjelo fermentar 3 días.

2 Para la masa del pan: Unte una bandeja de horno grande con aceite o mantequilla fundida. Mezcle la harina de centeno, 3 1/2 tazas (440 g) de harina, azúcar, semillas y sal en un cuenco. Disuelva la levadura en agua tibia. Haga un hueco en el centro de la mezcla de harina y vierta en él la masa agria, la levadura disuelta y un poco de aceite. Remuévalo todo mediante una cuchara de madera y luego con las manos, hasta obtener una bola de textura gruesa y pegajosa que se desprenda del bol. Añada, si es preciso, un poco de la harina restante (sólo la necesaria).

3 Vuelque la masa sobre una superficie ligeramente enharinada y amásela 10 minutos hasta que esté fina y elástica. Incorpore la harina restante, si es preciso, y coloque la masa en un cuenco ligeramente untado con aceite. Déjela reposar 45 minutos en un lugar cálido y cubierta con film transparente, hasta que haya subido. Golpéela y amásela durante 1 minuto. Divídala en dos partes iguales para formar 2 barras alargadas u ovaladas; colóquelas en la bandeja y espolvoréelas con harina de centeno. Use el mango de una cuchara de madera para practicar agujeros de 2 cm de profundidad o tres líneas en la superficie. Cubra el pan con film transparente y déjelo 45 minutos en un sitio cálido para que suba. Espolvoréelo con la harina adicional y hornéelo 40 minutos a 180°C hasta que, al insertarle una brocheta, ésta salga limpia; déjelo enfriar.

PAN DE MAÍZ TRADICIONAL

Tiempo de preparación: 15 minutos
Tiempo total de cocción: 25 minutos
Para una barra de 20 cm

1 taza (150 g) de polenta (harina de maíz)
2 cucharadas de azúcar
1 taza (125 g) de harina
2 cucharaditas de levadura
1/2 cucharadita de bicarbonato de sosa
1/2 cucharadita de sal
1 huevo ligeramente batido
1 taza (250 ml) de suero de leche
60 g de mantequilla fundida

1 Precaliente el horno a 210°C. Unte dos moldes cuadrados de 20 cm con aceite o mantequilla fundida, y forre el fondo con papel encerado. Mezcle la polenta con el azúcar en un cuenco, añada la harina tamizada, la levadura, la sosa y la sal y remuévalo todo bien.
2 Mezcle el huevo batido con el suero de leche y la mantequilla fundida en una jarra grande, y viértalo rápidamente sobre los ingredientes secos. Revuelva sólo hasta que éstos estén húmedos.
3 Vierta la mezcla resultante en los moldes y alise la superficie. Hornéelo de 20 a 25 minutos hasta que, al insertar una brocheta en el centro del pan, ésta salga limpia. Déjelo enfriar unos 10 minutos sobre una rejilla antes de desmoldarlo; córtelo en cuadrados y sírvalo caliente.
NOTA: El pan fresco del día es el que mejor sabe. Para optimizar los resultados, utilice harina de maíz más bien fina, que puede adquirir en establecimientos de productos naturales.

PAN DE MALTA

Tiempo de preparación: 45 minutos + 1 hora y 50 minutos en reposo
Tiempo total de cocción: 40 minutos
Para 1 barra

1 taza (250 ml) de agua tibia
7 g de levadura en polvo
1 cucharadita de azúcar
2 tazas (300 g) de harina integral
1 taza (125 g) de harina
2 cucharaditas de canela en polvo
1/2 taza (60 g) de uvas pasas
30 g de mantequilla fundida
1 cucharada de melaza
1 cucharada de extracto de malta líquido + 1/2 cucharadita
1 cucharada de leche caliente

1 Unte con aceite un molde de 21 x 14 x 7 cm y forre el fondo con papel encerado. Mezcle el agua, la levadura y el azúcar en un bol, cúbralo con film transparente y déjelo reposar 10 minutos en un lugar cálido hasta que la mezcla espumee. Tamice las harinas junto con la canela en un bol, añada las uvas pasas y remueva. Practique un hueco en el centro y vierta en él la mantequilla, la melaza, el extracto y la levadura.
2 Use un cuchillo para mezclarlo todo y formar una masa blanda; vuélquela sobre una superficie enharinada y amásela 10 minutos hasta dejarla bien fina. Moldéela en forma de bola y colóquela en un cuenco ligeramente untado con aceite. Cúbrala con film transparente y déjela 1 hora en un lugar cálido para que suba. Golpéela y trabájela 3 minutos hasta dejarla bien fina.
3 Extiéndala en un cuadrado de 20 cm y enróllela. Pásela al molde, con el sésamo en el fondo; cúbrala y déjela 40 minutos aparte para que suba.
4 Precaliente el horno a 180°C y unte el pan con una mezcla de leche y malta; hornéelo 40 minutos, retírelo y déjelo en el molde 3 minutos antes de pasarlo a una rejilla para que se enfríe.

SUERO DE LECHE
El suero de leche hecho en casa es el líquido de sabor más bien agrio que resulta de batir la crema de leche al elaborar la mantequilla. El suero de leche que se comercializa se emplea en los panes de sosa, las tortitas y las galletas. Al mismo tiempo que aporta sabor, su acidez reacciona de tal modo con el bicarbonato de sosa que la masa libera gas y se vuelve más ligera. La variante comercial posee una consistencia más fina, pues se trata de leche desnatada o semidesnatada a la cual se añaden cultivos de bacterias.

ARRIBA: Pan de malta

PAN DE PIMIENTA AL LIMÓN

Tiempo de preparación: 20 minutos
Tiempo total de cocción: 25 minutos
Para 8 personas

2 tazas (250 g) de harina de fuerza
1 cucharadita de sal
2 cucharaditas de pimienta al limón, o bien 1 cucharadita de ralladura de limón y 2 cucharaditas de pimienta negra
45 g de mantequilla en daditos
1 cucharada de cebollino fresco picado
3/4 taza (90 g) de queso cheddar rallado
2 cucharaditas de vinagre de vino blanco
3/4 taza (185 ml) de leche

1 Precaliente el horno a 210°C y unte dos bandejas de horno con aceite o mantequilla fundida. Tamice la harina y la sal en un cuenco y añada la pimienta al limón, o bien la ralladura de limón y la pimienta. Con las puntas de los dedos, frote la mantequilla hasta que la mezcla parezca migas de pan; incorpore el cebollino y el queso.
2 Vierta el vinagre en la leche (ésta debería parecer algo cuajada), agréguelo a la mezcla de harina y trabájelo todo hasta obtener una masa blanda. Vierta más leche si ésta resulta demasiado dura.
3 Vuelque la masa sobre una superficie ligeramente enharinada y divídala en dos partes. Colóquelas en sendas bandejas y prénselas para darles forma redonda y un grosor de unos 2,5 cm. Practique cortes poco profundos en la superficie de los panes, de modo que queden marcadas 8 porciones. Espolvoréelos con harina y hornéelos de 20 a 25 minutos, hasta que presenten un tono dorado y suenen a hueco al golpearlos en la base. Sírvalos calientes y con mantequilla.

ARRIBA: Pan de pimienta al limón

GRISSINES

Tiempo de preparación: 40 minutos + 25 minutos en reposo
Tiempo total de cocción: 30 minutos
Para 18 unidades

7 g de levadura en polvo
1/2 taza (125 ml) de agua tibia
2/3 taza (170 ml) de leche
60 g de mantequilla
1 cucharada de azúcar
4 tazas (500 g) de harina
1 cucharadita de sal
sal gruesa y semillas de sésamo o amapola

1 Unte 3 bandejas de horno con aceite o mantequilla fundida. Disuelva la levadura en agua tibia dentro de un bol, cúbralo con film transparente y déjelo reposar 5 minutos hasta que espumee. Caliente en un cazo la leche, el azúcar y la mantequilla hasta que ésta se derrita.
2 Vierta en un cuenco 3 1/2 tazas (435 g) de la harina junto con la sal. Añada la levadura y la mezcla de leche y remuévalo todo bien. Agregue suficiente harina para formar una masa blanda y vuélquela sobre una superficie ligeramente enharinada. Trabájela unos 10 minutos, hasta dejarla fina y elástica, y divídala en 18 trozos iguales.
3 Enrolle cada trozo en forma de lápiz de unos 30 cm de largo. Precaliente el horno a 210°C. Disponga las tiras de masa en las bandejas de modo que disten 3 cm entre ellas. Cúbralas con film transparente y déjelas reposar 20 minutos.
4 Unte la masa con agua fría y esparza por encima sal gruesa y semillas. Dórela de 15 a 20 minutos en el horno, retírela del mismo y déjela enfriar. Baje la temperatura del horno a 180°C, vuelva a introducir los grissines y hornéelos de 5 a 10 minutos más, hasta que estén secos y crujientes. Sírvalos con sopas, ensaladas, salsas y aperitivos.

FOCACCIA

Tiempo de preparación: 50 minutos + 2 horas en reposo
Tiempo total de cocción: 25 minutos
Para 1 barra plana

7 g de levadura en polvo
1 taza (250 g) de agua tibia
1 cucharadita de azúcar
2 cucharadas de aceite de oliva
3 1/4 tazas (405 g) de harina
1 cucharada de leche entera en polvo
1/2 cucharadita de sal

Cobertura

1 cucharada de aceite de oliva
1–2 dientes de ajo majados
12 aceitunas negras
ramitas de romero frescas
1 cucharadita de orégano seco
1–2 cucharaditas de sal marina gruesa

1 Unte un molde rectangular de 28 x 18 cm con aceite o mantequilla fundida. Mezcle la levadura, el agua y el azúcar en un cuenco, y remuévalo todo hasta disolver la levadura. Cúbralo con film transparente y déjelo 10 minutos en un lugar cálido hasta que espumee; añádale aceite. Tamice 3 tazas (375 g) de la harina, la leche en polvo y la sal sobre la mezcla de levadura y bátalo todo bien mediante una cuchara de madera. Agregue suficiente harina (sólo la necesaria) para formar una masa blanda y vuélquela sobre una superficie ligeramente enharinada.
2 Amásela 10 minutos hasta dejarla fina y elástica. Pásela a un cuenco ligeramente untado con aceite y unte la superficie también con aceite. Cúbrala con film transparente y déjela 1 hora en un lugar cálido para que suba. Golpéela, amásela durante 1 minuto, enróllela en forma de rectángulo de 28 x 18 cm y pásela al molde. Cúbrala con film transparente y déjela 20 minutos en un lugar cálido para que suba. Mediante el mango de una cuchara de madera, practique pequeños agujeros de 1 cm de profundidad por toda la superficie. Cúbrala con film transparente y déjela otros 30 minutos hasta que suba del todo. Precaliente el horno a 180°C.
3 Para la cobertura: Unte la superficie del pan con una mezcla de aceite y ajo. Esparza las aceitunas y las ramitas de romero por encima y espolvoree con el orégano y la sal.
4 Hornee la focaccia de 20 a 25 minutos hasta que esté crujiente y dorada, córtela en cuadrados grandes y sírvala caliente. Tueste la que sobre.

ACEITE DE OLIVA
El aceite de oliva de mejor calidad, y también el más caro, es el aceite de oliva virgen extra, prensado en frío, que se obtiene del primer prensado a baja temperatura de frutos de primera calidad. El aceite resultante de un segundo proceso de prensado es el aceite de oliva virgen. Cuantos más prensados hayan sufrido los frutos, más insípido y más palido resultará el aceite. El calificativo de "ligero" se aplica a aquel aceite de oliva cuyo sabor y color son poco intensos, lo que nada tiene que ver con su contenido en grasas o calorías.

ARRIBA: Focaccia

CHAPATIS

Tiempo de preparación: 40 minutos + tiempo en reposo
Tiempo total de cocción: 40 minutos
Para 20 unidades

2 1/2 tazas (310 g) de harina integral fina
1 cucharadita de sal
1 cucharada de aceite
1 taza (250 ml) de agua tibia
1/2 taza (60 g) de harina integral fina, adicional

1 Vierta la harina y la sal en un cuenco y forme un hueco en el centro de las mismas. Vierta en éste el aceite y el agua a un mismo tiempo y trabájelo primero con una cuchara de madera y luego con las manos hasta otener una masa compacta.
2 Vuelque la masa sobre una superficie ligeramente enharinada y amásela durante 15 minutos. No incorpore la harina adicional en este momento. Moldee la masa en forma de bola y pásela a un cuenco; cúbrala con film transparente y déjela reposar unas 2 horas. También puede dejarla reposar toda la noche, si lo desea.
3 Divida la masa en 20 trozos iguales y moldéelos en forma de bolitas. Con la ayuda de la harina adicional, extienda cada bolita hasta formar un disco del tamaño de una crêpe; cúbralos con film transparente enharinado y déjelos reposar mientras aplica el rodillo al resto de la masa.
4 Caliente una sartén de fondo pesado y dore cada chapati durante 1 minuto por cada lado. Ajuste el fuego de tal modo que la masa se dore pero no se queme. Mientras se doran los chapatis, presione los bordes con la punta de un paño de cocina; ello hará que se formen más burbujas y el pan resultará más ligero.
5 Apile los chapatis ya dorados y envuélvalos en un paño limpio a fin de mantenerlos calientes y tiernos. Sírvalos enseguida para acompañar curries y platos de verduras y hortalizas.
NOTA: La harina integral fina, a menudo llamada harina roti, puede adquirirse en ciertas tiendas de productos naturales. Si no puede disponer de ella, sustitúyala por harina integral normal; los chapatis resultarán sin embargo algo más densos.

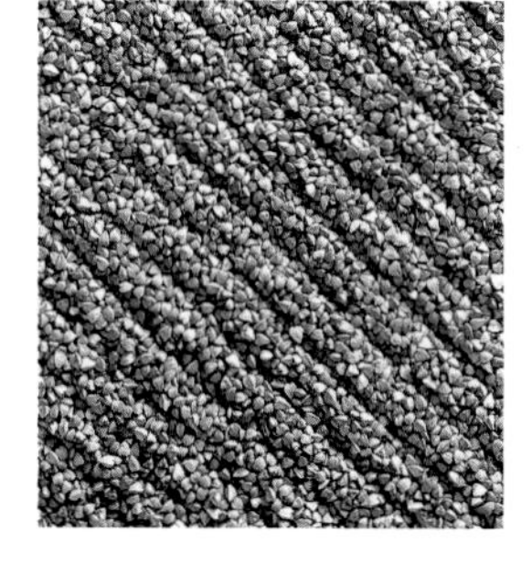

CHAPATIS
Los chapatis son panes ázimos típicos de la India que se elaboran con una harina integral finamente molida llamada atta. Tradicionalmente se cuecen en dos fases: primero se dora la masa en una sartén y luego se tuesta directamente sobre el fuego, de modo que el vapor produzca burbujitas de humedad en el centro. Los chapatis se consumen calientes para acompañar los curries y otros platos indios de sabor intenso.

PÁGINA SIGUIENTE: Chapatis (superior); tortillas

TORTILLAS

Tiempo de preparación: 30 minutos
Tiempo total de cocción: 20 minutos
Para 16 unidades

1 1/2 tazas (185 g) de harina tamizada
1 taza (150 g) de harina preparada de maíz, tamizada
1 taza (250 ml) de agua caliente

1 Mezcle las dos harinas en un cuenco, forme un hueco en el centro y vierta el agua tibia de forma gradual. Use un cuchillo para removerlo todo hasta obtener una masa bien firme. Vuélquela sobre una superficie ligeramente enharinada y amásela unos 3 minutos hasta dejarla fina.
2 Divida la masa en 16 porciones y use el rodillo para formar discos de 20 cm; cúbralos con film transparente mientras trabaja el resto de la masa.
3 Caliente una plancha o sartén de fondo pesado seca y vierta en ella una tortilla. Cuando los bordes empiecen a rizarse, déle la vuelta para dorarla por el otro lado. Déjela tan sólo unos segundos por cada lado. Si quedan restos de harina quemados en la sartén, retírelos con papel de cocina.
NOTA: La harina preparada de maíz consiste en una harina hecha a base de granos de maíz; su textura puede variar y en este caso debe ser bien fina. No hay que confundirla con la polenta ni con la harina de maíz, las cuales no sirven para las tortillas. Guarde las tortillas en un recipiente hermético y se conservarán frescas toda una semana; caliéntelas al horno o microondas. Trocee las tortillas ya secas y dórelas en aceite.

BOLLOS DE CERVEZA

PASE por la batidora 3 1/4 tazas (405 g) de harina, 3 cucharaditas de levadura, 1 cucharadita de sal, 1 cucharada de azúcar y 50 g de mantequilla en trocitos. Añada 1 1/2 tazas (375 ml) de cerveza y bátala a intervalos hasta obtener una masa blanda. Vuélquela sobre una superficie algo enharinada y trabájela hasta que esté fina, añadiendo más harina, si es preciso; divídala en 4 bollos. Colóquelos en bandejas engrasadas y aplánelos. Mójelos con un poco de agua y practique unos cortes en la superficie con un cuchillo. Hornéelos 10 minutos a 210°C. Baje la temperatura a 180°C y cuézalos 10 minutos más hasta que estén hechos. Déjelos enfriar y sírvalos con mantequilla. Para 4 unidades.

QUESOS

A todos nos gusta comer queso, y el toque tan creativo que se ha añadido a esta popular selección de quesos frescos convierte esta comida casi totalmente natural en un plato único del todo delicioso.

QUESO DE CABRA A LAS HIERBAS

Coloque en un cazo 4 ramitas de salvia, 4 de romero, 4 de tomillo y 4 de mejorana, tápelas y cuézalas 20 minutos a fuego medio sin destapar. Pase las hierbas ennegrecidas a la picadora y tritúrelas. Saque 4 unidades de 100 g de queso de cabra de sus respectivos envoltorios y séquelas con papel de cocina. Pase el queso por las hierbas, envuélvalo con film transparente y refrigérelo toda la noche.

HALOUMI CON AJO EN MARINADA

Seque 500 g de queso haloumi sobre papel de cocina, córtelo en lonchas gruesas y póngalo en un plato plano; añada 2 dientes de ajo en rodajitas, 2 cucharadas de albahaca fresca picada, 1 cucharadita de zumo de lima, 60 g de tomates secados al sol en rodajas y 1 taza (250 ml) de aceite de oliva. Cúbralo y déjelo marinar toda la noche. Retire el haloumi y los tomates de la marinada y colóquelos encima de tostadas de pan de leña; póngalas bajo el grill del horno precalentado hasta que el queso se ablande y se dore. Rocíelas con zumo de lima y espolvoree con pimienta negra recién molida.

QUESO FETA Y TOMATES DESECADOS EN ACEITE

Seque 350 g de queso feta sobre papel de cocina y córtelo en dados. Espolvoree 1 cucharada de pimienta negra molida, otra de hojas de orégano secas y 1 cucharadita de semillas de cilantro sobre el fondo de un tarro de 750 ml esterilizado. Disponga el feta, 4 guindillitas rojas frescas, varias ramitas de romero y 125 g de tomates secados al sol en el tarro, cúbralo todo con aceite de oliva, séllelo con firmeza y póngalo a refrigerar. Puede conservarlo de 1 a 2 meses en el frigorífico.

RICOTTA AL HORNO

Ponga a escurrir 500 g de queso ricotta en una muselina sobre un bol durante 3 horas. Mezcle en un bol el queso con 3 claras de huevo poco batidas, pase la mezcla a un molde para pan y prénsela con firmeza. Rocíe con ½ taza (125 ml) de aceite de oliva y esparza por encima 1 cucharada de pimentón dulce, 1 cucharadita de comino y pimienta negra molidos. Hornéelo 40 minutos a 180°C hasta dorarlo; déjelo enfriar, desmóldelo y báñelo con el jugo de la cocción. Sírvalo en lonchas, con pan de leña y entremeses.

REQUESÓN AL PESTO

Vierta en la batidora 500 g de requesón y 1 cucharada de salsa pesto ya preparada y bátalo bien. Añada 30 g de cebollino fresco picado y 3 cucharadas de cilantro fresco picado y bátalo. Vierta la crema en un molde redondo de 20 cm forrado con film transparente. Cúbrala y refrigérela 3 horas hasta que esté firme. Desmóldela y cúbrala con almendras ahumadas picadas. Sírvala con galletas saladas, tomates secados al sol y aceitunas.

CREMA DE RICOTTA Y ALMENDRAS CON FRUTAS Y BAYAS

Mezcle en un bol 250 g de queso ricotta con 1 cucharada de nata espesa, 100 g de almendras molidas, 200 g de queso fresco a la vainilla, 4 cucharadas de azúcar y 1 cucharadita de esencia de vainilla. Viértalo sobre una doble capa de muselina, ate los extremos de la misma y déjelo suspendido sobre un bol en un lugar fresco toda la noche. Sírvalo con frutas y bayas frescas.

EN EL SENTIDO DE LAS AGUJAS DEL RELOJ, DESDE SUPERIOR IZQUIERDA: Haloumi con ajo en marinada; queso feta y tomates desecados en aceite; queso de cabra a las hierbas; requesón al pesto; ricotta al horno; crema de ricotta y almendras con frutas y bayas

CÓMO CONGELAR MAGDALENAS

Sin duda las magdalenas saben mejor recién salidas del horno, pero también pueden congelarse por un periodo de hasta tres meses. Guárdelas en un recipiente hermético o envuélvalas por separado con papel de aluminio. No es preciso descongelarlas, sino tan sólo calentarlas al horno a 180°C durante 10 minutos.

ARRIBA: Magdalenas de pimiento y maíz
A LA DERECHA: Magdalenas al curry

MAGDALENAS DE PIMIENTO Y MAÍZ

Tiempo de preparación: 15 minutos
Tiempo total de cocción: 20 minutos
Para 12 unidades

1 taza (125 g) de harina
1/4 cucharadita de sal
1 cucharada de levadura
1 taza (150 g) de polenta fina (harina de maíz)
1 cucharada de azúcar
1 huevo
2/3 taza (170 ml) de leche
1/4 cucharadita de salsa tabasco (opcional)
1/4 taza (60 ml) de aceite
1/2 pimiento rojo picado fino
440 g de maíz en grano de lata, escurrido
3 cucharadas de perejil fresco picado fino

1 Precaliente el horno a 210°C. Unte un molde para 12 magdalenas con aceite o mantequilla fundida. Tamice la harina, la sal y la levadura en un cuenco y agregue la polenta y el azúcar. Remuévalo todo hasta mezclar bien los ingredientes y forme un hueco en el centro de la mezcla.

2 Bata el huevo, la leche, la salsa tabasco y el aceite en un bol aparte. Vierta la mezcla obtenida, junto con el pimiento, el maíz y el perejil sobre los ingredientes secos; remuévalo con una cuchara de madera o una espátula de plástico hasta humedecer toda la mezcla. (No la trabaje demasiado, pues debería quedar con grumos.)

3 Pásela al molde y hornéela 20 minutos o hasta que se dore. Retire las magdalenas del horno y despéguelas con un cuchillo, pero no las desmolde hasta al cabo de 2 minutos; déjelas enfriar sobre una rejilla metálica.

MAGDALENAS AL CURRY

Tiempo de preparación: 20 minutos
Tiempo total de cocción: 25 minutos
Para 12 unidades

2 tazas (250 g) de harina de fuerza
3 cucharaditas de curry en polvo
sal y pimienta negra recién molida
1/2 taza (80 g) de zanahoria rallada
1/2 taza (60 g) de boniato rallado
1 taza (125 g) de queso cheddar rallado
90 g de mantequilla fundida
1 huevo ligeramente batido
3/4 taza (185 ml) de leche

1 Precaliente el horno a 180°C. Unte un molde para 12 magdalenas con aceite o mantequilla fundida. Tamice la harina, el curry en polvo, la sal y la pimienta en un bol, añada la zanahoria, el

boniato y el queso, y remuévalo todo con las yemas de los dedos hasta que todos los ingredientes estén bien mezclados; forme un hueco en el centro.

2 Agregue la mantequilla junto con el huevo y la leche y remueva la mezcla mediante una cuchara de madera. (No la trabaje demasiado, pues debería quedar con grumos.)

3 Vierta la masa en el molde y hornéela 25 minutos o hasta que suba y se dore; despegue las magdalenas con un cuchillo, pero no las desmolde hasta al cabo de 2 minutos. Déjelas enfriar sobre una rejilla metálica.

MAGDALENAS DE ZANAHORIA Y CALABACÍN

Tiempo de preparación: 20 minutos
Tiempo total de cocción: 20 minutos
Para 12 unidades

2 calabacines medianos
2 zanahorias peladas
2 tazas (250 g) de harina de fuerza
una pizca de sal
1 cucharadita de canela molida
1/2 cucharadita de nuez moscada molida
1/2 taza (60 g) de pacanas picadas
2 huevos
1 taza (250 ml) de leche
90 g de mantequilla fundida

1 Ponga el horno a calentar a 210°C. Unte un molde para 12 magdalenas con aceite o mantequilla fundida. Ralle los calabacines y las zanahorias. Tamice la harina, la sal, la canela y la nuez moscada en un cuenco; añada la zanahoria, el calabacín y las pacanas y revuélvalo todo para que quede bien mezclado.

2 Mezcle los huevos, la leche y la mantequilla fundida en un bol aparte y bátalo todo bien.

3 Forme un hueco en el centro de la mezcla de harina y vierta en él la mezcla de huevo. Remuévalo rápidamente mediante un tenedor o una espátula de plástico hasta que todos los ingredientes estén humedecidos por igual. (No trabaje demasiado la masa, pues debería quedar con grumos.)

4 Vierta la masa en el molde preparado, de modo que quede extendida de manera uniforme, y hornéela de 15 a 20 minutos o hasta que se dore. Despegue las magdalenas del molde con la ayuda de un cuchillo de hoja plana o una espátula y déjelas todavía 2 minutos en el molde, antes de pasarlas a una rejilla metálica para que se enfríen.

PACANAS

Las pacanas son oriundas de los Estados Unidos de América y eran muy populares en la cocina indígena americana. Hoy en día, el uso más conocido que se hace de ellas es como base de uno de los postres favoritos de los norteamericanos, el pastel de pacanas (pecan pie); por otra parte, se incluyen también en el relleno del pavo el Día de Acción de Gracias. Su sabor es muy parecido al de las nueces, pero resultan algo más aceitosas que éstas. Se trata en realidad de uno de los frutos secos con mayor porcentaje de aceite, pues suelen contener un 70%.

ARRIBA: Magdalenas de zanahoria y calabacín

QUESO CHEDDAR
El queso cheddar, probablemente el queso más conocido de Gran Bretaña, empezó a elaborarse en una pequeña localidad del condado de Somerset de la cual lleva el nombre. Se caracteriza sobre todo por su gran adaptabilidad: tanto puede servirse como queso de postre como incluirse en platos cocinados, ya que se funde fácilmente. Existe toda una gama de quesos cheddar, desde los más suaves a los de mayor curación y sabor más fuerte. Pruébelos y elija el que mejor se avenga con su paladar.

ARRIBA: Bollitos de cebolla y parmesano

BOLLITOS DE CEBOLLA Y PARMESANO

Tiempo de preparación: 25 minutos
Tiempo total de cocción: 12 minutos
Para 24 unidades

30 g de mantequilla
1 cebolla pequeña picada fina
2 tazas (250 g) de harina de fuerza tamizada
una pizca de sal
1/2 taza (50 g) de queso parmesano rallado
1/2 taza (125 ml) de leche
1/2 taza (125 ml) de agua
pimienta de Cayena, para espolvorear

1 Precaliente el horno a 210°C. Unte una bandeja de horno con mantequilla o aceite. Derrita mantequilla en una sartén pequeña y fría en ella las cebollas a fuego lento de 2 a 3 minutos o hasta que estén tiernas; déjelas enfriar un poco.
2 Mezcle la harina, la sal y el parmesano en un bol, dejando un hueco en el centro. Vierta en él las cebollas y casi toda la mezcla de leche y agua. Remueva con un cuchillo de hoja plana hasta ablandar la masa; añada más líquido, si es preciso.
3 Trabaje la masa sobre una superficie ligeramente enharinada y extiéndala con el rodillo hasta dejarla de 2 cm de grosor. Con un cortapastas redondo enharinado, corte la masa en discos de 3 cm; colóquelos en las bandejas untadas y espolvoréelos con la pimienta de Cayena. Hornéelos de 10 a 12 minutos hasta que se doren.
NOTA: Compruebe la masa con los dedos y añádale el líquido con un cuchillo. No la amase demasiado, pues los bollitos quedarían duros.

BOLLOS DE QUESO Y CEBOLLINO

Tiempo de preparación: 20 minutos
Tiempo total de cocción: 12 minutos
Para 9 unidades

2 tazas (250 g) de harina de fuerza
una pizca de sal
30 g de mantequilla en daditos
1/2 taza (60 g) de queso cheddar rallado
3 cucharadas de queso parmesano rallado
2 cucharadas de cebollino picado
1/2 taza (125 ml) de leche
1/2 taza (125 ml) de agua
3 cucharadas de cheddar rallado adicional

1 Precaliente el horno a 210°C. Unte una bandeja de horno con mantequilla o aceite. Tamice la harina y la sal en un bol, añada la mantequilla y frótela con los dedos junto con los demás ingredientes. Agregue los quesos y el cebollino. Forme un hueco en el centro y vierta en él la leche y casi todo el agua. Remuévalo todo con un cuchillo de hoja plana hasta obtener una masa blanda. Agregue más líquido, si es preciso.
2 Trabaje la masa sobre una superficie enharinada, déjela bien fina y extiéndala con el rodillo hasta que mida 2 cm de grosor. Use un cortapastas para cortar la masa en discos de 5 cm; colóquelos en las bandejas y espolvoréelos con el queso adicional. Dórelos al horno 12 minutos.

BOLLOS DE PATATA Y ACEITUNAS

Tiempo de preparación: 25 minutos
Tiempo total de cocción: 15 minutos
Para 15 unidades

250 g de patatas peladas y en daditos
1/2 taza (125 ml) de leche
pimienta negra recién molida
2 tazas (250 g) de harina de fuerza
30 g de mantequilla en daditos
3 cucharadas de aceitunas negras, sin hueso y picadas
3–4 cucharaditas de romero fresco picado
1/2 taza (125 ml) de agua
leche adicional, para glasear

1 Precaliente el horno a 210°C. Unte una bandeja de horno con mantequilla fundida o aceite. Hierva las patatas o cuézalas al microondas hasta que estén tiernas, hágalas puré junto con la leche y sazónelas con la pimienta.
2 Tamice la harina en un cuenco, añada la mantequilla y frote la mezcla con los dedos. Añada las aceitunas y el romero y remuévalo todo bien. Forme un hueco en el centro y vierta en él el puré de patata y casi todo el agua. Remueva con un cuchillo de hoja plana hasta obtener una masa blanda; añada más líquido, si es preciso.
3 Trabaje la masa sobre una superficie enharinada, déjela bien fina y extiéndala con el rodillo hasta que mida 2 cm de grosor. Use un cortapastas enharinado para cortar la masa en discos de 5 cm; colóquelos en las bandejas y unte la superficie de los bollos con la leche adicional. Hornéelos de 10 a 15 minutos hasta que se doren. Sírvalos fríos o calientes y con mantequilla.
NOTA: No hace falta añadir sal a esta masa, pues las aceitunas ya le aportan suficiente sabor.

ROMERO
El nombre latino de esta planta, *Rosmarinus officinalis*, posee un significado notablemente poético: "rocío del mar". Tanto su intenso aroma como su peculiar sabor a pino evocan sin duda las yermas vertientes mediterráneas. El romero debería utilizarse con moderación, ya que la intensidad de su aroma podría anular los demás ingredientes.

ARRIBA: Bollos de patata y aceitunas

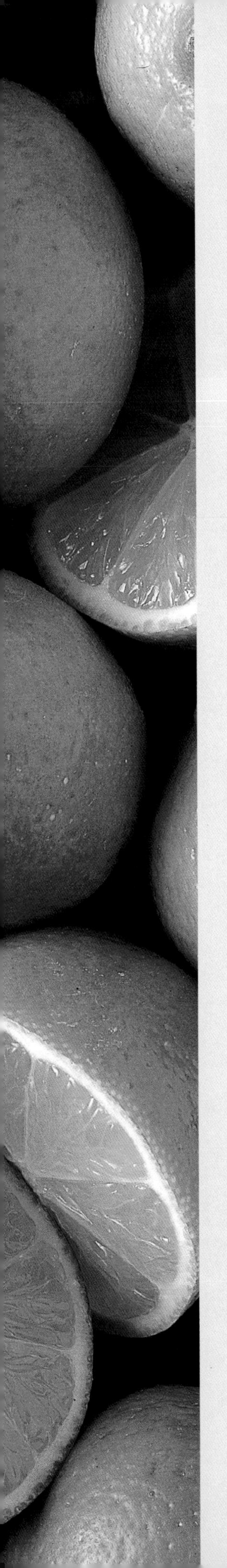

SALSAS, ALIÑOS Y CONDIMENTOS

Pensados para mejorar tanto el sabor como la presentación de un plato, las salsas, los aliños y los condimentos componen una lista interminable en la que los viejos favoritos aparecen renovados con las nuevas tendencias culinarias. Ya sean tradicionales o innovadoras, todas estas preparaciones persiguen un único objetivo: elevar una comida sencilla a un mayor grado de sofisticación.

ARRIBA: Salsa de queso (con hortalizas)

SALSAS PARA NAPAR

Las hortalizas saben deliciosas napadas con una salsa. Pruebe por ejemplo las alcachofas o los espárragos con salsa alioli, holandesa o mayonesa; el brécol o la coliflor, con salsa blanca clásica o de queso; las patatas, con aliño de queso azul o alioli; y los tomates, con salsa vinagreta, vinagreta a las hierbas o vinagreta elaborada con vinagre balsámico.

SALSA BLANCA CLÁSICA (BECHAMEL)

Tiempo de preparación: 15 minutos
Tiempo total de cocción: 10 minutos
Para unos 250 ml

1 taza (250 ml) de leche
1 aro de cebolla
1 hoja de laurel
6 granos de pimienta
30 g de mantequilla
1 cucharada de harina
sal y pimienta blanca

1 Mezcle la leche, la cebolla, la hoja de laurel y los granos de pimienta en un cacito y póngalo todo a hervir; retírelo del fuego y déjelo reposar 10 minutos. Cuele la leche y deseche las especias.
2 Derrita la mantequilla en un cacito y vierta en ella la harina; remuévala 1 minuto a fuego medio, hasta que la mezcla se dore y burbujee. Retírela del fuego, vierta la leche a chorritos cortos y remueva después de cada adición, a fin de dejar la salsa bien fina. Una vez añadida toda la leche, devuelva el cazo al fuego y siga removiendo a fuego medio hasta que la salsa hierva y espese.
3 Déjela hervir 1 minuto, retírela del fuego y sazónela con sal y pimienta blanca.
NOTA: Cocer la leche con cebolla, hojas de laurel y granos de pimienta confiere más sabor. Utilice leche sin aromatizar sobretodo cuando tenga que añadir otros condimentos.

VARIANTE

■ **Salsa al perejil:** Añada a la salsa ya terminada 3 cucharadas de perejil fresco muy picado y remuévala. Utilice también otras hierbas aromáticas, como cebollino, eneldo o mejorana, o bien use una combinación de sus hierbas preferidas.

SALSA DE QUESO (MORNAY)

Tiempo de preparación: 10 minutos
Tiempo total de cocción: 10 minutos
Para unos 250 ml

30 g de mantequilla
1 cucharada de harina
1 1/3 tazas (350 ml) de leche
1/2 taza (60 g) de queso cheddar rallado fino
1/4 cucharadita de mostaza en polvo
sal y pimienta

1 Derrita la mantequilla en un cacito, añada la harina y remuévala 1 minuto a fuego medio hasta que la mezcla se dore y burbujee. Retírela del fuego, vierta la leche a chorritos muy cortos y remueva después de cada adición, a fin de dejarla bien fina. Una vez añadida toda la leche, devuelva el cazo al fuego y siga removiendo la salsa a fuego medio hasta que hierva y espese.
2 Déjela hervir 1 minuto más y retírela del fuego. Añada el queso y la mostaza, remueva hasta fundir el queso y dejar la salsa bien fina; sazónela.

SALSA HOLANDESA BÁSICA

Tiempo de preparación: 5 minutos
Tiempo total de cocción: 10 minutos
Para unos 315 ml

175 g de mantequilla
2 cucharadas de agua
4 yemas de huevo
1 cucharada de zumo de limón
sal y pimienta blanca

1 Derrita la mantequilla en una sartén pequeña. Retire la espuma de la superficie y deje enfriar la mantequilla fundida. Mezcle el agua con las yemas de huevo en otra sartén pequeña y, mediante un batidor de varillas, bata la mezcla unos 30 segundos hasta que se vea pálida y cremosa.
2 Baje el fuego al mínimo y siga batiendo la mezcla otros 3 minutos hasta que espese y espumee; retírela del fuego. (Compruebe que la sartén no se caliente demasiado, pues, de lo contrario, obtendrá unos huevos revueltos.)
3 Agregue la mantequilla enfriada poco a poco y a intervalos, batiendo fuerte después de cada adición. Siga virtiendo la mantequilla, ahora en un chorrito continuo, sin dejar de remover, hasta terminarla toda. Evite incluir el suero blanco del fondo de la sartén, pero no se preocupe si se le cae un poco. Vierta el zumo de limón y sazone con sal y pimienta blanca.

VARIANTE

■ **Con la batidora:** Use la misma proporción de cada ingrediente que para la salsa holandesa básica, pero vierta las yemas, el agua y el zumo en la batidora; bátalo 10 segundos. Derrita la mantequilla y retire la espuma. Con el motor en marcha, añada la mantequilla fundida lentamente en la batidora. Pásela a un bol y sazónela al gusto.
■ **Holandesa con naranja (maltesa):** Sustituya la cucharada de zumo de limón por 2 cucharadas de zumo de naranja. (Pase el zumo por el tamiz y retire los restos de pulpa antes de medirlo.)

SALSA HOLANDESA AL MICROONDAS

La salsa holandesa puede elaborarse rápidamente en el horno microondas. Vierta 200 g de mantequilla en una jarra adecuada y derrítala en el microondas durante 1 minuto. Bata 3 yemas de huevo junto con 2 cucharadas de zumo de limón en un bol y añada la mantequilla fundida, removiendo a continuación. Póngalo todo a temperatura media durante 1 minuto y 20 segundos, parando cada 20 segundos para remover la salsa. Ésta debería quedar muy espesa.

ARRIBA: Salsa holandesa básica (con espárragos)

SEMILLAS DE MOSTAZA
Existen tres tipos distintos de semillas de mostaza: negras, marrones y amarillas. Las primeras son las que poseen un aroma más intenso pero, como no resisten los métodos de cosecha mecanizada, hace tiempo que fueron sustituidas por las de color marrón, de sabor más suave, para la elaboración industrial de la salsa de mostaza.

ARRIBA: Salsa de tomate (con pasta)

SALSA DE TOMATE

Tiempo de preparación: 15 minutos
Tiempo total de cocción: 20 minutos
Para 4 personas

1,5 kg de tomates maduros grandes
1 cucharada de aceite de oliva
1 cebolla mediana picada muy fina
2 dientes de ajo majados
1 cucharadita de hojas de orégano secas
2 cucharadas de concentrado de tomate
1 cucharadita de azúcar
sal y pimienta

1 Corte una cruz en la base de los tomates y colóquelos en un cuenco; cúbralos con agua hirviendo y déjelos a remojo 2 minutos. Escúrralos y pélelos. Tire de la piel partiendo de la cruz y deséchela. Pique la pulpa bien pequeña.
2 Caliente el aceite en una sartén mediana y fría en él la cebolla a fuego medio unos 3 minutos sin dejar de remover, hasta que esté tierna. Agregue el ajo y fríalo durante 1 minuto. Vierta el tomate, el orégano, el concentrado y el azúcar.
3 Llévelo todo a ebullición, baje el fuego y déjelo cocer, sin tapar, unos 15 minutos o hasta que la salsa empiece a espesar. Sazónela al gusto.
NOTA: Tapada y en el frigorífico, esta salsa se conserva hasta 2 días; congelada, hasta 2 meses. Vuelva a calentarla al fuego o al microondas. Sírvala caliente con pasta o como salsa para pizza.

SALSA VINAGRETA BÁSICA

Tiempo de preparación: 3 minutos
Tiempo total de cocción: ninguno
Para unos 125 ml

2 cucharadas de vinagre de vino blanco
1/3 taza (80 ml) de aceite de oliva ligero
1 cucharadita de mostaza francesa
sal y pimienta blanca

1 Vierta el vinagre, el aceite de oliva y la mostaza francesa en un tarro con tapa de rosca. Agítelo bien a fin de mezclar los ingredientes y sazónelo al gusto con sal y pimienta blanca.

VARIANTE
■ **Vinagreta a las hierbas:** Use un vinagre a las hierbas en lugar del vinagre común. O bien añada a la receta básica 1 cucharada de hierbas aromáticas finamente picadas.

ALIÑO DE QUESO AZUL

Tiempo de preparación: 5 minutos
Tiempo total de cocción: ninguno
Para unos 250 ml

1/2 taza (125 g) de mayonesa de huevo entero
1/4 taza (60 ml) de nata espesa
1 cucharadita de vinagre de vino blanco
1 cucharada de cebollino fresco muy picado
50 g de queso azul

1 Mezcle la mayonesa, la nata, el vinagre de vino y el cebollino en un bol pequeño.
2 Desmenuce el queso azul y mézclelo bien con todo lo anterior. Tápelo y refrigérelo un máximo de 3 días. Sírvalo con espárragos asados o patatitas hervidas, patatas asadas con piel o ensalada.

SALSA MAYONESA BÁSICA

Tiempo de preparación: 10 minutos
Tiempo total de cocción: ninguno
Para unos 250 ml

2 yemas de huevo
1 cucharadita de mostaza de Dijon
4 cucharaditas de zumo de limón
1 taza (250 ml) de aceite de oliva ligero
sal y pimienta blanca

1 Vierta las yemas de huevo en un bol mediano. Añada la mostaza y 2 cucharaditas del zumo de limón; bátalo todo unos 30 segundos hasta obtener una salsa ligera y cremosa.
2 Vierta el aceite de oliva, cucharadita a cucharadita y removiendo constantemente. Aumente la cantidad de aceite a medida que la salsa espese. Cuando ya haya vertido todo el aceite, agregue las 2 cucharaditas restantes de zumo de limón; sazone con sal y pimienta blanca.

VARIANTE

■ **Con la batidora:** Vierta las yemas, la mostaza y el zumo en la batidora; bátalo todo durante 10 segundos. Con el motor en marcha vierta el aceite lenta y continuamente. Pase la salsa a un bol y sazónela al gusto.

SALSA MIL ISLAS

Tiempo de preparación: 10 minutos
Tiempo total de cocción: ninguno
Para unos 350 ml

1 taza (250 g) de mayonesa de huevo entero
2–3 cucharadas de salsa de guindilla
1 pimiento rojo picado fino ó 1/3 taza (50 g) de aceitunas muy picadas
1 cucharada de cebolla rallada
2 cucharadas de pimiento verde picado fino
leche (opcional)

1 Mezcle en un bol la mayonesa con la salsa de guindilla, los pimientos y la cebolla; remueva.
2 Añada un poco de leche a fin de obtener una consistencia más fina. Deje reposar la salsa un mínimo de 2 horas antes de servirla. Refrigérela, cubierta, hasta un máximo de 3 días.

ALIOLI (MAYONESA DE AJO)

Tiempo de preparación: 10 minutos
Tiempo total de cocción: ninguno
Para unos 250 ml

2 yemas de huevo
3 dientes de ajo grandes majados
4 cucharaditas de zumo de limón
1 taza (250 ml) de aceite de oliva ligero
sal y pimienta blanca

1 Vierta las yemas de huevo en un bol mediano. Añada el ajo junto con 2 cucharaditas del zumo de limón; bátalo 30 segundos hasta que esté ligero y cremoso.
2 Agregue el aceite de oliva, cucharadita a cucharadita, y batiendo constantemente. Aumente la cantidad de aceite a medida que espese la mayonesa. Una vez vertido todo el aceite, añada las 2 cucharaditas restantes de zumo de limón y sazone la salsa con sal y pimienta blanca al gusto.

ARRIBA: Alioli (con hortalizas a la barbacoa)

AJO

Para utilizar el ajo como condimento, hay que tener en cuenta que la intensidad de su sabor depende del modo en que se prepara. Si se añaden ajos enteros a una sopa o una salsa y se cuecen lentamente, éstos tendrán un sabor suave, mientras que, si se pican bien pequeños, su sabor será de lo más penetrante, porque soltarán todo el aceite. Los dientes enteros o partidos por la mitad se pueden utilizar para aromatizar el aceite con el que se cocina. (Los ajos se retiran del aceite pero éste conserva su aroma.)

ARRIBA: Salsa pesto (con pasta)

SALSA PESTO

Tiempo de preparación: 10 minutos
Tiempo total de cocción: ninguno
Para unos 250 ml

✩

250 g de albahaca fresca
1/3 taza (50 g) de piñones tostados
2 dientes de ajo majados
1/3 taza (35 g) de queso parmesano rallado fino
1/3 taza (80 ml) de aceite de oliva
sal y pimienta

1 Separe las hojas de los tallos de la albahaca, lávelas, séquelas y viértalas en la picadora junto con los piñones, el ajo y el queso parmesano. Píquelo todo bien fino.
2 Con el motor en marcha, agregue el aceite de oliva dejándolo caer en un chorrito continuo hasta ligar bien la salsa. Salpimiéntela al gusto.
NOTA: Para tostar los piñones, viértalos en una sartén pequeña y remuévalos a fuego lento hasta que se doren, o bien déjelos bajo el grill del horno y remuévalos para evitar que se quemen.

HARISSA

Tiempo de preparación: 25 minutos + remojo
Tiempo total de cocción: 1–2 minutos
Para unos 250 ml

250 g de guindilla piquín fresca o seca (o cualquier tipo de guindilla pequeña)
1 cucharada de semillas de alcaravea
1 cucharada de semillas de cilantro
2 cucharaditas de semillas de comino
4–6 dientes de ajo pelados
1 cucharada de menta seca
1 cucharadita de sal
1/2 taza (125 ml) de aceite de oliva virgen extra

1 Póngase unos guantes de goma para separar los tallos de las guindillas, córtelas en dos, extráigales las semillas y póngalas a remojo 5 minutos (si son frescas y 30 minutos si son secas).
2 Mientras remoja las guindillas, saltee todas las semillas de 1 a 2 minutos en una sartén seca hasta que se vuelvan aromáticas. Escurra las guindillas y páselas a la picadora. Añádales las semillas, el ajo, la menta y la sal y vierta el aceite lentamente; píquelo hasta que la masa esté espesa y homogénea.
NOTA: Cubra la salsa y refrigérela hasta 2 semanas. Sírvala a temperatura ambiente para acompañar platos marroquíes, como el cuscús, o añádala a sopas y cocidos para dar un toque más de sabor.

RAITA DE PEPINO

Tiempo de preparación: 5 minutos
Tiempo total de cocción: 1 minuto
Para 2–4 personas

2 pepinos pequeños, pelados y picados finos
1 taza (250 g) de yogur natural
1 cucharadita de comino molido
1/2 cucharadita de jengibre fresco rallado
sal y pimienta negra recién molida
pimentón

1 Mezcle el pepino y el yogur en un bol. Saltee el comino 1 minuto en una sartén seca y añádale la mezcla de yogur y el jengibre. Salpimiente.
2 Pase la salsa a un bol, espolvoréela con el pimentón y sírvala bien fría. Refrigérela hasta un máximo de 2 días.

CHUTNEY DE CILANTRO

Tiempo de preparación: 15 minutos
Tiempo total de cocción: ninguno
Para unos 250 ml

90 g de cilantro fresco (hojas, tallos y raíces)
3 cucharadas de coco desecado
1 cucharada de azúcar moreno
1 cucharadita de sal
1 cucharada de jengibre fresco rallado
1 cebolla pequeña picada
2 cucharadas de zumo de limón
1–2 de guindillas verdes pequeñas

1 Lave el cilantro entero, séquelo y píquelo bien fino. Viértalo en la picadora junto con el coco, el azúcar moreno, la sal, el jengibre, la cebolla y el zumo de limón.
2 Retire las semillas de las guindillas, pique éstas muy pequeñas y añádalas a los demás ingredientes. Páselas por la picadora durante 1 minuto hasta dejarlas finas. Sirva el chutney bien frío. Tápelo y consérvelo en el frigorífico hasta un máximo de 2 días.

SALSA DE TOMATE PICANTE

Tiempo de preparación: 15 minutos
Tiempo total de cocción: 2–3 minutos
Para unos 375 ml

1 guindilla roja serrana o jalapeña
3 tomates maduros medianos, picados finos
1 cebolla roja pequeña, picada fina
3 cucharadas de hojas de cilantro frescas picadas
2 cucharadas de zumo de lima

1 Ase las guindillas directamente sobre la llama (sosteniéndolas con unas tenacillas o un tenedor), o bien déjelas bajo el grill del horno hasta que la piel ennegrezca y forme ampollas. Cúbralas con un paño de cocina, déjelas enfriar y pélelas. Córtelas por la mitad y deseche las semillas; pique la pulpa bien fina.
2 Vierta todos los ingredientes en un bol y déjelos reposar 30 minutos a fin de que sus aromas se entremezclen. Esta salsa se conserva hasta un máximo de 3 días en el frigorífico.

MERMELADA DE GUINDILLA

Tiempo de preparación: 25 minutos
Tiempo total de cocción: 35 minutos
Para unos 250 ml

12 guindillas jalapeñas rojas
2 tomates maduros medianos
1 cebolla pequeña picada fina
1 manzana verde rallada fina
1/2 taza (125 ml) de vinagre de vino tinto
1/2 taza (125 g) de azúcar

1 Corte las guindillas longitudinalmente por la mitad y extráigales las semillas. Colóquelas sobre una placa, con la parte cortada para abajo, y déjelas bajo el grill del horno hasta que la piel ennegrezca. Cúbralas con un paño y déjelas enfriar.
2 Corte una crucecita en la base de los tomates, páselos a un cuenco, cúbralos con agua hirviendo y déjelos 2 minutos a remojo. Escúrralos y déjelos enfriar. Pele las guindillas y los tomates y pique la pulpa bien fina.
3 Vierta la cebolla, la manzana, el vinagre y el azúcar junto con los tomates y las guindillas en una sartén mediana. Remuévalo todo hasta que el azúcar se disuelva; póngalo a hervir. Baje el fuego y cuézalo unos 30 minutos. Tape la mermelada y refrigérela hasta 1 mes como máximo.
NOTA: Sirva esta mermelada con pan y queso; o bien sazone con ella las sopas y los cocidos.

COCO

Cuando se recolecta, el coco está envuelto en una corteza verde más bien blanda, su pulpa es tierna y jugosa, y su interior está lleno de líquido. Al madurar, la corteza se endurece y la parte externa de color verde se desprende, dejando al descubierto una cáscara marrón muy dura. El peso es determinante a la hora de elegir un coco, pues cuanto más pesa, más jugoso resulta. Los "hoyuelos" deben estar secos y no oler a humedad.

ABAJO: Mermelada de guindilla (con quesos y hortalizas a la barbacoa)

VAINILLA

La vainilla se obtiene de la vaina de una planta orquidácea trepadora tropical. Por su apariencia, dicha vaina se conoce también como judía. Para poder utilizarla, hay que abrirla longitudinalmente y extraerle las semillas. Se emplea para aromatizar leche o natillas, o bien se mezcla con el azúcar con el mismo propósito. Puede adquirirse en forma líquida, que se conoce como extracto o esencia, y en aromas de distinta intensidad. El precio resulta un buen indicador a la hora de comprar esencia de vainilla, puesto que la de mejor calidad resulta siempre más cara. No obstante, al poseer un aroma realmente penetrante, sólo se emplea en dosis muy reducidas.

PÁGINA SIGUIENTE: EN EL SENTIDO DE LAS AGUJAS DEL RELOJ, DESDE SUPERIOR IZQUIERDA: Salsa de chocolate; crema inglesa; coulis silvestre; salsa de mantequilla

SALSA DE CHOCOLATE

Tiempo de preparación: 5 minutos
Tiempo total de cocción: 20 minutos
Para unos 315 ml

200 g de chocolate negro, en trocitos
3/4 taza (185 ml) de agua
1 cucharada de azúcar
1/2 cucharadita de esencia de vainilla
1/4 taza (60 ml) de crema de leche
10 g (1/3 oz) de mantequilla
1 cucharada de ron o brandy, opcional

1 Vierta el chocolate, el agua y el azúcar en un bol resistente al calor y póngalo sobre un cazo con agua hirviendo hasta que se derrita. Cuézalo 15 minutos a fuego lento; remueva con frecuencia.
2 Retírelo del fuego y añada la vainilla, la crema de leche, la mantequilla y el licor; sírvala.
NOTA: Guárdela hasta 2 semanas en un tarro de cristal de rosca. Si la refrigera, se espesará, pero puede volver a calentarla antes de servirla. Nape con ella helados, profiteroles, gofres y crêpes.

CREMA INGLESA

Tiempo de preparación: 5 minutos
Tiempo total de cocción: 10 minutos
Para 4–6 personas

3 yemas de huevo
2 cucharadas de azúcar
1 1/2 tazas (375 ml) de leche
1/2 cucharadita de esencia de vainilla

1 Bata durante 2 minutos las yemas y el azúcar en un bol, hasta obtener una mezcla ligera y espesa. Caliente la leche en un cacito hasta que casi rompa el hervor, viértala sobre el huevo y remueva constantemente.
2 Devuelva la mezcla al cazo y remuévala 5 minutos a fuego lento, hasta que empiece a espesar. No deje que hierva o se cortará. Retírela del fuego, agregue la esencia de vainilla, remueva y pásela a una jarra para servir.
NOTA: Prepare esta crema 30 minutos antes de servirla. Cúbrala con film transparente para evitar que se forme una película en la superficie y sírvala con fruta hervida y puddings.

CREMA DE MANTEQUILLA

Tiempo de preparación: 5 minutos
Tiempo total de cocción: 15 minutos
Para unos 375 ml

125 g de mantequilla
1/2 taza (95 g) de azúcar moreno
2 cucharadas de jarabe de caña de azúcar
1/2 taza (125 ml) de crema de leche
1 cucharadita de esencia de vainilla

1 Mezcle la mantequilla y el azúcar en un cazo mediano, remuévalas a fuego lento hasta que el azúcar se disuelva. Póngalo a hervir.
2 Añada el jarabe y la crema de leche, baje el fuego y déjelo cocer 10 minutos o hasta que la salsa empiece a espesar. Retírela del fuego y agréguele la vainilla. Sírvala caliente o fría y tenga en cuenta que se espesará si la deja en reposo. Sírvala para napar helados, gofres y crêpes.

COULIS SILVESTRE

Tiempo de preparación: 8 minutos
Tiempo total de cocción: ninguno
Para unos 250–375 ml

250 g de fresas, frambuesas o moras
2–4 cucharadas de azúcar glas
1 cucharada de zumo de limón
1–2 cucharadas de Cointreau o Grand Marnier (opcional)

1 Limpie las fresas y viértalas en la picadora. Añada el azúcar glas y el zumo de limón y píquelo todo hasta dejarlo homogéneo.
2 Vierta el Cointreau o el Grand Marnier al gusto. Cubra la salsa y refrigérela hasta un máximo de 3 días. Sírvala con fruta entera fresca o hervida, tartaletas y helado o nata.
NOTA: Use fruta fresca o congelada (en ciertos supermercados venden bayas congeladas). Tamice la fruta, si necesita que la salsa sea especialmente fina. Para hacer coulis de mango, use 2 mangos, pelados, sin hueso y hechos puré, o bien puré de mango congelado. Proceda como se indica en esta misma receta.

POSTRES

Tartas dulces, puddings calientes y melosos, mousses y soufflés caseros—incluso con tan sólo leer la descripción se le hace a uno la boca agua. Y eso no es nada comparado con el aspecto, el aroma y el sabor de un postre irresistible presentado al final de una comida (¿quién dijo que estaba lleno?). Las ideas recogidas en esta genial selección resultan excitantes también para el cocinero, pues todas pertenecen a un tipo de recetas por las que no cuesta nada ponerse manos "a la masa".

CHOCOLATE

Los aztecas de México utilizaban ya los granos del árbol del cacao para preparar cierta bebida, pero quien introdujo el cacao en Europa fue el explorador Hernán Cortez en 1528. Durante largo tiempo los españoles mantuvieron en secreto la existencia del cacao, hasta el punto de que, cuando los abordaban piratas ingleses u holandeses, éstos lo lanzaban al mar. La primera chocolatería de Londres se abrió en 1657, pero las tasas aplicadas al cacao eran tan elevadas que éste se convirtió en un lujoso producto de moda entre las clases más acomodadas hasta bien entrado el siglo XIX.

ARRIBA: Pastel de queso con arándanos

PASTEL DE QUESO CON ARÁNDANOS

Tiempo de preparación: 40 min. + refrigeración
Tiempo total de cocción: 45–50 minutos
Para 8–10 personas

125 g de mantequilla
1 taza de copos de avena
100 g de galletas integrales desmenuzadas
2 cucharadas de azúcar moreno

Relleno

375 g de requesón ligero
100 g de queso ricotta fresco
1/3 taza (90 g) de azúcar
1/2 taza (125 g) de crema agria
2 huevos
1 cucharada de ralladura fina de naranja
1 cucharada de harina

Cobertura

250 g de arándanos frescos
3/4 taza (240 g) de moras frescas o en conserva
1/4 taza (60 ml) de licor de cereza

1 Unte un molde redondo de 20 cm, hondo y desmontable, con mantequilla fundida o aceite, y forre el fondo con papel encerado antiadherente. Derrita la mantequilla en un cazo, vierta la avena y las migas de galleta y remuévalo bien. Agregue el azúcar. Esparza la mitad de la mezcla resultante sobre el fondo del molde y la otra mitad por las paredes del mismo. Utilice un vaso para prensar bien la mezcla, pero sin que ésta llegue hasta el borde del molde. Refrigérela de 10 a 15 minutos. Precaliente el horno a 180°C.

2 **Para el relleno:** Bata el requesón, el ricotta, el azúcar y la crema agria mediante la batidora eléctrica hasta obtener una mezcla homogénea. Agregue los huevos, la ralladura de naranja y la harina y bátalo todo bien fino. Coloque el molde sobre una bandeja de horno por si gotea un poco, vierta el relleno en la masa y hornéelo todo de 40 a 45 minutos, o hasta que el relleno esté hecho. Retírelo del horno pero déjelo en el molde hasta que se enfríe.

3 **Para la cobertura:** Esparza los arándanos por la superficie del pastel. Tamice la fruta fresca o en conserva sobre un cazo con el licor. Remueva la mezcla sobre fuego medio hasta que esté homogénea y déjela cocer de 2 a 3 minutos; use un pincel para untar los arándanos con la mezcle. Refrigere el pastel durante varias horas o toda la noche, de modo que quede bien frío.

TORTILLA DE CHOCOLATE CON AVELLANAS

Tiempo de preparación: 20 minutos
Tiempo total de cocción: 15 minutos
Para 4 personas

3 cucharadas de avellanas muy picadas
60 g de chocolate negro desmenuzado
4 yemas de huevo
3 cucharadas de azúcar
5 claras de huevo
sal
30 g de mantequilla sin sal
1 cucharada de cacao en polvo

1 Dore las avellanas en una sartén seca, removiéndolas sobre fuego medio; resérvelas.
2 Vierta el chocolate en un bol resistente al calor y colóquelo sobre un cazo con agua hirviendo. Remuévalo hasta que se funda y déjelo enfriar.
3 Con la batidora eléctrica, bata las yemas junto con el azúcar durante 1 minuto o hasta que la mezcla espese. Añada el chocolate y bátalo bien.
4 Bata las claras a punto de nieve con una pizca de sal y agréguelas por tercios a la mezcla de chocolate; vierta las avellanas. Precaliente el grill.
5 Derrita la mantequilla en una sartén mediana y, en cuanto espumee, vierta la mezcla de chocolate. Mueva la sartén a fin de que la mezcla se extienda por igual y cuézala a fuego lento de 1 a 2 minutos, hasta que esté medio hecha y la superficie burbujee. Déjela bajo el grill hasta que se dore, divídala en 4 porciones, espolvoréela con el cacao y sírvala acompañada de helado de vainilla y frutas del bosque frescas o congeladas.

PUDDING DE CHOCOLATE CON SALSA PROPIA

Tiempo de preparación: 20 minutos
Tiempo total de cocción: 45–50 minutos
Para 6 personas

1 1/2 tazas (185 g) de harina de fuerza
1/4 taza (30 g) de cacao en polvo
3/4 taza (185 g) de azúcar
90 g de mantequilla fundida
3/4 taza (185 ml) de leche
2 huevos ligeramente batidos

Salsa

1 1/2 tazas (375 ml) de leche
1 taza (250 ml) de agua
185 g de chocolate negro, en trocitos

1 Precaliente el horno a 180°C. Unte una fuente de horno de 2,5 litros de capacidad con aceite o mantequilla fundida.
2 Tamice la harina y el cacao en un cuenco, añada el azúcar y forme un hueco en el centro. Agregue la mantequilla y los huevos desleídos en la leche. Use una cuchara de madera para removerlo hasta dejarlo fino y homogéneo, sin trabajarlo demasiado; páselo a la fuente untada.
3 **Para la salsa:** Vierta la leche, el agua y el chocolate en un cazo y remuévalo hasta que se funda y quede fino. Nape con ello el pudding y hornéelo de 45 a 50 minutos, hasta que esté firme. Sírvalo con nata o helado y fruta fresca.

CÓMO COCINAR CON CHOCOLATE

Si necesita chocolate para elaborar una receta, cómprelo siempre de primera calidad y especial para cocinar. El chocolate de cobertura, con grasas vegetales añadidas, se solidifica mucho más deprisa que el chocolate para cocinar, por lo cual resulta más adecuado para realizar las decoraciones.

A LA IZQUIERDA: Tortilla de chocolate con avellanas
ARRIBA: Pudding de chocolate con salsa propia

QUEMADOS DE AZÚCAR

Una perfecta "crème brûlée" ("crema quemada", en francés) debería constar de una capa de caramelo crujiente sobre una base bien cremosa. Para que la cobertura quede crujiente, use un grill con llama de gas, así podrá subir la temperatura con la rapidez necesaria para caramelizar el azúcar. Sepa que, aunque suene exagerado, los profesionales utilizan un soplete para ello.

ARRIBA: Crema quemada de vainilla

CREMA QUEMADA DE VAINILLA

Tiempo de preparación: 10 minutos + 3 horas de refrigeración
Tiempo total de cocción: 55 minutos
Para 4 personas

1 taza (250 ml) de crema de leche
1 taza (250 ml) de leche
1 vaina entera de vainilla
2 huevos
2 yemas de huevo
1/4 taza (60 g) de azúcar
1/3 taza (60 g) de azúcar moreno
1/2 cucharadita de canela molida

1 Precaliente el horno a 160°C. Unte cuatro moldes individuales de 185 ml con aceite o mantequilla fundida. Vierta la crema de leche, la leche y la vaina de vainilla en un cazo y remuévalo a fuego lento hasta que rompa el hervor. Retírelo del fuego y déjelo enfriar. Retire la vainilla, córtela por la mitad y extraiga las semillas de una de las mitades (reserve las de la otra mitad para más adelante); añádalas a la mezcla de leche.
2 Bata los huevos, las yemas y el azúcar en un bol pequeño y agregue la mezcla de crema de leche de forma gradual. Páselo todo a los moldes engrasados, colóquelos en una bandeja de horno, cúbralos con agua hasta media altura y tape la bandeja con papel de aluminio pero sin ceñirlo.
3 Hornéelos 45 minutos hasta que la crema esté cuajada y hasta que, al insertar un cuchillo en el centro, éste salga limpio. Retire los moldes del baño María y déjelos aparte para que se enfríen. Refrigérelos varias horas o toda la noche.
4 Precaliente el grill del horno a temperatura alta. Espolvoree la crema con el azúcar moreno mezclado con la canela y disponga los moldes bajo el grill, hasta que la superficie se dore y burbujee. Retírelos del horno y refrigérelos 5 minutos antes de servirlos.
NOTA: Como variante, ponga una cucharada de arándanos en el fondo de los moldes antes de verter la crema. Sírvala con frutas silvestres frescas.

BAKLAVA DE MELOCOTÓN

Tiempo de preparación: 40 minutos
Tiempo total de cocción: 20–25 minutos
Para 8 personas

6 láminas de pasta filo
60 g de mantequilla fundida
2/3 taza (85 g) de almendras fileteadas
1 1/2 cucharaditas de canela molida
1/2 taza (95 g) de azúcar moreno
3/4 taza (185 ml) de zumo de naranja colado
4 melocotones
azúcar glas, para espolvorear

1 Precaliente el horno a 180°C. Corte cada lámina de pasta en 8 cuadrados y forre ocho moldes individuales para magdalenas con 3 capas de pasta filo cada una. Unte las láminas con mantequilla fundida a fin de que se peguen mejor y solápelas en los ángulos.
2 Mezcle las almendras, la canela y la mitad del

azúcar en un bol y espolvoree con ello las bases; cúbralas con los 3 últimos cuadrados de pasta filo engrasados y hornéelas de 10 a 15 minutos.

3 Mientras tanto, disuelva el azúcar restante con el zumo de naranja; póngalo a hervir, baje el fuego y déjelo cocer lentamente. Corte los melocotones por la mitad y en rodajas finas, y nápelos bien con el almíbar. Cuézalos a fuego lento de 2 a 3 minutos y retírelos mediante una espumadera. Disponga los melocotones sobre las tartaletas de pasta, espolvoréelas con azúcar glas y sírvalas con nata espesa o helado.

NOTA: También puede pelar los melocotones, o bien usarlos en conserva en lugar de frescos.

COMPOTA DE MANZANAS CON ESPECIAS

Tiempo de preparación: 15 minutos
Tiempo total de cocción: 30 minutos
Para 4 personas

☆

4 manzanas verdes grandes o 6 pequeñas
$2^1/_2$ tazas (600 ml) de agua
2 cucharadas de zumo de limón
$^1/_2$ taza (125 g) de azúcar
4 clavos de especia enteros
4 ramitas de menta fresca
6 hojas de albahaca fresca
nata o yogur, para servir

1 Pele las manzanas, retire los corazones y córtelas en cuartos. Vierta el agua, el zumo, el azúcar, los clavos y la menta en un cazo; remueva a fuego lento hasta disolver el azúcar y déjelo hervir.

2 Vierta las manzanas y cuézalas 10 minutos a fuego lento; coloque la tapa de modo que se escape el vapor durante la cocción. Las manzanas deben estar tiernas, pero no deshechas. Añada la albahaca, retírelo y enfríelo. Páselo a un bol.

3 Sirva las manzanas frías, napadas con el almíbar colado y con frutos silvestres, nata o yogur.

ARRIBA: Baklava de melocotones
ABAJO: Compota de manzanas con especias

MELOCOTONES

1 Marque una cruz en la base de cada melocotón, páselos a un bol y déjelos 2 minutos a remojo en agua hirviendo.

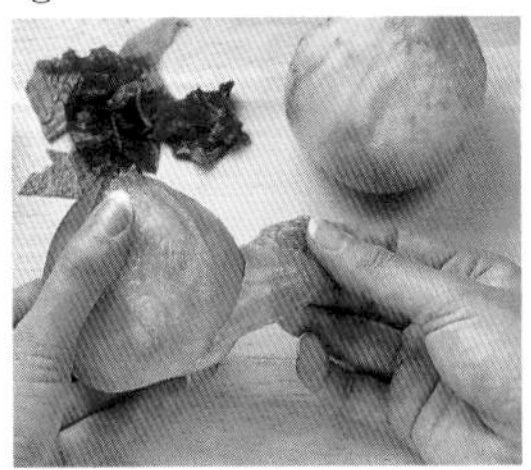

2 Retírelos del agua caliente y sumérjalos en agua fría para que se enfríen rápidamente. Pélelos tirando de la piel a partir de la cruz.

AROMA DE GERANIOS
Los geranios perfuman no tan sólo los jardines sino también la cocina. Existen hasta 50 variedades de aromas distintos en un sinfín de colores y formas. Con las hojas se puede aromatizar té, galletas, magdalenas y tartas. También resultan ideales para preparar boles lavamanos, para los cuales sólo es preciso majar en agua las hojas de aroma alimonado.

ARRIBA: Almendrados de vainilla con crema de geranio

ALMENDRADOS DE VAINILLA CON CREMA DE GERANIO

Tiempo de preparación: 1 hora + toda la noche en reposo
Tiempo total de cocción: 1 hora
Para 6–8 personas

1/2 taza (125 g) de azúcar
2 cucharadas de azúcar adicional
1 vaina de vainilla, partida por la mitad
3 hojas de geranio con aroma a rosa

Almendrados

125 g de almendras blanqueadas
3 claras de huevo
3/4 taza (90 g) de harina

Crema de geranio

1 taza (250 ml) de nata líquida
1/2 taza (125 ml) de nata espesa
selección de frutas del tiempo: uvas, kiwis, fresas, arándanos, zarzamoras, frambuesas o grosellas

1 Precaliente el horno a 180°C. Vierta las dos cantidades de azúcar en sendos tarros con tapa de rosca. Añada la vaina de vainilla a la 1/2 taza de azúcar y las hojas de geranio a las 2 cucharadas de azúcar. Agite unos 10 segundos cada tarro y déjelos aparte durante 2 horas como mínimo, a fin de que el azúcar se aromatice.

2 Para los almendrados: Unte un molde alargado de 26 x 8 x 4,5 cm con aceite o mantequilla fundida y forre el fondo y las paredes con papel encerado. Esparza las almendras sobre una bandeja de horno y hornéelas durante 4 minutos o hasta que empiecen a dorarse; déjelas enfriar.

3 Vierta las claras de huevo en un bol limpio y seco y bátalas a punto de nieve mediante la batidora eléctrica. Agregue gradualmente el azúcar a la vainilla, sin dejar de batir, hasta que la mezcla esté espesa y lustrosa y el azúcar se disuelva.

4 Pase la mezcla a un cuenco y añada la harina tamizada y las almendras. Use una cuchara de metal para mezclar los ingredientes, extiéndalos sobre el molde y alise la superficie. Hornéelo todo unos 25 minutos, retírelo del horno y déjelo en el molde hasta que se enfríe por completo. Desmolde, envuelva la masa con papel de aluminio y refrigérela toda la noche.

5 Precaliente el horno a 160°C. Unte dos bandejas de horno con aceite o mantequilla fundida. Con un cuchillo de sierra afilado, corte la masa en rodajas de 5 mm y dispóngalas en las bandejas: hornéelas durante 30 minutos o hasta que estén ligeramente crujientes y doradas.

6 Para la crema de geranio: Use la batidora eléctrica para batir la nata a punto de nieve junto con el azúcar con aroma a geranio. Agréguelo a la nata espesa con la ayuda de una cuchara de metal. Limpie las frutas y sírvalas con los almendrados y la nata. Puede conservar estas galletas en un recipiente hermético hasta un máximo de 2 semanas. Mientras que, tanto las frutas como la nata saben mejor preparadas el mismo día, los azúcares aromatizados pueden prepararse hasta con 2 semanas de antelación.

NOTA: Este postre puede servirse en platos individuales, pero dispuesto en una fuente resulta ideal para una fiesta o buffet. Los almendrados constituyen por sí solos un delicioso acompañamiento para el café. Como variante, pueden sustituirse las almendras por cualquier otro tipo de frutos secos, como avellanas tostadas o pistachos.

CHARLOTAS DE MELOCOTÓN CON SALSA MELBA

Tiempo de preparación: 30 minutos + 20 minutos en reposo
Tiempo total de cocción: 40 minutos
Para 4 personas

1 taza (250 g) de azúcar
4 tazas (1 litro) de agua
6 melocotones medianos
1/3 taza (80 ml) de licor de melocotón
2 brioches
100 g de mantequilla fundida
1/2 taza (160 g) de mermelada de albaricoque, caliente y tamizada

Salsa melba

315 g de frambuesas frescas o descongeladas
2 cucharadas de azúcar glas

1 Precaliente el horno a 180°C. Unte cuatro moldes de paredes altas de 250 ml de capacidad con mantequilla fundida. Mezcle el azúcar con el agua en un cazo grande de fondo pesado y remuévalo bien sobre fuego medio hasta que se disuelva por completo. Póngalo a hervir, baje ligeramente el fuego y añada los melocotones enteros. Cúbralos y déjelos cocer 20 minutos; escúrralos y déjelos enfriar. Pélelos y corte la pulpa en rodajas gruesas. Páselos a un bol, rocíelos con el licor y déjelos reposar 20 minutos.

2 Corte los brioches en rebanadas de 1 cm de grosor y retíreles la corteza. Con un cortapastas, corte discos que encajen con la base y la superficie de los moldes. Corte las rebanadas restantes en tiras de 2 cm de grosor tan altas como las paredes del molde. Pase los discos por mantequilla fundida y colóquelos en la base del molde. Unte las tiras de brioche con la mantequilla y presiónelas contra los laterales de modo que queden algo superpuestas. Forre así todos los moldes.

3 Rellene las charlotas con rodajas de melocotón y cúbralas con los últimos discos de brioche engrasados. Presiónelos para que se peguen. Coloque los moldes sobre una bandeja y hornéelos 20 minutos. Desmolde las charlotas sobre platos individuales, úntelas con la mermelada y nápelas con la salsa. Sírvalas con frutas silvestres frescas.

4 Para la salsa melba: Pase las frambuesas por la trituradora, junto con azúcar glas al gusto, y luego por un tamiz bien fino.

NOTA: Cueza los melocotones, forre los moldes con el brioche y elabore la salsa hasta con 6 horas de antelación. Refrigérelo todo; no rellene ni hornee las charlotas hasta poco antes de servirlas.

ARRIBA: Charlotas de melocotón con salsa melba

FRUTOS ESTIVALES

Flores frescas por doquier, días largos y fragantes, el primer chapuzón del año y la llegada inminente de las frutas y bayas maduras. ¿Existe algo mejor que el verano?

CREMA DE FRAMBUESA

Bata 1¼ tazas (315 ml) de nata a punto de nieve, añada ⅓ taza (40 g) de azúcar glas tamizado y bátalo todo hasta ligarlo. Con un tenedor chafe ligeramente 250 g de frambuesas frescas y agréguelas gradualmente a la nata; refrigérelas durante 2 horas. Sirva la crema en copas de postre y acompáñela de galletas o barquillos.

HELADO DE MANGO

Caliente 1¼ tazas (315 ml) de crema de leche hasta que empiece a hervir y retírela del fuego. En un bol resistente al calor, bata 4 yemas de huevo junto con ¾ taza (185 g) de azúcar, hasta obtener una mezcla espesa y pálida. Vierta crema de leche caliente sobre el huevo de forma gradual y sin dejar de batir. Remuévalo 5 minutos más a fuego muy lento, hasta que la mezcla espese un poco. No deje que hierva o se cortará. Pase la mezcla a un bol limpio y déjela enfriar; remuévala de vez en cuando. Pele 2 mangos grandes, retire el hueso y pique la pulpa en la trituradora; viértala en la crema enfriada y páselo todo a una bandeja de metal plana. Cubra el helado y congélelo hasta que esté firme. Páselo a un bol, bátalo bien fino y vuelva a congelarlo.

TARTITAS DE NECTARINA

Precaliente el horno a 200°C y unte una bandeja de horno plana con mantequilla fundida. Corte una lámina de pasta de hojaldre descongelada en cuatro partes, úntelas con mantequilla fundida y espolvoréelas generosamente con azúcar glas. Disponga rodajas gruesas de nectarina en sentido diagonal, pliegue los extremos de la pasta por encima y séllelos en el centro. Vuelva a untar las tartitas con mantequilla y colóquelas en la bandeja engrasada. Hornéelas 20 minutos hasta dorarlas, espolvoréelas con más azúcar glas y sírvalas calientes y con nata espesa.

FRUTA FRESCA CON MASCARPONE

Mezcle en un bol 60 g de mantequilla, ½ taza (95 g) de azúcar moreno y 1 taza (250 ml) de crema de leche. Remueva todo a fuego lento hasta que se funda y quede bien fino; póngalo a hervir. Baje el fuego y déjelo cocer 3 minutos a fuego lento. Haga una selección de frutas del tiempo, tales como bayas, higos, ciruelas, albaricoques, melocotones o carambolas y sírvala con cucharadas de nata o mascarpone. (También con queso ricotta saben deliciosas.) Rocíe la fruta o el mascarpone con la mezcla de mantequilla y sírvala enseguida.

GRATINADO DE CEREZAS

Retire los tallos y los huesos de 500 g de cerezas y colóquelas en una fuente de horno más bien plana. Mezcle ½ taza (125 ml) de crema de leche y ½ taza (125 ml) de nata espesa en un cazo y caliéntelas hasta que empiecen a hervir. Bata 2 yemas de huevo junto con 2 cucharadas de azúcar en un bol mediano resistente al calor, hasta que la mezcla esté espesa y de color claro. Viértala gradualmente en la nata caliente y remueva hasta ligar la mezcla. Devuélvala al cazo y cuézala 5 minutos a fuego muy lento, hasta que espese. Asegúrese de que no rompe el hervor. Déjela enfriar un poco y nape con ella las cerezas. Puede preparar el gratinado con antelación, si lo refrigera durante 4 horas llegado a este punto. Espolvoréelo uniformemente con 2 cucharadas de azúcar moreno y déjelo bajo el grill hasta que la superficie se dore y burbujee. Espolvoree con azúcar glas justo antes de servirlo.

EN EL SENTIDO DE LAS AGUJAS DEL RELOJ, DESDE SUPERIOR IZQUIERDA: *Tartitas de nectarina; fruta fresca con mascarpone; crema de frambuesa; gratinado de cerezas; helado de mango*

SOUFFLÉ CALIENTE DE FRUTA DE LA PASIÓN

Tiempo de preparación: 20 minutos
Tiempo total de cocción: 20–25 minutos
Para 4 personas

☆☆☆

2 yemas de huevo
1/2 taza (125 g) de pulpa de fruta de la pasión (unas 6 frutas de la pasión)
2 cucharadas de zumo de limón
3/4 taza (90 g) de azúcar glas
6 claras de huevo
azúcar glas, para decorar

1 Precaliente el horno a 210°C. Coloque una tira de papel encerado de modo que sobresalga 3 cm por encima de las paredes de 4 moldecitos de soufflé y átela con firmeza. Unte un poco el fondo y las paredes de los moldes (el papel también) y espolvoréelos con azúcar; sacúdalos para quitarles el exceso de azúcar.
2 Bata en un cuenco las yemas con la pulpa, el zumo de limón y la mitad del azúcar glas. Use la batidora eléctrica para batir las claras de huevo a punto de nieve. Añada gradualmente el azúcar glas restante, batiéndolo tras cada adición.
3 Mediante una cuchara de metal grande, agregue por partes la mezcla de las claras a la fruta de la pasión y pase la mezcla resultante a los moldes. Con un cuchillo de hoja plana, corte la mezcla en sentido circular y a 2 cm del borde. Ponga los moldes en una bandeja de horno y hornee el soufflé de 20 a 25 minutos, hasta que suba y esté bien hecho. Corte el papel de los moldes y sirva el soufflé con azúcar glas tamizado.

PUDDING DE DÁTILES

Tiempo de preparación: 35 minutos
Tiempo total de cocción: 55 minutos
Para 6–8 personas

200 g de dátiles, sin hueso y picados
1 taza (250 ml) de agua
1 cucharadita de bicarbonato de sosa
100 g de mantequilla
2/3 taza (160 g) de azúcar
2 huevos ligeramente batidos
1 cucharadita de esencia de vainilla
1 1/2 tazas (185 g) de harina de fuerza

Salsa

1 taza (185 g) de azúcar moreno
1/2 taza (125 ml) de crema de leche
100 g de mantequilla

1 Precaliente el horno a 180°C. Unte un molde

ARRIBA: Soufflé caliente de fruta de la pasión
A LA DERECHA: Pudding de dátiles

cuadrado de 20 cm con aceite o mantequilla fundida y forre el fondo con papel encerado. Ponga a hervir los dátiles en un cazo con agua, retírelos del fuego, agrégueles la sosa y déjelos enfriar a temperatura ambiente.

2 Use la batidora eléctrica para batir la mantequilla y el azúcar, hasta dejarlos ligeros y cremosos. Añada los huevos gradualmente, batiéndolos tras cada adición. Agregue la esencia y vuelva a batir; pase la mezcla a un bol.

3 Con una cuchara de metal, agregue la harina y los dátiles junto con el líquido y remuévalo todo hasta ligar la mezcla, pero sin trabajarla demasiado. Viértala en el molde y hornéela 50 minutos, hasta que, al insertar una brocheta en el centro, ésta salga limpia. Deje reposar el pudding 10 minutos, antes de desmoldarlo.

4 Para la salsa: Mezcle el azúcar, la nata y la mantequilla en un cazo y remuévalo todo hasta que la mantequilla se derrita y el azúcar se disuelva. Póngalo a hervir, baje el fuego y cuézalo 2 minutos. Ponga porciones de pudding en platos individuales, nápelas con la salsa caliente y sírvalas enseguida con más nata y frambuesas.

"APPLE PIE"

Tiempo de preparación: 40 minutos + 20 minutos de refrigeración
Tiempo total de cocción: 55 minutos
Para 6 personas

- 1 1/4 tazas (155 g) de harina
- 1/4 taza (30 g) de azúcar glas
- 90 g de mantequilla en daditos
- 2 yemas de huevo ligeramente batidas
- 1 cucharada de agua helada

Relleno

- 12 manzanas para cocinar
- 50 g de mantequilla
- 1/4 taza (45 g) de azúcar moreno
- 1 cucharadita de canela
- 1 cucharadita de especias variadas
- 1 clara de huevo
- 1 cucharadita de azúcar

1 Precaliente el horno a 210°C. Unte el borde de un molde de 23 cm con mantequilla. Ponga la harina tamizada, el azúcar y la mantequilla en un bol. Frote la mezcla con los dedos hasta dejarla fina y desmigada. Agregue las yemas y remueva la masa con un cuchillo hasta que esté firme. Añada más agua si es preciso y trabájela sobre una superficie enharinada hasta dejarla fina.

2 Extienda la masa sobre un disco de 25 cm de papel encerado y corte tiras de 1 cm de anchura para cubrir el borde del molde. Envuelva éste y la masa con plástico; refrigérelo 20 minutos.

3 Pele las manzanas, extráigales el corazón y córtelas en 8 rodajas cada una. Derrita la mantequilla en un sartén grande antiadherente y añada el azúcar moreno y las especias. Remuévalo todo a fuego medio hasta disolver el azúcar; vierta las manzanas y remuévalas para naparlas con la mantequilla. Cúbralas y cuézalas 10 minutos, dándoles la vuelta de vez en cuando, hasta que estén tiernas pero no deshechas. Destápelas y cuézalas 5 minutos, hasta que embeban el líquido; enfríe.

4 Pase al molde las manzanas enfriadas y su jugo. Cúbralas con la pasta, recórtela y séllela al borde del molde fijándola con los dedos. Decórela con recortes de pasta, píntela con clara de huevo y espolvoréela con azúcar. Dórela en el horno durante 40 minutos y sírvala caliente con natillas.

MANZANAS

Si debe incluir manzanas en una receta, elija una variedad que no se deforme ni pierda sabor durante la cocción. Las manzanas ácidas, con un alto contenido en tanino, resultan ideales para saltear, hervir o asar al horno, mientras que las variedades de postre, de sabor dulce y perfectas para comer crudas, tienden a deformarse y a volverse acuosas en el horno. Las versátiles Granny Smith sirven tanto para asar como para comer crudas, por ser consistentes y sabrosas a la vez.

ARRIBA: "Apple pie"

MERENGUES
Parece ser que a Napoleón le gustaron tanto estas elaboraciones a base de claras de huevo montadas con azúcar que las bautizó con el nombre de la pequeña localidad suiza donde las probó: Meringen. Para cocer los merengues, es importante que el horno esté ajustado a una temperatura muy baja, pues, debido a su alto contenido en azúcar, este tipo de masa no llega a quemarse pero sí a secarse por completo. Para que le queden perfectos, hornéelos el tiempo indicado, apague el horno y encaje una cuchara de madera en la puerta del mismo para mantenerla abierta hasta que el horno se enfríe del todo.

ARRIBA: Merengues con fresas

MERENGUES CON FRESAS

Tiempo de preparación: 25 minutos
Tiempo total de cocción: 40 minutos
Para 6 personas

4 claras de huevo
1 taza (250 g) de azúcar
500 g de fresas, sin las hojas
1 1/4 tazas (315 ml) de nata montada

1 Precaliente el horno a 150°C. Unte dos bandejas de horno de 32 x 28 cm con mantequilla fundida o aceite. Corte papel encerado antiadherente para forrar las bandejas y, mediante un cortapastas redondo de 8 cm, dibuje 12 círculos sobre el papel. Coloque los círculos sobre las bandejas con la parte dibujada para abajo.
2 Vierta las claras de huevo en un bol limpio y seco y use la batidora eléctrica para montarlas a punto de nieve. Añada el azúcar gradualmente y no deje de batir la mezcla hasta que esté espesa y lustrosa y el azúcar se haya disuelto por completo. Esparza el merengue sobre los discos en las bandejas y hornéelo unos 40 minutos; apague el horno y déjelo que se enfríe.
3 Vierta la mitad de las fresas en la batidora y tritúrelas. Corte las restantes en rodajitas y agréguelas a la nata montada. Forme un sandwich con dos discos de merengue y la nata montada en medio. Sirva los sandwiches en platos individuales y junto con la salsa de fresas.
NOTA: Los merengues pueden prepararse hasta con dos días de antelación y guardarse en recipientes herméticos. La salsa de fresas puede elaborarse el día anterior, mientras que la mezcla de nata y fresas puede hacerse dos horas antes de servir. Guarde la salsa y la nata en un recipiente cerrado y en la nevera. Una vez montado el postre, sírvalo inmediatamente. Si desea una salsa algo más dulce, añádale un poco de azúcar. Sírvalo decorado con hojitas de fresa, si lo desea.

"PARFAIT" DE PLÁTANO, NUECES Y CARAMELO

VIERTA 100 g de mantequilla, 1/2 taza (95 g) de azúcar moreno, 2 cucharadas de jarabe de caña, 1/4 taza (60 g) de crema agria y 1 taza (250 ml) de crema de leche en un cazo y bátalo a fuego lento hasta que se disuelva todo el azúcar. Déjelo cocer 5 minutos sin remover (con cuidado de que no se derrame) y retírelo del fuego. Cuando deje de burbujear, vierta 1/2 taza (160 g) de leche condensada y déjelo enfriar un poco. Ponga capas de rodajas de plátano, cucharadas de helado de vainilla, pacanas troceadas y salsa de caramelo caliente en copas de postre. Rocíe los "parfaits" con un poco de licor de chocolate al gusto. Para 4–6 personas.

ARRIBA: Higos marinados con salsa de frambuesa

HIGOS MARINADOS CON SALSA DE FRAMBUESA

Tiempo de preparación: 20 minutos + reposo
Tiempo total de cocción: 5–10 minutos
Para 4 personas

6 higos frescos, cortados por la mitad
1 1/4 tazas (315 ml) de vino de postre
1 ramita de canela
1 cucharada de azúcar moreno
315 g de frambuesas frescas
1/4 taza (60 g) de azúcar
1 cucharadita de zumo de limón
1/2 taza (110 g) de queso mascarpone

1 Coloque los higos en un bol de vidrio o cerámica. Mezcle el vino con la canela y el azúcar en un cazo y caliéntelo a fuego lento. Una vez disuelto el azúcar, viértalo sobre los higos, cúbralos y déjelos marinar unas 2 horas.
2 Reserve algunas frambuesas para decorar, si lo desea, y bata el resto con el azúcar en la batidora. Tamice la mezcla y añada el zumo de limón.
3 Escurra los higos, cuélelos y reserve la marinada; dore los higos bajo el grill. Sobre una base de salsa de frambuesa, disponga 3 mitades de higo en cada plato de postre y sírvalas junto con una cucharada de mascarpone.

DELICIA DE CÍTRICOS

Tiempo de preparación: 25 minutos
Tiempo total de cocción: 1 hora
Para 4 personas

1/2 taza (60 g) de harina de fuerza
1 taza (250 g) de azúcar
2 cucharaditas de ralladura de naranja
1/3 taza (80 ml) de zumo de naranja
1/2 taza (125 ml) de zumo de limón
125 g de mantequilla fundida
1 taza (250 ml) de leche
3 huevos (yemas y claras por separado)

1 Precaliente el horno a 180°C. Engrase un molde de 1,5 litros de capacidad con mantequilla fundida o aceite. Tamice la harina en un cuenco, añada el azúcar y remuévalo bien. Mezcle en un bol el zumo y la ralladura de naranja con el zumo de limón, la mantequilla, la leche y las yemas, y bátalo ligeramente con un tenedor hasta dejarlo homogéneo. Agréguelo a la mezcla de harina y mézclelo todo bien.
2 Bata las claras de huevo con la batidora a punto de nieve y, mediante una cuchara de metal, añádalas a la harina. Viértalo en el molde y póngalo éste en una bandeja de horno honda con agua hasta media altura. Hornéelo 1 hora y sírvalo.

PREPARACIÓN DE LOS MANGOS

1 Con un cuchillo afilado, corte la pulpa a cada lado del hueso.

2 Marque cudraditos sobre la pulpa con el cuchillo.

3 Invierta las mitades de mango y presione por debajo para hacer salir la pulpa.

PASTEL DE CALABAZA

Tiempo de preparación: 30 minutos + 30 minutos en reposo
Tiempo total de cocción: 1 hora y 15 minutos
Para 8 personas

☆☆

- 1 1/4 tazas (155 g) de harina
- 100 g de mantequilla en daditos
- 2 cucharaditas de azúcar
- 4 cucharadas de agua bien fría
- 1 yema de huevo ligeramente batida y mezclada con 1 cucharada de leche, para glasear

Relleno

- 2 huevos ligeramente batidos
- 3/4 taza (140 g) de azúcar moreno
- 500 g de calabaza cocida, hecha puré y enfriada
- 1/3 taza (80 ml) de crema de leche
- 1 cucharada de jerez dulce
- 1 cucharadita de canela molida
- 1/2 cucharadita de nuez moscada molida
- 1/2 cucharadita de jengibre molido

ABAJO: Pastel de calabaza

1 Tamice la harina en un cuenco y añada la mantequilla. Frote ambos ingredientes con los dedos durante 2 minutos o hasta que la mezcla quede fina y desmigada. Vierta el azúcar y casi todo el líquido y trabájelo bien hasta obtener una masa firme; añada más líquido, si es preciso. Vuelque la masa sobre una superficie enharinada y trabájela 1 minuto hasta dejarla bien fina.
2 Extienda la masa sobre una lámina de papel encerado hasta que sea lo suficientemente grande como para cubrir el fondo y las paredes de un molde redondo de 23 cm. Forre el molde con la masa, recorte la que sobre y ondule los bordes. Trabaje los recortes de masa hasta formar una capa de 2 mm de grosor y, con un cuchillo afilado, recorte hojas de varios tamaños y márqueles la nervadura; refrigérelas 20 minutos junto con el molde.
3 Corte una lámina de papel encerado para cubrir el molde con la masa y esparza una capa de judías secas o de arroz por encima. Hornéelo 10 minutos, retírelo del horno y deseche el papel y las legumbres o el arroz. Devuelva la masa al horno y déjela 10 minutos más o hasta que se dore. Mientras tanto, coloque las hojas de masa en una bandeja de horno forrada con papel encerado, píntelas con glaseado de huevo y dórelas de 10 a 15 minutos en el horno; déjelas enfriar.
4 Para el relleno: Precaliente el horno a 180°C. Bata los huevos y el azúcar en un bol, añada la calabaza enfriada, la crema de leche, el jerez dulce y las especias y remuévalo todo hasta mezclarlo bien. Vierta la mezcla resultante en la masa, alise la superficie con el reverso de una cuchara y hornéelo todo 40 minutos hasta que la mezcla esté cocida. Si los bordes de la masa se doran demasiado durante la cocción, cúbralos con papel de aluminio. Deje enfriar el pastel a temperatura ambiente y coloque las hojitas encima del relleno. Sírvalo con nata o helado al gusto.

NOTA: Como alternativa para elaborar la decoración, puede utilizar una lámina de pasta de hojaldre ya extendida. Recorte figuras en forma de hoja, píntelas con clara de huevo y hornéelas de 10 a 15 minutos a 180°C, hasta que suban y se doren.

MINILIONESAS DE TOFFEE CON CREMA DE LICOR

Tiempo de preparación: 30 minutos
Tiempo total de cocción: 30 minutos
Para 4–6 personas

30 g de mantequilla
1/4 taza (60 ml) de agua
1/4 taza (30 g) de harina
1 huevo ligeramente batido

Crema de licor

1/2 taza (125 ml) de nata líquida
1 cucharada de Grand Marnier

Toffee

1 taza (250 g) de azúcar
1/3 taza (80 ml) de agua

1 Precaliente el horno a 220°C y forre una bandeja de horno con papel encerado. Mezcle la mantequilla y el agua en un cazo, remueva sobre fuego lento hasta que la mantequilla se derrita y la mezcla empiece a hervir. Retírela del fuego y agregue toda la harina de una sola vez. Mediante una cuchara de madera, bata la mezcla bien fina. Devuélvala al fuego y remuévala hasta que espese y se despegue de las paredes del cazo. Retírela del fuego, déjela enfriar un poco y pásela a un bol. Agregue el huevo gradualmente, batiendo con la batidora, hasta dejarla espesa y lustrosa.
2 Vierta cucharaditas de la mezcla sobre la bandeja preparada, de modo que disten 4 cm entre ellas. Hornéelas 10 minutos, baje la temperatura a 180°C y déjelas de 5 a 10 minutos más, hasta que se doren y suban. Pinche las lionesas por un lado para que suelten el vapor, apague el horno y devuélvalas al mismo para que se les seque el interior; déjelas enfriar.
3 Para la crema de licor: Con la batidora monte la nata a punto de nieve, vierta el Grand Marnier y bátalo bien. Use una manga con embocadura pequeña y lisa para rellenar las pastas con la nata.
4 Para el toffee: Mezcle el azúcar y el agua en un cazo y remuévalo a fuego lento hasta que el azúcar se disuelva; recoja la mezcla de las paredes del cazo de vez en cuando. Llévelo a ebullición, baje el fuego y déjelo cocer hasta que se dore. Viértalo sobre las lionesas y déjelo solidificar.
NOTA: Puede preparar las lionesas hasta con 6 horas de antelación y guardarlas en un recipiente hermético. Rellénelas y nápelas con el toffee máximo 1 hora antes de servirlas.

MOUSSE DE CHOCOLATE

Tiempo de preparación: 20 minutos
Tiempo total de cocción: 2 minutos + 2 horas de refrigeración
Para 4 personas

250 g de chocolate negro
3 huevos
1/4 taza (60 g) de azúcar
2 cucharaditas de ron añejo
1 taza (250 ml) de nata a punto de nieve

1 Vierta el chocolate en un bol resistente al calor y fúndalo sobre un cazo con agua hirviendo; remueva hasta que esté bien fino. Déjelo enfriar.
2 Con una batidora bata los huevos y el azúcar durante 5 minutos hasta que aumenten su volumen, espesen y presenten un color claro.
3 Pase la mezcla a un bol. Con una cuchara de metal, agregue el chocolate y el ron a la mezcla de huevo y añada la nata montada. Remueva rápida y cuidadosamente para mezclarlo todo.
4 Vierta el mousse en moldecitos o en copas de postre y refrigérelo unas 2 horas hasta que cuaje.

HOJAS DE CHOCOLATE

Seleccione varios tipos de hojas no tóxicas (de rosas o de hiedra, por ejemplo) que tengan una nervadura prominente. No escoja las que tengan pelusa, pues la fibra se pega al chocolate y le da un aspecto tosco. Funda un poco de chocolate y use un pincel fino para cubrir el reverso de las hojas con una gruesa capa del mismo. Si la capa es demasiado fina, el chocolate se partirá cuando, una vez seco, deba retirar la hoja.

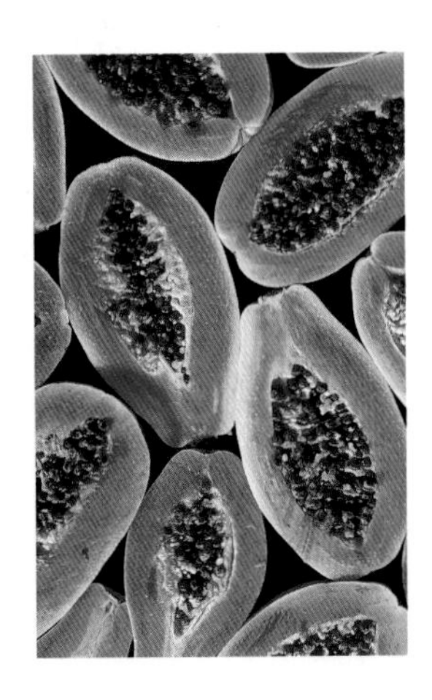

ARRIBA: Minilionesas de toffee con crema de licor

ARÁNDANOS

Los arándanos son un fruto genuinamente americano. Estas pequeñas bayas de un color azul violáceo, el 75% de las cuales se recolecta en América del Norte, se obtienen de un arbusto de hoja perenne. La variante silvestre está considerada por lo general de calidad superior a la variante cultivada, la cual resulta más grande y más dulce, –una opinión claramente compartida por los campañoles (pequeños roedores) oriundos de Alaska, cuyos dientes aparecen manchados de azul durante todo el tiempo de maduración de los arándanos.

ARRIBA: Pastel de arándanos

PASTEL DE ARÁNDANOS

Tiempo de preparación: 20 minutos + 10 minutos de refrigeración
Tiempo total de cocción: 30–35 minutos
Para 4 personas

1 1/2 tazas (185 g) de harina
125 g de mantequilla en daditos
1/2 taza (60 g) de azúcar
1/4 taza (60 ml) de zumo de limón
500 g de arándanos frescos
3 cucharadas de azúcar glas, adicional
1 cucharadita de ralladura fina de limón
1/2 cucharadita de canela molida
1 clara de huevo ligeramente batida

1 Precaliente el horno a 180°C. Vierta la harina, la mantequilla y el azúcar glas en la batidora y bátalo todo unos 15 segundos hasta obtener una mezcla fina y desmigada. Agregue casi todo el zumo y bátalo brevemente hasta ligar la mezcla, añadiendo más líquido, si es preciso.
2 Vuelque la masa sobre una lámina de papel encerado y trabájela hasta dejarla bien fina. Extiéndala en forma de disco de 30 cm, cúbrala con film transparente y refrigérela 10 minutos. Vierta los arándanos en un bol y espolvoréelos con el azúcar, la ralladura y la canela.
3 Coloque la masa (todavía encima del papel) en una bandeja de horno y píntele el centro con un poco de clara de huevo. Apile la mezcla de arándanos sobre la masa en un círculo de 20 cm; pliegue los bordes de la masa sobre el relleno. Dore el pastel de 30 a 35 minutos en el horno, espolvoréelo con azúcar glas y sírvalo.

HELADO DE TOFU CON GOTAS DE CHOCOLATE

Tiempo de preparación: 20 min. + congelación
Tiempo total de cocción: ninguno
Para 4 personas

500 g de tofu blando
1/4 taza (60 ml) de jarabe de arce
2 cucharadas de miel
3 cucharadas de aceite de nueces de macadamia
1 taza (250 ml) de leche de soja
1 taza (250 ml) de nata espesa
220 g de nueces de macadamia, tostadas y troceadas
125 g de chocolate negro, en trocitos

1 Ponga el tofu a remojar en agua caliente durante 2 minutos. Páselo luego por agua helada y déjelo reposar unos 2 minutos; escúrralo. Viértalo junto con el jarabe de arce, la miel y el aceite de macadamia en la batidora y bátalo hasta obtener una masa homogénea. Vierta la leche de soja y la nata de manera gradual y bátalo de nuevo hasta que la mezcla quede espesa y cremosa.
2 Viértala en un recipiente grande o un molde de metal, añádale las nueces de macadamia y el chocolate, cúbrala con una tapa o papel de aluminio y póngala en el congelador.
3 Remueva bien el helado en cuanto empiece a congelarse por los bordes. Déjelo congelar parcialmente y remuévalo dos veces más. Finalmente deje que se congele por completo.
NOTA: Asegúrese de que el tofu que utiliza es la variante blanda y no la firme, pues la textura es mucho más suave y cremosa.

ROLLO DE PAVLOVA CON COULIS DE FRAMBUESA

Tiempo de preparación: 25 minutos
Tiempo total de cocción: 15 minutos
Para 8–10 personas

4 claras de huevo
1 taza (250 g) de azúcar
1 cucharadita de fécula de maíz
2 cucharaditas de zumo de limón o vinagre
2/3 taza (170 ml) de nata montada
1/4 taza (55 g) de bayas frescas picadas

Coulis de frambuesa

2 cucharadas de brandy
250 g de frambuesas frescas, limpias y sin hojas
1 cucharada de azúcar glas

1 Unte un molde alargado de 25 x 30 cm con aceite y fórrelo con papel encerado de modo que sobresalga por ambos lados. Precaliente el horno a 180°C. Bata las claras de huevo a punto de nieve, agrégueles gradualmente 3/4 taza de azúcar y bátalas hasta que estén espesas y lustrosas. Mezcle 1 cucharada de azúcar con la fécula y agréguela al merengue junto con el zumo de limón o el vinagre. Pásela al molde, alísela y hornéela de 12 a 15 minutos hasta que esté ligera.
2 Extienda una lámina grande de papel encerado sobre un paño de cocina y esparza por encima todo el azúcar restante. Vuelque la pavlova sobre el papel, retire la lámina que la cubre y déjela reposar unos 3 minutos. Enrolle la pavlova por la parte más larga, acompañándola con el paño, y enfríela. Mezcle las bayas con la nata montada.
3 Desenrolle la pavlova, rellénela con la mezcla de nata y vuelva a enrollarla, pero sin el paño ni el papel; pásela a una fuente y refrigérela.
4 Para el coulis de frambuesa: Bata el brandy, las frambuesas y el azúcar glas con la batidora hasta mezclarlo. Sirva el rollo cortado en rodajas sobre una base de coulis.
NOTA: También puede rellenar el rollo con un puré de frutas espeso, si lo prefiere.

TOFU BLANDO CON BAYAS Y JARABE DE ARCE

ESCURRA Y CORTE 500 g de tofu blando en trocitos y repártalo entre 4 boles. Vierta por encima moras, fresas y arándanos. Rocíelo todo con el jarabe de arce y sírvalo con almendrados. Para 4 personas.

AZÚCAR
El azúcar que se utiliza para cocinar suele ser bastante fino porque así se disuelve mejor. Si dispone de azúcar normal granulado o en terrones, páselo primero por la picadora durante unos segundos a fin de dejarlo tan fino como el polvo.

ARRIBA: Rollo de pavlova con coulis de frambuesa

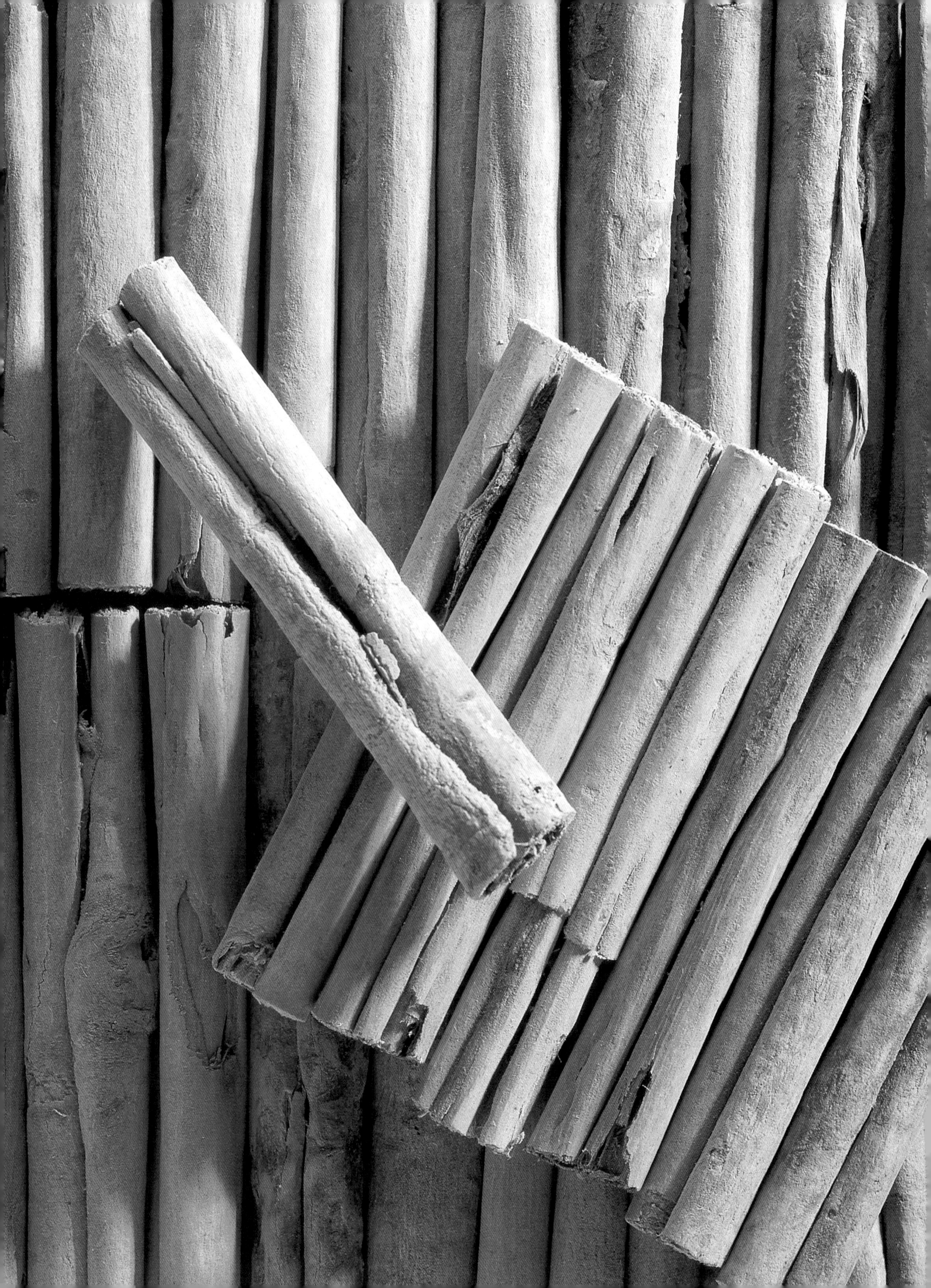

PASTELES, BOLLOS Y MAGDALENAS DULCES

¿Se acuerda de los bizcochos cremosos y de los bollos dulces recién salidos del horno de las tardes de sábado lluviosas de su infancia? La cocción de pasteles al horno es una de las tradiciones familiares que merece la pena conservar, incluso en los agitados tiempos actuales. Estas recetas, ya sean simples o más sofisticadas, contienen algunos de los preparados más sabrosos de hoy en día.

NUEZ MOSCADA

Dado que la nuez moscada pierde su sabor muy rápidamente, lo ideal sería comprarla entera y rallarla cuando fuese necesario. Puede adquirir ralladores de nuez moscada en grandes almacenes y en tiendas especializadas en cocina. Esta especia se utiliza tanto en platos dulces como salados, en especial, en los preparados a base de nata, leche o huevo. La nuez moscada recién rallada es esencial para la cobertura del tradicional ponche de huevo.

ARRIBA: Pastel de dátiles y nuez moscada

PASTEL DE DÁTILES Y NUEZ MOSCADA

Tiempo de preparación: 25 minutos
Tiempo total de cocción: 55 minutos
Para 8–10 personas

2 tazas (375 g) de azúcar moreno
+ 2 cucharadas adicionales
2 tazas (250 g) de harina
2 cucharaditas de levadura en polvo
125 g de mantequilla fría desmenuzada
1 cucharadita de bicarbonato de sosa
3/4 taza (185 ml) de leche
2 huevos batidos
1 1/2 cucharaditas de nuez moscada fresca rallada
375 g de dátiles secos, troceados
azúcar glas, para espolvorear
nata montada, para servir

1 Precaliente el horno a 180°C. Unte un molde desmontable de 22 cm con aceite o mantequilla fundida; cubra la base con papel parafinado.
2 Con una batidora, mezcle 2 tazas de azúcar moreno, la harina y la levadura durante 10 segundos. Añada la mantequilla y bátalo otros 10 segundos hasta que la mezcla parezca migas de pan. Presione la mitad de la masa contra la base del molde preparado.
3 Disuelva la sosa en la leche; añada los huevos y la nuez moscada y bátalo. Viértalo luego en el resto de la mezcla de azúcar moreno y harina y bátalo otros 10 segundos. Viértalo en el molde y esparza la mitad de los dátiles por encima. Hornéelo 55 minutos, retírelo del horno y déjelo enfriar 10 minutos en el molde. Desmóldelo y déjelo enfriar sobre una rejilla.
4 Coloque el resto de dátiles encima del pastel, espolvoréelo con azúcar moreno y hornéelo 1 minuto a alta temperatura o hasta que el azúcar empiece a derretirse; déjelo enfriar. Espolvoree con azúcar glas y sírvalo con nata.

GALLETAS RÁPIDAS DE CHOCOLATE

PRECALIENTE el horno a 180°C. Tamice 3/4 taza (90 g) de harina y 1/2 taza (60 g) de harina de fuerza en un cuenco grande; incorpore 1 taza (125 g) de nueces troceadas y 1/2 taza (90 g) de pepitas de chocolate. Haga un hueco en el centro de los ingredientes y añada 125 g de mantequilla derretida, 200 g de chocolate negro fundido, 2 cucharadas de jarabe de caña y 2 huevos ligeramente batidos. Revuélvalo hasta que esté bien mezclado. En una fuente untada, vierta cucharadas de la mezcla a intervalos de unos 4 cm, para que puedan crecer. Hornee las galletas 12 minutos y déjelas enfriar sobre una rejilla metálica. Para unas 30 unidades.

PIÑA AL NATURAL

Adquiera siempre la piña bien madura. Puede distinguirla por su color amarillo pálido y por su textura dura homogénea, y debe poder extraer las hojas con facilidad. Cuando no perciba su olor y sea de un color verde oscuro, la piña resultará demasiado ácida, por lo que debería dejarla madurar un par de días a temperatura ambiente. A menudo, las piñas pequeñas son más sabrosas que las grandes.

PASTEL DE PIÑA Y PLÁTANO

Tiempo de preparación: 40 minutos
Tiempo total de cocción: 1 hora
Para 8–10 personas

2 plátanos medianos triturados
1/2 taza (130 g) de piña troceada y escurrida
1 1/4 tazas (310 g) de azúcar
1 2/3 tazas (200 g) de harina de fuerza
2 cucharaditas de canela molida
2/3 taza (170 ml) de aceite
1/4 taza (60 ml) de zumo de piña
2 huevos

Relleno y cobertura

250 g de requesón
1 1/2 tazas (185 g) de azúcar glas
1 mango pequeño en rodajas finas

1 Precaliente el horno a 180°C. Unte un molde redondo de 23 cm con aceite o mantequilla derretida y forre la base y los laterales con papel parafinado.
2 Coloque los plátanos, la piña y el azúcar en un cuenco. Añada la harina tamizada y la canela, y mézclelo bien con una cuchara de madera.
3 Bata el aceite, el zumo de piña y los huevos, y vierta el preparado obtenido en la mezcla de plátanos. Revuélva todos los ingredientes a fin de obtener una masa fina.
4 Vierta la mezcla en el cuenco preparado, alise la superficie y hornéela durante 1 hora, o hasta que al clavar una brocheta en el centro, ésta salga limpia. Manténgalo 10 minutos en el molde; déjelo enfriar sobre una rejilla metálica.
5 **Para el relleno y la cobertura:** Con una batidora eléctrica, mezcle el requesón y el azúcar glas hasta obtener una masa ligera y esponjosa. Con un cuchillo dentado, corte el pastel por la mitad en sentido horizontal. Esparza un tercio de la masa sobre la capa inferior y disponga las rodajas de mango por encima. Coloque la otra capa y cubra la parte superior del pastel con la masa restante. Si lo desea, decórelo con trocitos de piña.
NOTA: Este pastel puede conservarse hasta 4 días en un recipiente hermético. Refrigérelo cuando haga calor. Para el relleno, puede utilizar mango de lata o rodajas finas de piña o papaya.

ARRIBA: Pastel de piña y plátano

MAGDALENAS DE CACAHUETE Y CHOCOLATE

Tiempo de preparación: 15 minutos
Tiempo total de cocción: 20–25 minutos
Para 12 unidades

☆

2 tazas (250 g) de harina de fuerza
1/3 taza (80 g) de azúcar
1 1/2 tazas (240 g) de gotas de chocolate negro
1 huevo
1 taza (250 g) de manteca de cacahuete crujiente
2 cucharadas de mermelada de fresa
60 g (2 oz) de mantequilla derretida
1 taza (250 ml) de leche
azúcar glas, para espolvorear

1 Precaliente el horno a 180°C. Unte con aceite o mantequilla derretida un molde mediano para 12 magdalenas.
2 Tamice la harina en un cuenco grande; añada el azúcar y las gotas de chocolate y forme un hueco en el centro de la masa. Incorpore la mezcla de huevo, manteca de cacahuete, mermelada, mantequilla y leche. Mézclelo (sin excederse).
3 Vierta cucharadas homogéneas de la mezcla en las cavidades del molde. Hornee 20–25 minutos o hasta que, al clavar una brocheta en el centro, ésta salga limpia. Separe las magdalenas de las paredes del molde y déjelas reposar 10 minutos antes de colocarlas sobre una rejilla para que se enfríen. Espolvoree con azúcar glas.

FRUTA ESCARCHADA
Se trata de fruta en conserva con jarabe y azúcar. Su interior es húmedo y gelatinoso y, debido a una última inmersión en un jarabe fuerte, la superficie presenta un aspecto vidriado.

PASTEL DE CHOCOLATE, ALMENDRAS Y FRUTAS

Tiempo de preparación: 40 minutos
Tiempo total de cocción: 1 hora
Para 8–10 personas

☆

5 claras de huevo
3/4 taza (185 g) de azúcar
100 g de albaricoques escarchados, troceados
100 g de higos escarchados, troceados
80 g de jengibre escarchado, troceado
250 g de almendras peladas, en trocitos
250 g de chocolate negro troceado
60 g de chocolate negro fundido
1 1/2 tazas (375 ml) de nata líquida

1 Precaliente el horno a 150°C. Unte un molde desmontable con aceite o mantequilla derretida; cubra la base y las paredes con papel parafinado.
2 Monte las claras con una batidora eléctrica; añada el azúcar de forma gradual, batiendo después de cada adición, hasta que se disuelva y que la mezcla quede fina y espesa.
3 Añada las frutas, el jengibre, las almendras y el chocolate troceado y fundido. Mézclelo, viértalo en el molde y hornéelo 1 hora, hasta que al clavar una brocheta en el centro, ésta salga limpia. Déjelo reposar 15 minutos, desmóldelo y déjelo enfriar sobre una rejilla metálica. Cuando esté bien frío, monte la nata a punto de nieve y distribúyala sobre el pastel con una manga pastelera. Puede decorarlo con hojas de chocolate.

PASTEL DE ALMENDRAS

Tiempo de preparación: 30 minutos
Tiempo total de cocción: 50 minutos
Para 8–10 personas

☆☆

4 huevos
3/4 taza (185 g) de azúcar
2 cucharaditas de ralladura de naranja
90 g de mantequilla derretida
1/4 taza (60 ml) de crema de leche
3/4 taza (90 g) de harina de fuerza

Cobertura de almendras

2 tazas (185 g) de almendras en láminas
90 g de mantequilla
1/3 taza (90 g) de azúcar
1/4 taza (60 ml) de crema de leche
2 cucharadas de miel
1/2 cucharadita de especias variadas molidas

1 Precaliente el horno a 180°C. Unte un molde redondo y desmontable de 23 cm y fórrelo con papel parafinado.
2 Con una batidora, bata los huevos y el azúcar hasta obtener una masa pálida y espesa. Añada la ralladura, la mantequilla, la crema de leche y la harina tamizada. Viértalo en el molde y hornee 40 minutos hasta que el centro esté firme.
3 **Para la cobertura de almendras:** Mezcle en un cazo almendras, mantequilla, miel, azúcar, crema de leche, y especias; llévelo a ebullición y distribúyalo sobre el pastel; hornéelo 10 minutos hasta que la cobertura esté dorada. Déjelo 10 minutos en el molde, antes de servirlo en una fuente.

PÁGINA SIGUIENTE: Magdalenas de cacahuete y chocolate (arriba); pastel de chocolate, almendras y frutas

FRESAS
Las fresas, tal y como las conocemos en la actualidad, son una variedad híbrida. Surgieron de la fusión de las fresas chilenas, con un sabor particular muy intenso, con las americanas de Virginia, de mayor tamaño pero menos sabrosas. La baya moderna surgió a partir de este proceso y, desde entonces, han aparecido centenares de nuevas variedades. Al escogerlas, no se deje llevar por el aspecto de las más grandes y relucientes, puesto que las de mayor sabor son las que desprenden un aroma más intenso.

ARRIBA: Bizcocho de bayas y naranja

BIZCOCHO DE BAYAS Y NARANJA

Tiempo de preparación: 1 hora
Tiempo total de cocción: 45 minutos
Para 8–10 personas

☆☆☆

1/2 taza (60 g) de harina
1/4 taza (30 g) de fécula de maíz
1 cucharadita de levadura en polvo
1/4 taza (60 ml) de leche
50 g de mantequilla
3/4 taza (185 g) de azúcar
3 huevos
3 yemas de huevo
1 cucharadita de ralladura fina de naranja
1 1/2 tazas (375 ml) de nata líquida
3–4 cucharaditas de azúcar glas
1–2 cucharadas de Grand Marnier
250 g de fresas, sin hojas y en rodajas
250 g de arándanos
2 cucharadas de almendras en láminas, tostadas
azúcar glas, para espolvorear

1 Precaliente el horno a 180°C. Unte un molde llano de 30 x 20 cm con aceite o mantequilla derretida o aceite; cubra la base y las paredes con papel parafinado, dejando que sobresalga unos 3 cm. Tamice dos veces la harina, la fécula y la levadura sobre papel encerado. Cueza a fuego medio la leche con la mantequilla, hasta que esté fundida. (Sin llevarlo a ebullición, pero manteniéndolo caliente.)

2 Vierta el azúcar, los huevos y las yemas en un cuenco resistente al calor y cuézalo al baño María. Con una batidora eléctrica, remueva la mezcla encima de la olla hasta que esté espesa, fina, de color amarillo pálido y haya aumentado el volumen. Retire el cuenco del fuego, añada la ralladura y mézclelo bien.

3 Con una cuchara de metal, vierta en la mezcla un tercio de la harina. Incorpore luego el preparado con la mantequilla caliente y remuévalo hasta conseguir una masa fina. (No lo remueva excesivamente. Es importante que la mezcla sea lo más voluminosa posible.) Disponga la mezcla en el molde preparado y hornéela de 25 a 30 minutos o hasta que esté elástica. Resérvela en el molde para que se enfríe.

4 Coloque el pastel sobre una superficie lisa.

Con un cuchillo dentado afilado, elimine todas las partes oscuras y corte el pastel en tres rectángulos iguales, de unos 10 x 20 cm cada uno.

5 Con una batidora eléctrica, monte la nata y el azúcar glas a punto de nieve. Añada luego el Grand Marnier.

6 Esparza un cuarto de la mezcla de la nata sobre una capa del pastel y cúbrala con un tercio de las bayas. Coloque la segunda capa del pastel, ejerza una ligera presión sobre ella y repita la operación anterior con la nata y las bayas; reserve unas bayas para la tercera capa y la cobertura. Disponga una capa regular del resto de la nata sobre la cobertura y los laterales del pastel. Decórelo con el resto de bayas y las almendras tostadas y espolvoréelo un poco con azúcar glas.

NOTA: Para tostar las almendras, dispóngalas en una fuente de horno forrada con papel parafinado. Precaliente el horno a 180°C y hornéelas de 5 a 10 minutos. Para esta receta, no utilice bayas congeladas o en conserva, ya que son demasiado esponjosas. Si no dispone de arándanos, utilice cualquier baya del tiempo -zarzamoras, por ejemplo- o, si lo prefiere, elabore el pastel con una sola variedad de bayas.

TARTALETAS DE CHOCOLATE Y ZAHANORIA

Tiempo de preparación: 20 minutos
Tiempo total de cocción: 30 minutos
Para 32 unidades

- 1 taza (125 g) de harina de fuerza
- 1 cucharadita de canela molida
- 3/4 taza (185 g) de azúcar
- 1/2 taza (80 g) de zanahorias ralladas finas
- 1 taza (185 g) de fruta confitada variada
- 1/2 taza (90 g/3 oz) de gotas de chocolate
- 1/3 taza (30 g) de coco desecado
- 2 huevos ligeramente batidos
- 90 g de mantequilla sin sal, derretida
- 1/3 taza (40 g) de nueces troceadas

Cobertura de queso fresco

- 125 g de queso fresco
- 30 g de mantequilla sin sal
- 1 1/2 tazas (185 g) de azúcar glas, tamizado
- 1 cucharadita de agua caliente

1 Precaliente el horno a 180°C. Unte un molde cuadrado llano de 23 cm con mantequilla derretida o aceite y cubra la base y las paredes con papel parafinado.

2 Tamice la harina y la nuez moscada en un cuenco grande. Añada el azúcar, la zanahoria rallada, la fruta confitada, las gotas de chocolate y el coco; remuévalo hasta que esté bien mezclado. Agregue los huevos batidos y la mantequilla y mézclelo bien.

3 Reparta la mezcla en el molde preparado y alise la superficie. Hornee el pastel 30 minutos o hasta que esté dorado; déjelo enfriar en el molde y colóquelo sobre una superficie llana.

4 **Para la cobertura:** Con una batidora eléctrica, mezcle el queso fresco y la mantequilla en un cuenco pequeño hasta que esté fino. Añada el azúcar glas y bátalo 2 minutos, hasta conseguir una masa esponjosa y ligera. Agregue el agua y bátalo hasta que esté bien mezclado.

5 Con un cuchillo de hoja plana, bañe el pastel con la mezcla de queso fresco y espolvoréelo con nueces. Córtelo en 16 cuadrados y luego forme dos triángulos de cada unidad.

NOTA: Puede congelar este postre durante dos meses. Si lo desea, puede decorar la parte superior del pastel con chocolate rallado.

QUESO FRESCO

El queso fresco se elabora a partir de la leche entera o de su combinación con nata. Además de comerlo untado en pan, es muy útil como base de rellenos y coberturas. Para obtener un sabor más delicado, introduzca hojas o hierbas aromáticas en el interior del queso fresco y resérvelo una noche envuelto en film transparente; luego deseche las hojas. El queso desprenderá un delicado aroma.

ARRIBA: Tartaletas de chocolate y zanahoria

GLASEADOS

Dulces o picantes, cocidas o crudas, coberturas como éstas ayudan a convertir una magdalena casera sin decorar o una simple tartaleta en un acontecimiento especial.

CREMA DE MANTEQUILLA FÁCIL

Con una batidora eléctrica, mezcle 80 g de mantequilla reblandecida con ½ taza (60 g) de azúcar glas. Si lo desea, también puede aromatizarla con 2 cucharaditas de ralladura fina de naranja, 60 g de chocolate fundido y enfriado o unas gotas de su esencia aromática preferida y colorantes adicionales.

GLASEADO DE CHOCOLATE

En un cuenco, mezcle 30 g de mantequilla fundida, 2 cucharadas de agua caliente y 2 cucharadas de cacao en polvo tamizado hasta formar una masa fina. Añada 1 taza (125 g) de azúcar glas tamizado y remuévalo hasta que los ingredientes estén bien mezclados y formen una masa fina.

CREMA DE MIEL SIMULADA

Con una batidora eléctrica, mezcle 125 g de mantequilla con ⅓ taza (90 g) de azúcar y 2 cucharadas de miel hasta obtener una masa ligera y cremosa. Vierta agua fría sobre la masa, agite el recipiente y deseche el agua. Luego, bata la masa otros 2 minutos, añada más agua y repita cinco veces la operación anterior, hasta que la masa quede blanca y cremosa

y el azúcar se haya disuelto por completo. Esta crema es una cobertura deliciosa para pasteles y tartaletas con especias.

GLASEADO DE CÍTRICOS

Mezcle 1 taza (125 g) de azúcar glas tamizado, 10 g de mantequilla sin sal y 1 cucharadita de ralladura fina de cítricos en un cuenco resistente al calor. Agregue el zumo necesario (1 ó 2 cucharadas) para obtener una masa consistente. Coloque el cuenco encima de una olla con agua hirviendo y remueva la mezcla hasta que adquiera una textura brillante y homogénea; retírela del fuego. Con una espátula, esparza el glaseado sobre pasteles o galletas. Puede utilizar ralladura y zumo de naranja, limón o lima.

GLASEADO SUAVE DE CÍTRICOS

Elabore un glaseado simple y delicioso a partir de la mezcla de 155 g de azúcar glas tamizado, 30 g de mantequilla ablandada, ralladura de cítricos y el agua caliente necesaria para obtener una masa espesa y homogénea; viértala sobre el pastel. Es fácil trabajar con esta mezcla, ya que no se espesa muy deprisa. Puede calentar el glaseado en un cuenco sobre agua hirviendo y repartirlo con rapidez mediante un cuchillo caliente y húmedo, ya que se solidificará casi al instante.

GLASEADO DE QUESO FRESCO

Corte 185 g de queso fresco en daditos; con una batidora eléctrica, forme una masa homogénea. Añada 40 g de azúcar glas tamizado y dos cucharaditas de zumo de limón; bátalo hasta que esté mezclado. Puede añadir un poco de zumo, sin dejar que el glaseado sea demasiado líquido. Es ideal para pasteles de zanahoria o plátano.

GANACHE DE CHOCOLATE

En un cuenco resistente al calor, mezcle 100 g de chocolate negro troceado, 60 g de mantequilla sin sal y 1 cucharada de nata; sobre una olla con agua hirviendo, remuévalo hasta que sea homogéneo y esté fundido. Puede dejarlo enfriar y distribuirlo en forma líquida, sobre un pastel liso. (Si la parte superior del pastel no es lisa, inviértalo y trabaje con la base). Puede dejarlo enfriar hasta esparcerlo, o batirlo y obtener una cobertura más ligera.

EN EL SENTIDO DE LAS AGUJAS DEL RELOJ, DESDE SUPERIOR IZQUIERDA: Glaseado de cítricos; ganache de chocolate; glaseado de chocolate (con nata y enrejado de chocolate); crema de miel simulada; glaseado suave de cítricos; crema de mantequilla fácil; glaseado de queso fresco

TARTA DE CAFÉ AL LICOR

Tiempo de preparación: 1 hora + 1 hora de refrigeración
Tiempo total de cocción: 40–50 minutos
Para 8–10 personas

☆☆☆

125 g de nueces del Brasil
100 g de almendras blanqueadas
80 g de avellanas
2 cucharadas de harina
3/4 taza (185 g) de azúcar
7 claras de huevo
1/4 taza (60 ml) de Tia Maria o Kahlúa
botones de chocolate, para decorar
azúcar glas tamizado, para espolvorear

Crema de café

200 g de mantequilla
150 g de chocolate negro fundido
2–3 cucharaditas de azúcar glas
2 cucharaditas de agua caliente
3–4 cucharaditas de café en polvo instantáneo

1 Precaliente el horno a 180°C. Unte un molde redondo de 20 cm con mantequilla derretida o aceite y forre la base y las paredes con papel parafinado. Hornee las avellanas de 5 a 10 minutos, hasta que estén doradas; envuélvalas en un paño de cocina limpio, frótelas bien para pelarlas y tritúrelas con una picadora.

2 En un cuenco, mezcle los frutos secos con la harina y 1/2 taza (125g) de azúcar. Monte las claras con una batidora eléctrica; añada el resto de azúcar de forma gradual, sin dejar de batir, hasta que se disuelva y la masa adquiera una textura espesa y brillante. Con una cuchara de metal, mezcle por tandas los frutos secos con las claras y vierta la masa en el molde; alise la superficie. Hornee el pastel de 35 a 40 minutos, hasta que esté esponjoso; déjelo enfriar en el molde.

3 Para la crema de café: Trabaje la mantequilla con una batidora eléctrica hasta que esté ligera y cremosa. Añada el chocolate fundido de forma gradual, sin dejar de batir hasta que esté bien mezclado; agregue el azúcar glas y la mezcla de agua y café en polvo; bátalo hasta dejarlo fino.

4 Para montar la tarta: En una tabla lisa y con un cuchillo dentado, corte el pastel en tres capas horizontales. Utilice la capa superior como la base de la tarta. Bañe la primera capa con la mitad del licor y una quinta parte de la crema de café.

5 Cúbralo con una segunda capa; báñela con el licor y úntela con 1/4 de la crema de café restante. Cúbralo con la última capa. Unte con el resto de la crema de café la parte superior y los bordes. Decore con chocolate, espolvoree con azúcar glas y refrigere 1 hora, hasta que esté consistente.

BOTONES DE CHOCOLATE
Para elaborar botones de chocolate en casa, derrita 150 g de chocolate troceado. Forre dos fuentes con papel parafinado. Vierta la mitad del chocolate en un cucurucho de papel, ciérrelo y córtele la punta. Reparta botones de chocolate en las fuentes y agítelas un poco para que se aplanen. Déjelo reposar y, a continuación, retire el papel y utilice los botones para decorar pasteles.

ARRIBA: Tarta de café al licor

CÓMO PREPARAR LAS ALMENDRAS

Algunas recetas precisan almendras blanqueadas, es decir, almendras peladas. Puede adquirlas peladas en paquetes o pelarlas en casa. Para ello, sumérjalas en agua hirviendo durante 30 segundos; luego escúrralas y pélelas frotándolas con los dedos o envueltas en un paño de cocina. En la decoración de pasteles, utilice más bien almendras tostadas, ya que aportan más sabor. Para tostarlas, distribúyalas en una sola capa en una bandeja de horno y hornéelas a 180°C entre 5 y 10 minutos, hasta que estén un poco doradas. Déjelas enfriar y utilícelas a su gusto.

PASTEL DE PLÁTANO

Tiempo de preparación: 25 minutos
Tiempo total de cocción: 1 hora
Para un pastel redondo de 20 cm

125 g de mantequilla
1/2 taza (125 g) de azúcar
2 huevos ligeramente batidos
1 cucharadita de esencia de vainilla
4 plátanos maduros medianos, triturados
1 cucharadita de bicarbonato de sosa
1/2 taza (125 ml) de leche
2 tazas (250 g) de harina de fuerza

Glaseado de mantequilla

125 g de mantequilla
3/4 taza (90 g) de azúcar glas
1 cucharada de zumo de limón
1/4 taza (15 g) de coco en láminas tostadas

1 Precaliente el horno a 180°C. Unte un molde redondo de 20 cm con mantequilla derretida o aceite y forre la base con papel parafinado. Con una batidora eléctrica, trabaje la mantequilla y el azúcar en un cuenco hasta obtener una masa ligera y cremosa. Vierta los huevos de modo gradual, sin dejar de batir la masa; agregue la vainilla y el plátano triturado y bátalo para mezclarlo.
2 Vierta la mezcla en un cuenco. Disuelva la sosa en la leche. Con una cuchara de metal, mezcle la harina tamizada con la leche. Bata bien todos los ingredientes hasta obtener una masa homogénea y dispóngala en el molde; alise la superficie. Hornee 1 hora o hasta que al insertar una brocheta en el centro, ésta salga limpia. Manténgalo 10 minutos en el molde antes de pasarlo a una rejilla metálica para que se enfríe.
3 **Para el glaseado:** Con una batidora, prepare una masa homogénea y cremosa con la mantequilla, el azúcar y el zumo de limón; viértala en el pastel frío y decórelo con las láminas de coco.
NOTA: Los plátanos muy maduros son los mejores para esta receta, pues aportan un sabor más intenso. Puede decorar con coco sin tostar.

ARRIBA: Pastel de plátano

CÓMO CONSERVAR MAGDALENAS

Las magdalenas saben mejor el día de su elaboración. Sin embargo, puede congelarlas hasta un máximo de 3 meses. Déjelas enfriar por completo y luego introdúzcalas en una bolsa hermética para congelados. Cuando quiera utilizarlas, descongélelas a temperatura ambiente o caliéntelas al horno a temperatura moderada.

ARRIBA: Magdalenas de doble chocolate
A LA DERECHA: Magdalenas de fresa y fruta de la pasión

MAGDALENAS DE DOBLE CHOCOLATE

Tiempo de preparación: 15 minutos
Tiempo total de cocción: 12–15 minutos
Para 6 magdalenas grandes

2 tazas de harina
$2\frac{1}{2}$ cucharaditas de levadura en polvo
$\frac{1}{4}$ taza (30 g) de cacao en polvo
2 cucharadas de azúcar
1 taza (175 g) de pepitas de chocolate negro
1 huevo ligeramente batido
$\frac{1}{2}$ taza (125 g) de crema agria
$\frac{3}{4}$ taza (185 ml) de leche
90 g de mantequilla derretida

1 Precaliente el horno a 180°C. Unte un molde para 6 magdalenas grandes con aceite o mantequilla derretida. En un cuenco, tamice la harina, la levadura y el cacao en polvo; añada el azúcar y las pepitas de chocolate y mézclelo bien. Haga un hueco en el centro, añada la mezcla del huevo, la crema agria, la leche y la mantequilla y revuélvalo con un tenedor. No bata demasiado la mezcla, pues debe tener una textura grumosa.

2 Vierta la mezcla en el molde y hornéela de 12 a 15 minutos, hasta que esté consistente. Con un cuchillo, separe un poco las magdalenas del molde antes de colocarlas en una rejilla metálica.

NOTA: Para una cobertura deliciosa, cueza en un cazo a fuego medio 50 g de chocolate, 1 cucharada de nata líquida y 10 g de mantequilla hasta obtener una mezcla fina. Refrigérela hasta que esté consistente y distribúyala sobre las magdalenas. Espolvoréelas con azúcar glas.

MAGDALENAS DE FRESA Y FRUTA DE LA PASIÓN

Tiempo de preparación: 20 minutos
Tiempo total de cocción: 10–15 minutos
Para 12 unidades

$1\frac{3}{4}$ tazas (215 g) de harina de fuerza
una pizca de sal
1 cucharadita de levadura en polvo
$\frac{1}{2}$ cucharadita bicarbonato de sosa
$\frac{1}{4}$ taza (60 g) de azúcar
1 taza (175 g) de fresas frescas troceadas
$\frac{1}{2}$ taza (125 g) de pulpa de fruta de la pasión en conserva (o fresca)
1 huevo
$\frac{3}{4}$ taza (185 ml) de leche
60 g de mantequilla fundida

MOLDES PARA MAGDALENAS
Estas magdalenas se han elaborado con moldes especiales antiadherentes, llamados moldes para muffins, adquiridos en grandes almacenes o supermercados norteamericanos. Existen moldes de 6 ó 12 cavidades, y éstas pueden tener tres tamaños distintos: pequeño, normal y grande. A no ser que se indique lo contrario, en estas recetas se ha utilizado el tamaño normal. A pesar de que estos moldes son antiadherentes, es aconsejable untarlos un poco, como mínimo por la base, debido al azúcar que contienen algunas magdalenas.

1 Precaliente el horno a 210°C. Unte un molde para 12 magdalenas con mantequilla derretida o aceite.
2 En un cuenco, tamice la harina, la sal, la levadura en polvo, la sosa y el azúcar. Incorpore las fresas y revuélvalo hasta que esté todo bien mezclado. Haga un hueco en el centro.
3 Añada la pulpa de la fruta de la pasión y la mezcla del huevo y la leche. Agregue en una vez la mantequilla fundida a la mezcla obtenida con la harina y revuélvalo un poco con un tenedor hasta que esté bien mezclado. (No lo bata en exceso, ya que la masa debería tener una textura grumosa.)
4 Vierta cucharadas de la mezcla en los moldes preparados y hornéelos de 10 a 15 minutos, o hasta que estén dorados. Con un cuchillo de hoja plana o una espátula, extraiga las magdalenas del molde y déjelas enfriar sobre una rejilla metálica. Cúbralas con requesón azucarado o nata montada y fresas frescas por la mitad y, si lo desea, espolvoree con azúcar glas.

MAGDALENAS DE ARÁNDANO

Tiempo de preparación: 20 minutos
Tiempo total de cocción: 20 minutos
Para 6 magdalenas grandes

3 tazas (375 g) de harina
1 cucharada de levadura en polvo
3/4 taza (140 g) de azúcar moreno
125 g de mantequilla derretida
2 huevos ligeramente batidos
1 taza (250 ml) de leche
1 taza (155 g) de arándanos
azúcar glas, para espolvorear

1 Precaliente el horno a 210°C. Unte un molde grande para 6 magdalenas con mantequilla derretida o aceite. Tamice la harina y la levadura, agregue azúcar y haga un hueco en el centro.
2 Añada la mezcla de mantequilla fundida, leche y huevos y remuévalo para mezclarlo. (Sin excederse, pues la masa debería ser grumosa.)
3 Incorpore los arándanos. Disponga las magdalenas en el molde y hornee 20 minutos hasta que estén doradas. Extráigalas con un cuchillo, déjelas enfriar sobre una rejilla y añada azúcar glas.

ARRIBA: Magdalenas de arándano

SCONES
Los scones son un tipo de bollos deliciosos y muy fáciles de preparar, pero resulta igual de fácil rellenarlos con diversos ingredientes adicionales. Las pasas sultanas, de Corinto o las uvas pasas son los frutos secos favoritos y tradicionales, pero también puede utilizar frutas confitadas troceadas o incluso albaricoques o melocotones secos en trocitos. Para que resulten más sabrosos, añada queso rallado o finas hierbas a la mezcla.

ARRIBA: Scones

SCONES

Tiempo de preparación: 20 minutos
Tiempo total de cocción: 10–12 minutos
Para 12 unidades

2 tazas (250 g) de harina de fuerza
una pizca de sal (opcional–vea la nota)
30 g de mantequilla troceada
1/2 taza (125 ml) de leche
1/3 taza (80 ml) de agua
leche adicional, para glasear

1 Precaliente el horno a 210°C. Unte una bandeja de horno con mantequilla derretida o aceite. Tamice la harina y la sal (si utiliza) en un cuenco y, con las yemas de los dedos, incorpore en la mezcla la mantequilla troceada.
2 Haga un hueco en el centro de la harina; añada casi toda la mezcla de la leche y el agua. Con un cuchillo de hoja plana, mézclelo hasta formar una masa fina; agregue líquido, si es necesario.
3 Pase la masa a una tabla ligeramente enharinada (utilice harina de fuerza). Trabájela un poco y con cuidado hasta que sea homogénea; extiéndala para formar un círculo de 1,5 cm de grosor.
4 Corte la masa en círculos con un cortapastas redondo de 5 cm enharinado. Disponga los círculos en la bandeja, glaséelos con leche y hornéelos de 10 a 12 minutos, hasta que estén dorados. Sírvalos con mermelada y nata montada.
NOTA: Trabaje la masa de los scones con suavidad, ya que de lo contrario, resultarán duros; asimismo, debe trabajar muy poco la masa. Para potenciar el sabor, a menudo se añade una pizca de sal a la mezcla de los scones.

PASTITAS DE LIMÓN RÁPIDAS

Precaliente el horno a 180°C. Con una batidora, mezcle 1 taza (125 g) de harina, 1 cucharada de harina de arroz, 100 g de mantequilla fría desmenuzada, 1/2 cucharadita de ralladura fina de limón y 1 cucharada de zumo de limón. Pase la masa a una tabla enharinada y extiéndala en una lámina de 5 mm de grosor. Corte las pastitas en los modelos que desee y dispóngalas en una fuente de horno cubierta con papel parafinado. Hornéelas de 10 a 12 minutos, hasta que sean de color amarillo pálido. Déjelas enfriar en una rejilla. Para 20 unidades.

STRUDEL DE MANZANA

Tiempo de preparación: 20 minutos
Tiempo total de cocción: 25–30 minutos
Para 2 strudels

- 4 manzanas verdes para cocinar
- 30 g de mantequilla
- 2 cucharadas de zumo de naranja
- 1 cucharada de miel
- 1/4 taza (60 g) de azúcar
- 1/2 taza (60 g) de pasas sultanas
- 2 láminas de pasta de hojaldre preparada
- 1/4 taza (45 g) de almendras molidas
- 1 huevo ligeramente batido
- 2 cucharadas de azúcar moreno
- 1 cucharadita de canela molida

1 Precaliente el horno a 220°C. Unte dos bandejas de horno con un poco de mantequilla derretida o aceite. Pele las manzanas, quíteles el corazón y córtelas en rodajas. En una sartén mediana con mantequilla caliente, cueza las manzanas unos 2 minutos o hasta que estén un poco doradas. Añada el zumo de naranja, la miel, el azúcar y las pasas, y déjelo cocer todo a fuego medio, hasta que se disuelva el azúcar y las manzanas estén tiernas. Reserve la mezcla en un cuenco hasta que se enfríe por completo.

2 Extienda una lámina de hojaldre sobre una superficie lisa. Dóblela por la mitad y haga pequeños cortes en la parte doblada a intervalos de 2 cm. Despliegue la pasta y espolvoréela con la mitad de las almendras molidas. Escurra el líquido de las manzanas y coloque la mitad de la mezcla en el centro de la masa. Pinte los bordes con el huevo ligeramente batido y dóblelos para sellarlos.

3 Coloque el strudel en una de las bandejas preparadas con la parte sellada boca abajo. Pinte con huevo la parte superior y esparza por encima la mitad de la mezcla obtenida con azúcar moreno y canela. Repita la operación con el resto de las láminas de hojaldre y del relleno. Hornéelo de 20 a 25 minutos, hasta que el hojaldre esté dorado y crujiente. Sírvalo caliente con nata o helado, o bien a temperatura ambiente, como parte de una merienda especial.

NOTA: Para elaborar el strudel, puede utilizar diferentes tipos de fruta fresca o en conserva, como peras, cerezas o albaricoques. Asegúrese de escurrir bien la fruta antes de utilizarla; de lo contrario, la base del hojaldre quedará demasiado empapada.

CONSEJOS PARA EL AMASADO

Todo el secreto de los bollos, galletas y pasteles ligeros y tiernos reside en el amasado. Si en la receta de un pastel se indica que 'mezcle' la harina, utilice una cuchara grande de metal o una espátula de plástico para remover la masa hasta que la harina esté bien mezclada. En las recetas para pastas o galletas, use un cuchillo de hoja plana para "cortar" el líquido en los ingredientes secos y luego amáselos sólo con las yemas de los dedos. Son las proteínas que contiene la harina (gluten) lo que provoca que la masa final quede dura, en caso de trabajarla demasiado.

ARRIBA: Strudel de manzana

TARTALETAS DE LIMÓN

Tiempo de preparación: 40 minutos + refrigeración
Tiempo total de cocción: 15 minutos
Para 24 unidades

2 tazas (250 g) de harina
125 g de mantequilla desmenuzada
2 cucharaditas de azúcar en polvo
1 cucharadita de ralladura de limón
1 yema de huevo

Relleno

125 g de requesón suave
1/2 taza (125 g) de azúcar
2 yemas de huevo
2 cucharadas de zumo de limón
1/2 taza (160 g) de leche condensada azucarada

1 Precaliente el horno a 180°C. Unte con aceite dos moldes de 12 tartaletas. Aparte, tamice la harina y un poco de sal y añada la mantequilla. Agregue el azúcar, la ralladura, la yema de huevo y 2 ó 3 cucharadas de agua helada; mézclelo con un cuchillo. Amáselo sobre una tabla enharinada hasta dejarlo homogéneo. Envuélvalo con film transparente y déjelo enfriar 10 minutos.
2 Para el relleno: Con una batidora eléctrica, mezcle el requesón con las yemas de huevo y el azúcar hasta que esté espeso y homogéneo. Añada el zumo, la leche condensada y bátalo bien.
3 Extienda la masa en capas de 3 mm entre láminas de papel parafinado. Recorte círculos de la masa con un cortapastas circular de 7 cm e introdúzcalos en los moldes. Agujeree 3 veces cada círculo con un tenedor, y hornéelos 10 minutos hasta que empiecen a dorarse. Retírelos del horno y vierta 2 cucharaditas del relleno en cada cavidad del molde. Hornee las tartaletas 5 minutos, hasta que estén cocidas, y déjelas enfriar antes de retirarlas de los moldes. Si lo desea, decórelas con tiras de piel de limón escarchada.

LECHE CONDENSADA
La leche condensada se obtiene a partir de leche entera o desnatada hervida hasta que su volumen original se reduce a un tercio. Luego se endulza con azúcar hasta que su sabor recuerda más al de un caramelo suave que al de la misma leche. Una vez abierto el envase, es el azúcar el que garantiza una mayor conservación que la leche evaporada. La leche condensada resulta ideal para preparar dulces y helados.

ÉCLAIRS DE CHOCOLATE

Tiempo de preparación: 20 minutos
Tiempo total de cocción: 40 minutos
Para 18 unidades

1 taza (250 ml) de agua
125 g de mantequilla
1 taza (125 g) de harina tamizada
4 huevos
315 ml de nata montada
150 g de chocolate negro fundido

1 Precaliente el horno a 210°C. Unte con aceite dos bandejas de horno. En un cazo a fuego medio, mezcle y derrita la mantequilla en el agua, llévelo a ebullición y retírelo del fuego.
2 Vierta toda la harina, cuézalo de nuevo y remuévalo con una cuchara de madera hasta que la mezcla no se pegue a las paredes del cazo y forme una bola alrededor de la cuchara. Dispóngalo en un cuenco y déjelo enfriar un poco. Añada

ARRIBA: Tartaletas de limón
A LA DERECHA: Éclairs de chocolate

los huevos de uno en uno, y bata cada vez hasta que la mezcla esté espesa, homogénea y brillante.
3 Introdúzcala en una manga pastelera con una boquilla de 1,5 cm y extienda tiras de 15 cm separadas para que no se enganchen en la cocción.
4 Hornéelo de 10 a 15 minutos. Reduzca a 180°C y hornéelo 15 minutos más, hasta que esté dorado y consistente. Abra los éclairs por la mitad, deseche la masa cruda y rellénelos con nata. Nápelos con chocolate fundido.

DELICIAS DE CAFÉ

Tiempo de preparación: 40 minutos
Tiempo total de cocción: 10 minutos
Para 30 unidades

3 tazas (375 g) de harina de fuerza
160 g de mantequilla desmenuzada
1/2 taza (125 g) de azúcar
1 huevo ligeramente batido
1 cucharada de café en polvo instantáneo
1–2 cucharadas de agua helada

Crema de café y mantequilla

80 g de mantequilla
1 taza (125 g) de azúcar glas, tamizado
2 cucharaditas de agua
2 cucharaditas de café en polvo instantáneo
100 g de chocolate blanco fundido

1 Precaliente el horno a 180°C. Unte con aceite dos bandejas para galletas y fórrelas con papel parafinado. Con los dedos, mezcle la mantequilla con la harina tamizada hasta que la masa parezca migas de pan finas. Añada la mezcla de azúcar, huevo y café disuelto en agua. Mézclelo con un cuchillo hasta formar una masa consistente y fina; trabájela hasta dejarla homogénea.
2 Extiéndala en una capa de 5 mm entre dos hojas de papel parafinado y, con un cortapastas, recorte círculos de 5 cm. Dispóngalos en las bandejas, hornéelos 10 minutos, hasta que estén un poco dorados y colóquelos sobre una rejilla.
3 **Para la crema de café y mantequilla:** Con una batidora, forme una masa cremosa y ligera con azúcar glas y mantequilla. Añada agua y café en polvo mezclados y bátalo bien. Introduzca la masa en una manga pastelera de boquilla acanalada y distribúyala sobre la mitad de las galletas. Cúbralas con otra galleta, séllelas y decórelas con chocolate fundido o con bolitas de café, si lo desea.

GALLETAS INTEGRALES DE CHOCOLATE

Tiempo de preparación: 20 minutos
Tiempo total de cocción: 15–20 minutos
Para 25 unidades

125 g de mantequilla
1/2 taza (95 g) de azúcar moreno
1/4 taza (60 ml) de leche
1 1/2 tazas (225 g) de harina integral
1/3 taza (40 g) de harina de fuerza
1/3 taza (30 g) de coco desecado
200 g de chocolate negro

1 Precaliente el horno a 180°C. Unte dos bandejas de horno con mantequilla derretida o aceite y fórrelas con papel parafinado. Con una batidora eléctrica, forme una masa ligera y cremosa con la mantequilla y el azúcar. Añada la leche y bátalo hasta que esté todo bien mezclado.
2 Añada las harinas tamizadas y el coco, y mézclelo con un cuchillo hasta formar una masa fina. Extiéndala en una capa de 5 mm entre dos hojas de papel parafinado. Con un cortapastas redondo de 5 cm, corte la masa en círculos y colóquelos en la bandeja. Hornéelos de 15 a 20 minutos hasta que estén dorados y déjelos enfriar.
3 Derrita el chocolate en un cuenco sobre un cazo con agua hirviendo; retírelo del fuego, déjelo enfriar y distribúyalo sobre las galletas.

ESENCIA DE CAFÉ
El mejor café para cocinar es el de grano oscuro tostado. Para elaborar una esencia de café fácil, mezcle partes iguales de café instantáneo molido y agua caliente, y déjelo reposar durante 1 día. Para una esencia más intensa, lleve a ebullición café recién preparado hasta que se reduzca y se espese; luego déjelo enfriar. Si las reserva en el frigorífico, ambas esencias se conservarán hasta un máximo de dos semanas. Las esencias que se comercializan varían en intensidad y calidad.

ARRIBA: Delicias de café

LIMAS
Las limas son las frutas más frágiles de los cítricos. Deben tener un color pálido o verde oscuro y una pulpa ácida y verde. En general, si la corteza es amarilla, son demasiado maduras y han perdido buena parte de su sabor agrio. Para la preparación de la salsa guacamole, a base de aguacate, el zumo de lima es mucho mejor que el de limón. El zumo pálido de limas frescas también se utiliza para elaborar muchos postres. así como daiquiris y margaritas.

ARRIBA: Delicias de nata y mermelada
A LA DERECHA: Galletas de lima limón

DELICIAS DE NATA Y MERMELADA

Tiempo de preparación: 15 minutos
Tiempo total de cocción: 12 minutos
Para 20 unidades

125 g de mantequilla sin sal
1/2 taza (125 g) de azúcar
2 yemas de huevo
1 cucharadita de esencia de vainilla
1/4 taza (30 g) de preparado para natillas
3/4 taza (90 g) de harina
3/4 taza (90 g) de harina de fuerza
1/2 taza (160 g) de mermelada de fresa
3/4 taza (185 ml) de nata espesa montada

1 Precaliente el horno a 180°C. Forre dos bandejas de galletas con papel parafinado. Con una batidora eléctrica, forme una masa ligera y cremosa con la mantequilla y el azúcar. Añada las yemas de huevo de una en una, y bata bien cada vez; agregue la esencia de vainilla y bátalo hasta que esté bien mezclado.
2 Vierta la mezcla en un cuenco grande. Con un cuchillo de hoja plana, incorpore el preparado para natillas y las harinas tamizadas. Remuévalo hasta que esté todo mezclado y trabájelo con los dedos para formar una masa fina.
3 Forme bolas con cucharaditas colmadas de la mezcla, distribúyalas en las bandejas a intérvalos de 5 cm, alíselas con un tenedor y hornéelas 12 minutos, hasta que estén doradas. Resérvelas 5 minutos en las bandejas antes de dejarlas enfriar en una rejilla metálica. Vierta 1/4 cucharadita de mermelada sobre la mitad de las galletas, decórelas con nata y cúbralas con las galletas restantes.

GALLETAS DE LIMA LIMÓN

Tiempo de preparación: 40 minutos + 1 hora de refrigeración
Tiempo total de cocción: 10–15 minutos
Para 30 unidades

150 g de mantequilla reblandecida
3/4 taza (185 g) de azúcar
1 huevo ligeramente batido
1 cucharada de zumo de lima
2 cucharaditas de ralladura de lima
2 cucharaditas de ralladura de limón
1 taza (125 g) de harina
1/2 taza (60 g) de harina de fuerza
60 g de mazapán rallado

Glaseado de lima

1 taza (125 g) de azúcar glas, tamizado
1 cucharadita de ralladura fina de limón
1 cucharada de zumo de lima
2 cucharaditas de agua

1 Forre dos bandejas de horno con papel parafinado. Con una batidora eléctica, forme una masa ligera y cremosa con la mantequilla y el azúcar. Añada el huevo, el zumo y las ralladuras y bátalo todo hasta que esté bien mezclado.
2 Coloque la mezcla en un cuenco grande. Con un cuchillo de hoja plana, mezcle las harinas y el mazapán hasta formar una masa fina. Divídala en dos, pase una mitad a una superficie enharinada y amásela hasta que esté homogénea.
3 Trabaje la masa en forma de tronco de 4 cm de diámetro. Envuélvalo en film transparente y refrigérelo durante 1 hora. Repita la operación con el resto de la masa. Precaliente el horno a 180°C. Mientras, corte la masa en rodajas de 1 cm, dispóngalas en las bandejas preparadas y hornéelas de 10 a 15 minutos, hasta que las galletas estén un poco doradas. Déjelas enfriar en las bandejas y luego sumérjalas en el glaseado. Decórelas, si lo desea.
4 **Para el glaseado de lima:** Vierta el azúcar glas, la ralladura y el zumo de lima y el agua en un cuenco pequeño. Remuévalo bien y bátalo hasta obtener una mezcla homogénea. Si resulta demasiado espesa, añada un poco de zumo o agua.

PASTEL CONTINENTAL

Tiempo de preparación: 30 minutos + refrigeración
Tiempo total de cocción: 5 minutos
Para 36 porciones

125 g de mantequilla
1/2 taza (125 g) de azúcar
1/4 taza (30 g) de cacao
250 g de galletas integrales trituradas
3/4 taza (65 g) de coco desecado
1/4 taza (30 g) de avellanas troceadas
1/4 taza (60 g) de guindas troceadas
1 huevo ligeramente batido
1 cucharadita de esencia de vainilla

Cobertura

60 g de mantequilla
1 3/4 tazas (215 g) de azúcar glas
2 cucharadas de preparado para natillas
1 cucharada de agua caliente
1 cucharada de Grand Marnier
125 g de chocolate negro
60 g de grasa vegetal

1 Forre la base y las paredes de un molde llano de 18 x 28 cm con papel de aluminio. Mezcle la mantequilla, el azúcar y el cacao en un cazo pequeño y déjelo cocer a fuego lento hasta que la mantequilla se derrita y la masa esté bien mezclada. Sin dejar de remover, manténgalo 1 minuto en el fuego. Retírelo del fuego y déjelo enfriar un poco.
2 Mezcle las galletas desmigadas, el coco, las avellanas y las guindas en un cuenco grande. Haga un hueco en el centro, agregue toda la mezcla de la mantequilla, huevo y vainilla y remuévalo bien. Con el dorso de una cuchara, ejerza presión sobre la mezcla en el molde preparado. Refrigérela hasta que esté consistente.
3 **Para la cobertura:** Con una batidora eléctrica, remueva la mantequilla hasta que esté cremosa. Agregue la mezcla de azúcar glas y el preparado para natillas de forma gradual, alternando con el agua y el Grand Marnier mezclados. Bata la mezcla hasta que esté ligera y esponjosa, distribúyala de forma homogénea sobre la base y refrígerela luego hasta que esté consistente.
4 Mezcle el chocolate y la grasa en un cuenco resistente al calor; colóquelo encima de un cazo con agua hirviendo a fuego lento hasta que el chocolate se derrita y la mezcla sea homogénea. Distribúyala sobre el pastel y refrigérelo durante 4 horas o hasta que esté consistente. Para servir, corte el pastel en cuadrados.

HUEVOS FRESCOS
Adquiera siempre los huevos de menos de dos semanas, pues deben ser frescos para que tengan buen sabor. Los huevos frescos se mantienen en posición horizontal en el fondo de un vaso de agua; en posición vertical, no son frescos y si suben a la superficie es que están pasados. Esta prueba determina la cantidad de aire que contiene el extremo circular del huevo. A pesar del buen aspecto de los huevos dorados, su valor nutritivo no es superior al de los blancos. Consérvelos con el extremo puntiagudo hacia abajo; en la nevera, se conservarán más tiempo. Si bien a temperatura ambiente adquieren más volumen al batirlos, resulta más fácil cascarlos cuando están fríos, pues no es tan probable que se rompan las yemas.

ARRIBA: Pastel continental

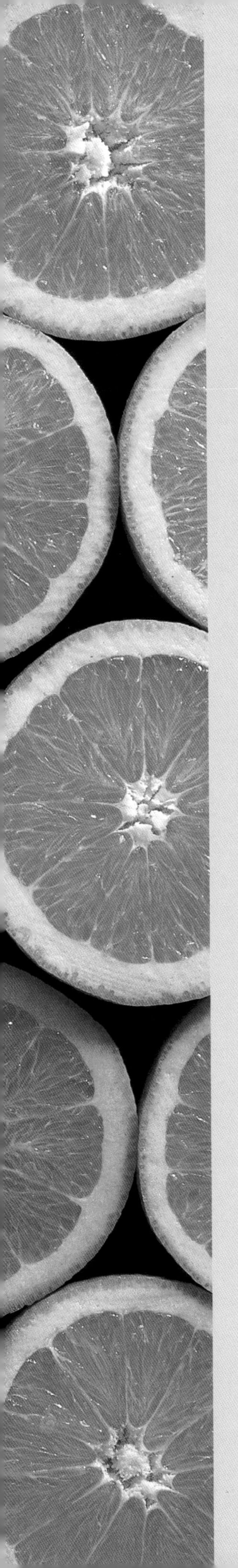

BEBIDAS

Con el almuerzo o pasada la medianoche (y a cualquier hora entre comidas), una bebida preparada con originalidad hace especial cualquier encuentro, a la vez que presenta al cocinero como un buen anfitrión. Incluso las deliciosas y saludables bebidas a base de frutas son siempre bien recibidas en el desayuno familiar como variante de los zumos envasados; y el café servido con ese algo de más constituye el final perfecto a una buena comida en una noche fría de invierno.

WHISKY
Se escribe "whisky" en Escocia y en Canadá, pero "whiskey" en Irlanda y América del Norte. Sea cual sea su ortografía, el nombre deriva del antiguo vocablo gaélico *usquebaugh*, que significa "agua de la vida". La primera referencia escrita al whisky escocés se remonta a 1494, aunque probablemente se elaboraba ya desde mucho antes, pues la destilación era una tarea común en muchas granjas escocesas—tarea no muy difícil, ya que el whisky se destilaba sólo un par de veces. El whiskey irlandés, en cambio, se destila tres veces y en cantidades mucho más pequeñas.

EN EL SENTIDO DE LAS AGUJAS DEL RELOJ, DESDE EL FONDO: Café irlandés, café vienés y café con especias

CAFÉ VIENÉS

Tiempo de preparación: 10 minutos
Tiempo total de cocción: ninguno
Para 4 personas

4 tazas (1 litro) de café con leche
80 g de chocolate con leche rallado
2 tazas (500 ml) de nata montada

1 Vierta 1 cucharada de chocolate con leche rallado en cada taza de café con leche y coloque encima un buen montoncito de nata montada. Decórelo con chocolate y sírvalo enseguida.

CAFÉ IRLANDÉS

Tiempo de preparación: 10 minutos
Tiempo total de cocción: ninguno
Para 4 personas

1 cafetera de café cargado (4 tazas/1 litro)
azúcar
whiskey irlandés
nata espesa

1 Vierta el café en copas altas, preferiblemente de cristal, y añádale azúcar y whiskey irlandés al gusto.
2 Vierta la nata espesa en el café, dejándola resbalar por el reverso de una cuchara, a fin de crear una capa de 6 mm de espesor. Sírvalo enseguida. Como variante, sustituya el whiskey por ron añejo y obtendrá un café jamaicano.

CAFÉ CON ESPECIAS

Tiempo de preparación: 10 minutos
Tiempo total de cocción: ninguno
Para 4 personas

1/2–1 cucharadita de canela molida
1 cafetera de café cargado (4 tazas/1 litro)
Kahlúa
2 tazas (500 ml) de nata montada
ralladura de naranja, para decorar

1 Espolvoree la canela sobre el café cuando éste esté todavía dentro de la cafetera. Vierta 1 ó 2 cucharadas de Kahlúa en cada taza.
2 Vierta el café, añada la nata con una cuchara o una manga y decore con la ralladura de naranja.

TÉ HELADO

Tiempo de preparación: 5 minutos
Tiempo total de cocción: ninguno
Para 1 persona

hielo
1/2 taza (125 ml) de té frío
1 cucharadita de azúcar

1 Vierta el hielo, el té frío y el azúcar en un vaso largo y remuévalo con una varilla de cóctel. Decórelo con rodajas de limón y hojitas de menta. Pruebe también otras infusiones heladas.

CACAO CLÁSICO PARA DOS

Tiempo de preparación: 5 minutos
Tiempo total de cocción: 5 minutos
Para 2 personas

1 cucharada de cacao en polvo
1 cucharada de azúcar
1/4 taza (60 ml) de agua
2 tazas (500 ml) de leche caliente
un golpe de ron o whisky (opcional)

1 Mezcle el cacao en polvo con el azúcar en un cazo, añádale agua y remuévalo bien hasta que esté homogéneo. Póngalo a hervir, baje el fuego al mínimo y agregue la leche caliente, batiéndolo hasta que espumee. Sírvalo espolvoreado con cacao en polvo y con un golpe de ron o whisky.

CHOCOLATE HELADO

Tiempo de preparación: 5 minutos
Tiempo total de cocción: ninguno
Para 1 persona

1–2 cucharadas de chocolate soluble
1 taza (250 ml) de leche muy fría
nata montada o helado de vainilla

1 En un vaso largo diluya el chocolate en un poco de leche y vierta la leche fría por encima.
2 Decore con la nata montada o una cucharada de helado de vainilla, o ambos.

BATIDO DE CHOCOLATE

Tiempo de preparación: 5 minutos
Tiempo total de cocción: ninguno
Para 1 batido

1 taza (250 ml) de leche
1 cucharada de jarabe de chocolate
2–3 cucharadas de helado de chocolate

1 Bata la leche y el jarabe de chocolate brevemente con la batidora eléctrica, añada el helado de chocolate y vuelva a batirlo hasta que la mezcla esté fina, pero no líquida. (Debería quedar bastante espesa.) Sírvala en un vaso grande y con una pajita ancha para sorber.
NOTA: El jarabe de chocolate, que suele utilizarse como cobertura para el helado de chocolate, se encuentra a la venta en supermercados.

ARRIBA: Cacao clásico para dos

CAFÉ
La desconcertante variedad de aromas y sabores distintos que puede llegar a tener el café depende de su lugar de cultivo, del modo en que se tuesta el grano, de la manera en que se cuece el café y de la forma de servirlo. Pero el único requisito básico para una buena taza de café, independientemente del método que se siga para elaborarlo, reside en que el grano sea de buena calidad. Puesto que el aroma se desvanece con el proceso de molienda, siempre resulta mejor comprar el café recién molido o, al igual que los auténticos cafeteros, molerlo en casa.

PÁGINA SIGUIENTE: En el sentido de las agujas del reloj, desde superior izquierda: batido de macedonia; batido energético; espuma de melocotón; batido de plátano y huevo; mango frappé

BATIDO ENERGÉTICO

Tiempo de preparación: 5 minutos
Tiempo total de cocción: ninguno
Para 2 batidos

1 1/2 tazas (375 ml) de leche de soja o desnatada
1 cucharada de leche desnatada en polvo
1/2 taza (125 g) de yogur
1 cucharada de miel
1 plátano pelado
6 fresas (opcional)
canela molida, para espolvorear

1 Bata todos los ingredientes, menos la canela, hasta obtener una mezcla homogénea. Sírvalo en vasos largos y espolvoreado con canela.

BATIDO DE MACEDONIA

Tiempo de preparación: 5 minutos
Tiempo total de cocción: ninguno
Para 2 personas

2 cucharadas de helado de vainilla
1 taza (175 g) de fruta troceada (fruta de la pasión, fresas, plátano, etc.)
3–4 cubitos de hielo
2 cucharadas de miel

1 Bata bien todos los ingredientes mediante la batidora eléctrica y sirva el batido en vasos largos.

BATIDO DE PLÁTANO Y HUEVO

Tiempo de preparación: 5 minutos
Tiempo total de cocción: ninguno
Para 2 personas

1 1/2 tazas (375 ml) de leche
1 plátano mediano
1 cucharada de miel
1 huevo
2–3 cucharadas de yogur
2 cucharadas de helado de vainilla
2 cubitos de hielo

1 Vierta la leche en la batidora, añada el plátano pelado y cortado en rodajas, la miel, el huevo, el yogur, el helado y el hielo; bátalo bien hasta que la mezcla quede homogénea. Sírvalo en 2 copas.

ESPUMA DE MELOCOTÓN

Tiempo de preparación: 5 minutos
Tiempo total de cocción: ninguno
Para 4 personas

425 g de rodajas de melocotón en conserva
3–4 cucharadas de helado de vainilla
1/4 taza (60 ml) de zumo de naranja
2–3 gotas de esencia de vainilla
2 tazas (500 ml) de leche bien fría
rodajas de naranja

1 Escurra las rodajas de melocotón y mézclelas con el helado, el zumo de naranja, la vainilla y la leche; bátalo todo bien fino. Sírvalo enseguida en copas y decorado con rodajas de naranja.

MANGO FRAPPÉ

Tiempo de preparación: 5 minutos
Tiempo total de cocción: ninguno
Para 2 personas

20 cubitos de hielo
3 mangos grandes frescos, cortados en trozos
rodajas de mango

1 Vierta los cubitos en la picadora y tritúrelos más bien gruesos. Añada el mango troceado y píquelo hasta que la mezcla quede fina y espesa.
2 Vierta la mezcla en copas y sírvala inmediatamente. Decore el frappé con rodajas de mango y una hoja de piña, si lo desea.

ARRIBA: Limonada casera

HORDIATE

Se dice que el agua de cebada, u hordiate, calma los dolores de estómago. La cebada perlada es aquella que viene desprovista de la cáscara y del salvado. Este cereal jugó un papel esencial en la vida de los europeos hasta el siglo XVI y, a lo largo de toda la historia, se ha utilizado no sólo como alimento, sino también como unidad de medida, medicamento e incluso como moneda de intercambio.

LIMONADA CASERA

Tiempo de preparación: 10 minutos
+ toda la noche en remojo
Tiempo total de cocción: 10–15 minutos
Para unas 5 tazas (1,25 litros)

Sirope de limón

6 limones grandes
6 clavos de olor enteros
5 tazas (1,25 litros) de agua hirviendo
2 tazas (500 g) de azúcar

hielo
soda

1 Para el sirope de limón: Corte en rodajas los 6 limones, páselos a un cuenco junto con los clavos y cúbralos con el agua hirviendo. Déjelos toda la noche y escurra el agua en un cazo. Retire el limón y los clavos. Disuelva el azúcar, removiéndolo a fuego lento y sin dejar que hierva. Póngalo a hervir y cuézalo 10 minutos a fuego lento hasta que se reduzca y parezca jarabe; déjelo enfriar.
2 Vierta el hielo en vasos largos, agregue 2 cucharadas de sirope de limón y la soda. Decórelo con rodajas de limón y hojitas de menta.

HORDIATE DE LIMA LIMÓN

Tiempo de preparación: 5 minutos
Tiempo total de cocción: 30 minutos
Para unas 4 tazas (1 litro)

☆

1 taza (220 g) de cebada perlada
8 tazas (2 litros) de agua
1/4 taza (60 ml) de zumo de limón
1/2 taza (125 ml) de zumo de lima
1/2 taza (125 g) de azúcar

1 Hierva la cebada con el agua unos 30 minutos en una cazuela de fondo pesado, hasta que el líquido se reduzca a la mitad. Retírelo y cuélelo.
2 Vierta los zumos y el azúcar y mézclelo bien. Sírvalo frío, con hielo y rodajas de lima y limón.

ÍNDICE

Los números de página en *cursiva* se refieren a las fotografías.
Los números de página en **negrita** se refieren a las notas.

A

B

C

F

S

T

Potatoe, Leek, & Spinich Soup

2 leeks
2 stalks celery
1 bag Spinich (cut)
5-6 potatoes
Salt (herb)
peper
Bay leaves 2-3

---

6 med ripe tomatoes peeled
1 thick slice of onion
1 small green pepper peeled
1 small cucumber
1 medium clove garlic

Salad

Avo.
Tomatoe
Basil
sundried Tomatoes
Balsamic Vinegar

Carrot Salad

- Carrots
- Celery - small
- Currents
- walnuts
- pumpkin seeds
- oil/mayo
- curry powder

optional
- red pepper
- peas